Kwiaty od Artiego

Bridget Asher

Kwiaty od Artiego

tłumaczenie Teresa Tyszowiecka

Wydawnictwo Otwarte
Kraków 2009

Tytuł oryginału: *My Husband's Sweethearts*

All rights reserved
Copyright © 2008 by **Bridget Asher**
This translation published by arrangement with The Bantam Dell
Publishing Group, a division of Random House, Inc.

Copyright © for the translation by **Teresa Tyszowiecka**

Projekt okładki: **Adam Stach**

Fotografia na okładce: © **Max Power / Corbis**

Opieka redakcyjna: **Eliza Kasprzak-Kozikowska**

Opracowanie typograficzne książki: **Daniel Malak**

Adiustacja: **Janusz Krasoń / Studio NOTA BENE**

Korekta: **Anna Szczepańska / Studio NOTA BENE**

Łamanie: **Agnieszka Szatkowska-Malak / Studio NOTA BENE**

ISBN 978-83-7515-058-2

www.otwarte.eu

Zamówienia: Dział Handlowy, ul. Kościuszki 37, 30-105 Kraków
Bezpłatna infolinia: 0800-130-082
Zapraszamy do księgarni internetowej Wydawnictwa Znak,
w której można kupić książki Wydawnictwa Otwartego: www.znak.com.pl

Dla Daviego,
mojego ukochanego

SPIS ROZDZIAŁÓW

(maksymy, których twoja matka nie wyhaftuje
na poduszkach i makatkach)

ROZDZIAŁ 1

Czym jest miłość – kto mi powie?

Mam okropny mętlik w głowie

Drałując wzdłuż przedstawicielstw linii lotniczych w stronę stanowiska odprawy, wyjaśniam Lindsay, mojej asystentce, czym jest miłość i jakie są jej opłakane skutki. Uświadamiam sobie, że pośród skłębionego tłumu podróżnych – emerytów w bermudach, kotów w podręcznych pudłach z wywietrznikami, zagonionych ważniaków z wielkich korporacji – wygłaszam tyradę na temat miłości suto doprawioną samousprawiedliwianiem się. Zakochiwałam się w czarujących łajdakach. Adorowałam niewłaściwych mężczyzn z niewłaściwych powodów. Sama jestem sobie winna. Cierpię na niesforność serca i nieznośne napady lekkomyślności. Jeśli idzie o samokontrolę, mam luki u podstaw. Przykład? Mojej uwadze umknął fakt, że zakochałam się w Artiem Shoremanie, mężczyźnie starszym ode mnie o lat osiemnaście. Nie panuję nad swoimi uczuciami, nadal go kocham, mimo że odkryłam, iż przez cztery lata naszego małżeństwa miał trzy kochanki. Z dwiema z nich był jeszcze, zanim się poznaliśmy, jednak nie zerwał tych „znajomości", hołubił je, można powiedzieć, jako pamiątki z czasów kawalerskich, pamiątki wciąż żywej świetności. W jego oczach nie były to r o m a n s e, tylko zwykłe chwile zapomnienia. Niczego przecież nie planował, to było s p o n t a n i c z n e. Ot – flirt i zauroczenie. Trzeci romans określił jako p r z y p a d e k.

Nie panuję również nad tym, że jestem na niego wściekła za to, że jest tak ciężko – śmiertelnie – chory, ani nad tym, że uważam to za jeden z jego teatralnych chwytów. Nie panuję nad tym, że czuję się zmuszona wrócić do niego, do domu, natychmiast. Że muszę się urwać po angielsku z konferencji zaraz po wykładzie na temat pokrętnych przepisów Komisji Papierów Wartościowych i Giełdy, ponieważ moja mama w środku nocy zadzwoniła z niedobrą nowiną, że z jego zdrowiem jest bardzo źle. I nie panuję nad tym, że nadal jestem wściekła na Artiego za to, że jest oszustem, choć pewnie powinnam była choć trochę zmięknąć.

Opowiadam Lindsay, jak zostawiłam Artiego zaraz po tym, gdy odkryłam, że mnie zdradza – sześć miesięcy temu była to słuszna decyzja. Opowiadam, jak wszystkie trzy jego zdrady wyszły na jaw jednocześnie, jak w jakimś makabrycznym teleturnieju.

Lindsay jest filigranowa. Rękawy jej marynarek są zawsze za długie, jak gdyby donaszała je po starszej siostrze. Jest blondynką o jedwabistych włosach unoszących się wokół jej głowy, jakby uwięzła w reklamie szamponu. Nosi małe okulary, które spadają jej z nosa – tak szczupłego i nieskazitelnego, że nie wiem, jakim cudem nim oddycha. Nos Lindsay wygląda jak ornament bez żadnej praktycznej funkcji. Naturalnie Lindsay zna już całą tę historię. Potakuje z głębokim przekonaniem.

Tłumaczę jej, że te kilka miesięcy wyłapywania w internecie każdej oferty pracy, przeskakiwania od jednego klienta do drugiego, zaliczania każdej konferencji, życia na walizkach i spania w hotelach oraz służbowych apartamentach nie było wcale takie złe. Dzięki temu miałam dość czasu i przestrzeni, by się pozbierać. Planowałam spotkać się z Artiem, kiedy będę na to gotowa. A nie jestem.

– Miłość to nie demokracja. Nie można jej ustanowić dekretem ani narzucić większością głosów – mówię do Lindsay.

Moja definicja demokracji sprowadza się do uwzględniania opinii jedynie dwóch osób, które obdarzam zaufaniem: mojej zatroskanej asystentki Lindsay dotrzymującej mi kroku w przemarszu przez terminal lotniska Kennedy'ego i matki, która roztrzęsiona dopadła mnie na Skypie z wiadomością o chorobie Artiego.

– Miłości nie można kupić – ciągnę. – Nie można się o nią targować jak z tym Turkiem o podrabiane torebki Gucciego.

Ilekroć jestem służbowo w Nowym Jorku, matka żąda ode mnie nowej podróbki torby Gucciego; kolejny fałszywy Gucci rozsadza mój podręczny bagaż.

– Miłość jest nielogiczna – tłumaczę Lindsay. – Jest na logikę o d p o r n a. – A konkretnie: mój mąż jest oszustem i łgarzem, więc powinnam go olać albo mu wybaczyć, co podobno robią niektóre zdradzone kobiety. Ja jednak nie robię ani jednego, ani drugiego, tylko pokornie wracam do niego, choć go nienawidzę.

– Oczywiście, Lucy. Masz stuprocentową rację – potakuje Lindsay.

Święte przekonanie w jej głosie wybija mnie z toku. Lindsay ma skłonność do zbyt pozytywnych ocen, a jej potakiwanie, za które kroi niezłą pensję, wydaje mi się podejrzane.

Podejmuję przerwany wywód.

– Nie zamierzam się wypierać błędów, nie wyłączając tych, które w naturalny sposób dziedziczę po matce.

Moja matka – Mistrzyni Nietrafnych Wyborów Sercowych. Przez chwilę widzę ją w jej welurowym dresie, jak śle mi uśmiech wyrażający jednocześnie dumę, nadzieję i politowanie.

– Nie wypieram się swoich błędów, bo dzięki nim jestem tym, kim jestem. A jestem osobą, którą udało mi się polubić. Lubię siebie, no, może z wyjątkiem tych chwil, kiedy w sushi-barze zamawiam wykwintne przystawki. Ponosi mnie wtedy i robię się despotyczna.

– No coś ty! – rzuca Lindsay trochę zbyt szybko.

Zatrzymuję się gwałtownie na środku terminalu. Laptop leci do przodu, kółka mojej podręcznej walizki hamują gwałtownie. (Zapakowałam tylko niezbędne rzeczy, Lindsay dośle mi resztę później).

– Nie jestem gotowa, żeby się z nim widzieć – mówię, a myślami wracam do wczorajszej rozmowy telefonicznej z matką.

– Artie cię potrzebuje – powiedziała. – Mimo wszystko nadal jest twoim mężem. Rzucanie umierającego męża jest w bardzo złym tonie, Lucy.

Wtedy pierwszy raz ktoś głośno i wyraźnie powiedział, że Artie umrze. Do tej chwili mówiło się, że sytuacja z pewnością jest poważna, ale jeszcze jest młody, dopiero co stuknęła mu pięćdziesiątka. Że pochodzi wprawdzie z rodziny, w której od pokoleń mężczyźni umierali młodo, ale to przecież jeszcze nic nie znaczy, a współczesna medycyna idzie do przodu milowymi krokami.

– Urządza melodramat – odpowiedziałam matce, czepiając się poprzedniego scenariusza, tego, w którym żartowałyśmy z podstępnych metod, jakimi Artie próbował mnie odzyskać.

– A jeśli nie urządza? Powinnaś tutaj być. Nie przyjeżdżając, wytwarzasz złą karmę. W przyszłym wcieleniu odrodzisz się jako robak.

– Odkąd interesujesz się karmą? – chciałam wiedzieć.

– Chodzę teraz z buddystą. Nie mówiłam ci?

– Coś się stało? – Czuję, że Lindsay chwyta mnie za łokieć.

– Moja matka chodzi z buddystą – mówię, żeby wiedziała, jak kiepsko sprawy stoją na wszystkich frontach. Łzy napływają mi do oczu. Tablice informacyjne terminalu widzę jak przez mgłę. Wręczam Lindsay torebkę. – Nie dam rady znaleźć paszportu.

Lindsay prowadzi mnie do kabin telefonicznych przy windzie i zaczyna przeczesywać moją torebkę. Chwilowo nie jestem w stanie w niej grzebać. Nie mogę, bo wiem, czym jest wypchana – bilecikami, które wyciągałam z małych kopert wetkniętych w bukiety kwiatów zamawianych przez Artiego, które dostawałam codziennie, nawet gdy byłam w jakiejś małej mieścinie tysiące mil od domu. Potrafił mnie dosięgnąć w każdym pokoju każdego hotelu czy mieszkania, w którym przyszło mi się zatrzymać. (Skąd wiedział, gdzie jestem? Kto przekazywał mu grafik moich podróży? Mama? Zawsze ją podejrzewałam, ale nigdy nie kazałam jej przestać. Wyznam w sekrecie, że lubię, gdy Artie wie, gdzie jestem. Lubię też kwiaty, choć jakaś część we mnie ich nie cierpi – podobnie jak ofiarodawcy).

– Cieszę się, że je zachowałaś – mówi Lindsay, podając mi paszport.

Bywała w pokojach hotelowych, gdzie mieszkałam. Widziała kolekcje moich bukietów w różnych stadiach uwiądu i bileciki. Wolałabym je wyrzucić. To dowód mojej słabości.

Wyciąga jedną karteczkę.

– Wiesz, zawsze byłam ciekawa, co on do ciebie wypisuje.

Nagle odechciewa mi się wpychać w tłum obcych ludzi tłoczących się do odprawy. Kolejka jest długa, ale wciąż mam dużo czasu – za dużo. Zdaję sobie sprawę, że po drugiej stronie będę się miotać jak koty w pudłach podróżnych. Nie chcę być sama.

– Proszę, czytaj.

– Jesteś pewna? – Unosi cienkie brwi.

Przez moment się waham. Tak naprawdę nie mam ochoty słuchać miłosnych wyznań z liścików Artiego. Jakaś część mnie chce wyrwać torebkę z rąk Lindsay, powiedzieć:

„wybacz, zmieniłam zdanie", i stanąć w kolejce. Ale inna część mnie pragnie jeszcze raz przeczytać te bileciki, upewnić się, że są próbą manipulacji. Prawdę mówiąc, muszę to zbadać natychmiast. Takie małe babskie konsylium.

– Tak – odpowiadam.

Lindsay wyciąga bilecik i odczytuje na głos:

– 47: „Za to, że twoim zdaniem w każdej jadalni powinna być sofa, na której można polegiwać i trawić, nie przerywając błyskotliwej konwersacji". – Patrzy pytająco.

– Lubię polegiwać po jedzeniu jak Egipcjanie czy starożytni Rzymianie. Sofa w jadalni to dobra rzecz.

– Masz sofę w jadalni?

– Artie kupił mi ją z okazji naszej pierwszej rocznicy.

Nie mam ochoty myśleć teraz o tym prezencie, ale mam tę sofę w pamięci – długą, staroświecką, obitą nową tapicerką w czerwone maki na białym tle. Ciemne drewno pasowało do mebli w naszej jadalni. Tamtej nocy kochaliśmy się wśród skrzypu starych sprężyn, aż pospadały na podłogę ozdobne poduszki i wałki.

Lindsay wyciąga kolejny karteluszek i czyta:

– 52: „Za to, że piegi na twoim dekolcie układają się w konstelację Elvisa".

Nadciąga załoga stewardes ustawiona w literę „V" jak klucz dzikich gęsi. Kilka dawnych przyjaciółek Artiego było stewardesami. Pieniądze zrobił przed trzydziestką, otworzył włoską restaurację (choć nie miał w żyłach kropli włoskiej krwi), a następnie uruchomił ich sieć na terenie całego kraju. Dużo podróżował. Stewardes nie brakowało. Patrzę na te idące z naprzeciwka, szeleszczące nylonami, turkoczące kółkami walizek. Przez moment czuję ucisk w dołku.

– Kiedyś faktycznie tego dowiódł: połączył kreską piegi i sfotografował je. Mamy zdjęcia. – Daremnie czekam, że Lindsay zapłonie słusznym gniewem. Moja asystentka uśmiecha się tylko pod nosem i wyciąga trzeci bilecik.

– 55: „Za to, że nie możesz raz na zawsze wybaczyć ojcu, bo się boisz, że całkiem zniknie z twojego życia, a przecież nie żyje od lat".

Lindsay ponownie unosi pytająco brwi.

– Artie jest doskonałym słuchaczem. Zapamiętuje wszystko. I co z tego? To przecież nie znaczy, że mam mu wybaczyć zdradę i wracać do domu.

Właśnie za to, między innymi, nie cierpię Artiego. Jest błyskotliwym indywidualistą, kiedy jednak spytałam, dlaczego mnie oszukiwał, usłyszałam garść wyświechtanych frazesów. Po prostu łatwo traci głowę. Myślał, że mu to przejdzie po ślubie, ale nie przeszło. Wyznał, że stale zakochuje się w kobietach, każdego dnia, o każdej porze, i uwielbia w nich wszystko – to, jak kręcą pupą, i szczupłość ich szyi. Kocha nawet ich wady. Dlatego łatwo się angażuje. Kobiety lubią mu się zwierzać. Najpierw obnażają się przed nim psychicznie, potem rozpinają bluzkę. Podobno nienawidził siebie – wcale mu się nie dziwię – i wcale nie chciał mnie zranić. Jednocześnie kochał kobiety, z którymi romansował. Wszystkie. Każdą inaczej i za co innego. Nie zamierzał jednak spędzać z nimi życia. Życie chciał spędzać ze mną. Nienawidzę Artiego za to, że mnie zdradzał – to fakt, ale mam prawo nienawidzić go jeszcze bardziej za to, że mnie wmanewrował w tak żałosną kliszę.

Serce mi pękało i nie potrafiłam znaleźć żadnej riposty. Byłam wściekła i stać mnie było wyłącznie na to, żeby trzasnąć drzwiami.

– Myślisz, że wygrzebie się z tego? – pyta Lindsay, mając na myśli jego zdrowie.

– Wiem, wiem – mówię. – Porządna osoba wróciłaby do domu i przebaczyła mu, bo jest taki chory. Porządna osoba siadłaby na tyłku i próbowała podjąć jakąś decyzję w tę czy w tamtą stronę, a nie rozbijała się po całym kraju jak ja. Wiem. – Rozklejam się.

Milknę, żeby otrzeć łzy. Rozmazał mi się tusz do rzęs. Po co w ogóle się malowałam? Dociera do mnie, że jestem niestosownie ubrana. Mam na sobie swój oficjalny strój: beżowe spodnie, drogie buty, żakiet. O czym myślałam, ubierając się? Pamiętam, że pakowałam się w pośpiechu. Krążyłam po pokoju hotelowym pośród więdnących kwiatów. Jestem rewidentem księgowym – wspólnikiem w firmie, ściśle rzecz biorąc – na którego zresztą wyglądam nawet teraz, kiedy nie powinnam. Nie myślcie, że nie dociera do mnie ironia losu: będąc profesjonalnym tropicielem kłamstw, długo byłam ślepa na zdrady Artiego.

– Potrafię zwęszyć przekręt na kilometr. Za to mi płacą, Lindsay. Jak mogłam się nie domyślić?

– Cóż, Artie nieźle sobie radził z ochroną danych osobowych – żartuje Lindsay, żeby mnie rozchmurzyć. Przeszła ostatnio kurs ochrony danych osobowych i jest dumna jak paw. – Dojdziesz z tym wszystkim do ładu, Lucy. Wszystko potrafisz uporządkować. To twoja specjalność.

– W pracy – prostuję. – Ale to się nie przenosi na życie prywatne. To są dwa różne światy.

Lindsay rozgląda się po terminalu zmieszana – zmieszanie odbija się na jej twarzy, jest wręcz o s t e n t a c y j n i e zmieszana, jak gdyby po raz pierwszy słyszała o istnieniu dwu światów.

Sposobię ją do objęcia wyższego stanowiska. Będzie mnie zastępować podczas mojej nieobecności – żeby przetrwać, musi być twarda. Już rozmawiałyśmy o tym, że nie powinna zbyt łatwo okazywać emocji. Chętnie palnęłabym jej teraz wykład na ten temat. Niestety, sama nie jestem wzorem dyscypliny uczuć.

– Myślisz, że powinnam mu wybaczyć, przyznaj się. Uważasz, że powinnam wrócić do domu i porozmawiać z nim o wszystkim, tak?

Nie bardzo wie, co odpowiedzieć. Ucieka wzrokiem na boki, wreszcie poddaje się i kiwa głową.

– Bo na to zasługuje czy dlatego że jest chory?

Przestępuje z nogi na nogę.

– Nie wiem, czy to dobry argument czy nie, ale, widzisz, nigdy nie miałam chłopaka, który umiałby podać więcej niż trzy, góra cztery powody, że mnie kocha. Nie, żebym żądała od nich listy, ale czujesz, co mam na myśli. Dlatego, że tak cię kocha.

Artie tak mnie kocha – nagle prawda wypływa spod gestów, które brałam za mydlenie oczu, a które były przejawami miłości, miłości do mnie. Jestem zaszokowana nieskomplikowaną logiką Lindsay. Nie wiem, co powiedzieć.

– Na pewno dasz sobie radę, gdy mnie nie będzie – mówię. – Wierzę w ciebie.

Jest trochę zaskoczona. Rumieni się kolejny raz. Nie powinna tego robić, choć miło się na to patrzy.

– Dzięki za zaufanie. – Dyga lekko, oddając mi torebkę. Patrzy na mój bagaż. – Masz wszystko?

– Dam sobie radę.

– W porządku. – Odwraca się i znika w tłumie.

Wygląda zadzierzyście: wyprostowana, broda do góry, mocne wymachy rąk. Zuch dziewczyna.

W tym momencie winda wydaje z siebie głośne „ding!" i zaczynam myśleć o bileciku numer 57. Dostałam go dziś rano i od rana nie daje mi spokoju: „Za to, że lubisz dźwięk brzęczyka w windzie. Powiedziałaś kiedyś, że budzi w tobie mgliste nadzieje, głód podróży, chęć rozpoczęcia wszystkiego od nowa".

Sęk w tym, że nie lubię wind. Zawsze miały dla mnie coś z ruchomej trumny, a ich brzęczyk kojarzył mi się z dzwonem cmentarnym; dostaję w nich ataków klaustrofobii. Poza tym wcale nie przepadam za zmianami – w rodzaju na przykład przyłapania męża na zdradzie – i chociaż byłam ostatnio w rozjazdach, wcale nie czułam głodu podróży ani nie miałam ochoty zaczynać wszystkiego od nowa. Nigdy nie czułam,

że zbliżam się do jakiegoś celu lub zaczynam wszystko od nowa. „Mgliste nadzieje"? To nie moje słowa. Numer 57 nie jest
mój. Należy do jakiejś innej kobiety. Numer 57 należy do innej kobiety, podobnie jak moje obecne życie zawodowe i osobiste wydaje się należeć do kogoś innego.

Z windy wychodzi młody mężczyzna pchający wózek ze
starszą panią. Jej syn? Oddalają się, a drzwi z nierdzewnej
stali się zasuwają. Widzę swoje niewyraźne, zdeformowane
odbicie. To właśnie jestem prawdziwa ja. Zamazana przestrzeń wokół to moje życie.

ROZDZIAŁ 2

Dobry humor nieznajomych
budzi gniew w nas utajony

Wchodzę na pokład i od progu gestem przywołuję witającą nas stewardesę. Wściekle czerwona superpołyskliwa szminka podkreśla jej rybi wygląd – zwłaszcza z bliska.

– Będę potrzebować dżinu z tonikiem. Obawiam się, że natychmiast – szepcę. – Siedzę na samym przodzie, 4 A.

Stewardesa uśmiecha się i puszcza do mnie oko.

Postanawiam przepić całą podróż, jeszcze zanim mój wzrok pada na kobietę, przy której przyjdzie mi siedzieć. Jest w wieku mojej matki, świeżo opalona, przesadnie wyszczerzona, emanuje swoją osobowością i zbytnią pewnością siebie. Staram się nie spotkać z nią wzrokiem.

Zawsze byłam miłą osobą, przysięgam. Mówiłam: przepraszam i proszę bardzo. Uśmiechałam się do nieznajomych. Przekomarzałam z gadatliwymi współpasażerami. Ale nie teraz. O, nie! Nie interesuje mnie cudza radość. Cudza radość jest dla mnie zniewagą. Widok towarzyszki lotu nasuwa mi myśl, żeby udawać cudzoziemkę. Umiałabym zaszczebiotać:

ja nie mówić angielski! Ale ta kobieta wygląda, jakby prze-
paść kulturowa była dla niej drobnostką, gotowa ją przesko-
czyć za pomocą rysunków, gestów i innych sztuczek, które
nas zbliżą na dobre. Wygląda na rozentuzjazmowaną świę-
toszkę. Co gorsza, ujawniłam się stewardesie jako Amerykanka
(zdesperowana Amerykanka), a ponieważ alkohol mogę dostać tylko od niej, muszę chronić ten układ.

Staram się upchnąć swój bagaż o ekstremalnych gabary-
tach do schowka nad głową.

– To mój pierwszy raz! – wybucha towarzyszka podróży.

Nie wiem, jak reagować. Jak dla mnie jej wyznanie brzmi
zbyt osobiście.

– Proszę? – mówię, udając, że nie dosłyszałam. Liczę, że
to oduczy ją zwierzać się obcym w samolotach.

– Pierwszy raz w klasie biznes! – wrzeszczy. Chyba sądzi,
że jestem przygłucha.

– Gratuluję – odpowiadam. Nie wiem, czy to właściwa odpowiedź. Jak brzmi właściwa odpowiedź? To cudownie?
Ekstra? Sterczę w przejściu, czekając, aż baba się podniesie,
ale ona ani drgnie. Najwyraźniej nie zamierza się odkleić od
siedzenia nawet na sekundę, jakby się bała, że ją ktoś podsią-
dzie. Muszę użyć dyplomacji, żeby dostać się do swojego
miejsca przy oknie. Postanawiam przecisnąć się pupą przy jej
twarzy, szczypta biernej agresji powinna ją czegoś nauczyć.

Nie uczy.

– Syn kupił mi ten bilet. Pytam go: „Na co komu klasa biznes z Nowego Jorku do Filadelfii?". Ale on się uparł. Zawsze
musi postawić na swoim.

Wiem, że powinnam teraz zapytać: „Tak? A czym się pani
syn zajmuje?", jednak nie łykam przynęty. Unoszę się, żeby
sprawdzić, czy stewardesa wyczuła napięcie w moim głosie
i realizuje zamówienie. Nie widzę jej i to mnie doprowadza
do szału. Patrzę przez okno na personel naziemny. Zazdroszczę
im słuchawek wypełnionych pomrukiem silników.

Sąsiadka przygląda mi się. Czuję jej wzrok na sobie, tak jak bez pudła wyczuwam, że należy do kobiet, których moja matka nie akceptuje – kobiet, które się nie malują, nie farbują włosów ani nie chodzą na fitness. Matka nazwałaby ją d e - z e r t e r k ą, zakładając – słusznie lub nie – że kiedyś ta kobieta robiła wszystkie te rzeczy. Uważa, że dezerterki odpuściły sobie walkę.

– Jaką walkę? – spytałam któregoś razu.

– Walkę o to, by nie wyglądać na swój wiek.

Matka chodzi zawsze starannie ubrana – zwykle w kolorystycznie dopasowanym do okazji dresie z weluru (to jak garnitur wśród dresów), ufryzowana i przesadnie umalowana. Ten ciężki makijaż nie ma już chyba jej upiększać, raczej stanowi kamuflaż, za którym ona skrywa się bezpiecznie. Szczerze mówiąc, nie wiem, czy chcę dołączyć do tej walki. Rodzi się we mnie coś na kształt czułości dla kobiety obok za to, że ma w nosie, co ludzie o niej myślą. Może wcale nie zdezerterowała, tylko jest ponad to? Jednak to rozczulenie szybko mija.

– Jest pani jedną z tych nowomodnych silnych kobiet sukcesu, o których wszyscy teraz mówią?

Jacy wszyscy? – zachodzę w głowę. Nachylam się konspiracyjnie.

– Na pewno nie jestem nowomodnym mężczyzną sukcesu – przyznaję.

Przyjmuje to za żart. Opada na oparcie i wybucha śmiechem. Zaraz jednak zadaje następne pytanie.

– Pewnie jesteście z mężem jedną z tych nowomodnych par z berbeciem, który gra Mozarta? Słyszałam, że silne osobniki wydają na świat geniuszy. Zgadłam? – pyta tonem uczestniczki quizu telewizyjnego.

– Przykro mi – odpowiadam – ale nie mam dziecka. Żadnych dzieci, ani genialnych, ani zwykłych.

To zadawniona rana. Rozmawialiśmy z Artiem o powiększeniu rodziny. Zaczęliśmy się nawet zastanawiać, którą z sypialń zamienimy na pokoik dziecinny. Raz po raz wtrącaliśmy w rozmowach: „Czekaj, to by było świetne imię dla dziecka!". Imiona były nieodmiennie komiczne: Głodzimierz, Kotylion. Skoro Robert, czemu nie Robot? Kiedy zaczęła się moda na nadawanie dzieciom zamiast imion nazw geograficznych (London, Paris, Montana), ułożyliśmy naszą własną listę: Düsseldorf, Antwerpia, Hackensack. Artie właśnie sprzedał kolejny pakiet akcji sieci włoskich restauracji i wynajął młodego, kutego na cztery nogi karierowicza, żeby się choć trochę odciążyć. Wyhamowaliśmy i zaczęliśmy się starać o dziecko. Nienawidziłam określenia „starać się", sugerowało mechaniczny seks bez uczuć albo seksualną nieporadność – problem, który z pewnością nie dotyczył Artiego. Po dwóch miesiącach „starań" przechwyciłam e-mail od kobiety o nicku „Springbird", czyli Wiosenny Ptak. Wiosenny Ptak! (To podłość zostać wystrychniętą na dudka przez samozwańczego Wiosennego Ptaszka!) Na Wiosennego Ptaszka natknęłam się, przeglądając pocztę związaną z wyjazdem Artiego. Myślałam, że to agent biura podróży. Wiosenny Ptak zapytywał w mailu, czy Artiemu nie dokuczają plecy po „nocy na zapadniętym materacu" i informował, że „kocha" i „tęskni do bólu".

Do bólu.

Udałam się więc do sekretarki wspólnika Artiego. Jego własna sekretarka jest srogą niewiastą o zasznurowanych ustach, nie sposób z niej nic wycisnąć. Za to sekretarka wspólnika Miranda jest słynną plotkarą. Wzięłam ją na lunch do jej ulubionego Baru Chińskich Przysmaków Kinga, udając, że szukam u niej rady. Udając, że wiem o wiele więcej, niż wiedziałam. Przy kurze z sajgonkami w sosie słodko-kwaśnym puściła farbę, że Artie ma kogoś na boku. Ona również natknęła się na jeden czy dwa maile podpisane „Springbird", jednak wiele więcej nie powiedziała. „Wyprawisz się nad Nil", głosiła wróżba w moim ciastku. To jakaś metafora?

Po powrocie do domu zażądałam konfrontacji. Artie brał właśnie prysznic. Wyszedł z łazienki i wyznał mi prawdę, całą prawdę – nie tylko o Wiosennym Ptaszku. Przyznał się również do dwu innych skoków w bok – dwu flirtów. Obiecał odpowiedzieć na każde moje pytanie. Pełna jawność. „Zrobię wszystko, żeby to naprawić", powiedział. Ale ja nie chciałam znać żadnych szczegółów. Mogły mi tylko jeszcze bardziej popsuć humor, jeszcze bardziej mnie upokorzyć. Artie siedział na brzegu naszego łóżka z ręcznikiem wokół bioder i szamponem na włosach. Nawet teraz, kiedy znajduję się obok tej kobiety, wbijając wzrok w podniesiony stolik, pogardzam Artiem równie mocno jak w tamtej chwili. Za co pogardzam? Nie tyle za niewierność – jestem nią zdruzgotana – ile za jego nieostrożność. Jak mógł się obejść tak nieostrożnie z naszym małżeństwem? Ze mną!?

– Chyba nie „nowomodnych" – rozważa na głos dezerterka. – Jakoś podobnie. Innowatorskich? Dobrze mówię? Czym się zajmuje pani mąż?

Nareszcie w przejściu pojawia się stewardesa z moim drinkiem. Nachyla się i wręcza mi z uśmiechem szklankę.

– Czym się zajmuje mój mąż? – powtarzam. – Cóż, zawsze miał słabość do stewardes.

– Ach... nie to miałam na myśli! – obrusza się starsza pani, zmieszana.

Stewardesa nie wydaje się ani trochę zaskoczona. Posyła mi smętny, skwaszony uśmiech gupika – jak gdyby chciała powiedzieć: „Myślisz, że łatwo jest być mną?".

Wzruszam ramionami.

Udało mi się uciąć rozmowę bez sięgania po najcięższy kaliber, który zwykle zamyka ludziom usta. Słowa: „Jestem biegłym rewidentem", zamykają ludziom usta bardzo skutecznie. Starsza pani otwiera książkę w ręcznie szytej płóciennej obwolucie, która skrywa okładkę. Gotyckie romansidło? Guzik mnie obchodzi, co czyta.

Obracam głowę w stronę owalnego okienka. Skubię plastikową żaluzję, czując ucisk w gardle. Chyba się zaraz rozpłaczę. Nie lubię, kiedy szarpią mną sprzeczne emocje. Żeby skierować myśli na inne tory, notuję w pamięci, do którego ze wspólników zadzwonić, żeby omówić strategię na czas mojej przymusowej nieobecności: kto przejmie stery nad moim zespołem menadżerów, kto będzie ściskał dłoń moim klientom. Zostałam rewidentem, bo brzmiało to tak solidnie. Rewident. Skusiły mnie równe szeregi liczb, łatwość, z jaką można je porządkować, całkowity brak emocji. Rewident. To zawód, do którego nie zniżyłby się mój ojciec. Mój ojciec był przedsiębiorcą, ale nigdy nie wyjaśnił dokładnie, co to znaczy. W pewnym sensie był pierwszym czarującym oszustem, który złamał mi serce. W *college*'u sama przeżyłam „etap czarującej oszustki", jednak nie lubię ranić bliźnich. Zawód rewidenta miał mi gwarantować święty spokój. Rewidenci nie płaczą. Wasze decyzje podatkowe ani ich ziębią, ani grzeją. Mozolą się nad cyferkami. Kalkulują. Wyrokują, czy liczby są prawdziwe, czy wyssane z palca. Zostałam rewidentem po to, by moje życie płynęło w zagraconych klitkach wśród innych rewidentów – w większości mężczyzn, którzy w niczym nie będą przypominać mojego ojca. Liczyłam na to, że zakocham się w koledze po fachu i będę wieść pedantyczne życie wolne od huśtawki uczuć. Zawód rewidenta uodporni mnie i uspokoi. Mogło tak nawet być przez chwilę. Mogło tak być. Ale potem spotkałam Artiego.

Przestaję walczyć z chandrą. Łzy płyną mi po policzkach. Zanurzam nos w chustkę wyciągniętą z torebki, spod miłosnych liścików Artiego. Wypijam jednym haustem dżin z tonikiem i zamawiam jeszcze jedną kolejkę przed startem.

ROZDZIAŁ 3

Tam gdzie miłość, jest i zdrada,
co nienawiść budzi rada

Mam świadomość, że każdy mój wydech oparami dżinu wypełnia powietrze w taksówce wiozącej mnie z lotniska. Mam ochotę przeprosić kierowcę, ale słyszę w głowie głos matki, który zabrania przepraszać pracowników usług, bo to „takie mieszczańskie". To, że przez całe moje dzieciństwo należałyśmy do klasy średniej, całkowicie umyka jej uwagi. Jednak powstrzymuję się od przeprosin, bo nie chcę stawiać kierowcy w niezręcznej sytuacji. Gdy jest się pijaną, nie należy przepraszać za to, że jest się pijaną. W końcu jednym z plusów bycia pijaną jest obojętność wobec faktu, że inni to widzą. Jednak potrzeba przeprosin dowodzi, że, niestety, trzeźwieję. Zjadam kilka wisienek w czekoladzie, które kupiłam w kiosku na terminalu, i zaczynam szczebiotać.

– Ma pan jakieś hobby? – zagaduję kierowcę.

Znałam kierowców, którzy byli nałogowymi hazardzistami, którzy cudem wymknęli się śmierci, ojców czternaściorga dzieci. Czasem ich zagaduję. Czasem nie.

– Jestem instruktorem tenisa – odpowiada. – Kiedyś nie było to moim hobby, ale teraz chyba tak to można nazwać.

– Był pan dobry?

– Zagrałem parę setów z najlepszymi. – Przygląda mi się w lusterku wstecznym. – Byłem o krok od szczytu, ale czegoś mi zabrakło. Źle to znosiłem.

Nadal wygląda jak champion tenisa. Opalony, z prawym bicepsem przerośniętym jak u marynarza Popeye'a.

– Źle pan to znosił?

– Zacząłem zaglądać do butelki, jak by powiedziała moja babcia.

Rany boskie, on siedzi za kierownicą.

Chyba wyczuwa mój niepokój.

– Jestem na odwyku – dorzuca pośpiesznie.

– Rozumiem. – Mam wyrzuty sumienia, że jestem pijana, tak jak wtedy gdy z Artiem wybraliśmy się do nowych sąsiadów z butelką wina, tymczasem okazało się, że sąsiad właśnie zaczął odwyk. Jestem pewna, że kierowca orientuje się, że dzisiaj wypiłam już dość. Mam straszną potrzebę przepraszania, ale staram się powstrzymać. Dalsza rozmowa oznacza dalsze wydmuchiwanie oparów dżinu, podpowiada mi pijacka logika. W przypływie paranoi zastanawiam się, czy zostanę pijaczką? Czy raczej będę krążyć wokół Anonimowych Alkoholików? Martwię się swoimi skłonnościami, potem bekam i ohydny smród upewnia mnie, że alkoholizm poważnie mi nie zagraża. Nie mam do picia prawdziwego zacięcia, stwierdzam z ulgą.

– Umie pani grać? – pyta kierowca.

Że co?

– W tenisa.

A, rozumiem. Wzruszam ramionami, puszczam oko i pokazuję na palcach: ociupinkę.

Samochód kluczy pośród aksamitnych trawników naszej dzielnicy położonej w ekskluzywnej Main Line. Nigdy się tu na dobre nie zadomowiłam. Chodziłam na grille i *cocktail party*, niezliczone przyjątka charytatywne, na których panie piją wino, zagryzając czekoladą, i wzbudzają w sobie niezdrową namiętność do świec, koszyczków wiklinowych i zabawek edukacyjnych. Raz byłam na wieczorze gadżetów erotycznych, niestety jednak po solidnej dawce sztywnej konwersacji w stylu Main Line nawet wibrator z macicy perłowej nie podniecał bardziej niż świece o zapachu waniliowym.

Mamy oczywiście przyjaciół, ale nie takich, o jakich marzyłam. Prawdę mówiąc, kiedy wszystko zaczęło się walić, z ulgą dałam nogę, zanim dopadły mnie przez telefon ich kondolencje przesycone litością i ciekawością. Nie miałam ochoty ani na ich szczere współczucie, ani tym bardziej współczucie fałszywe, nastawione na wydobycie ze mnie sensacyjnych szczegółów, które pocztą pantoflową obiegną całe sąsiedztwo. Byłam wściekła na Artiego. Za to, że mnie zdradzał, i za to, że zranił moją dumę. Byłam robiona w konia. Nie odpowiadała mi ta rola. Zastanawiałam się, co Artie mówił o mnie swoim kobietom. Musiałam jakoś istnieć w jego związkach, ale jako nieobecna, zatem nie mogłam się bronić. W jakim charakterze występowałam? Zawalidrogi, sekutnicy, kretynki? Chyba tylko takie role istnieją dla zdradzanej żony. Żadna z nich mnie nie kręci.

Wyjeżdżamy zza zakrętu. Wiem, że kiedy podniosę wzrok, zobaczę dom. Nie jestem na to całkiem gotowa. Za dom zapłaciliśmy po połowie. Artie chciał sam zapłacić, ale ja się uparłam. To był mój pierwszy dom i chciałam mieć poczucie, że jest naprawdę mój. Mama uważała, że to szaleństwo uciekać z domu, zostawiając w nim Artiego. Ona świetnie opanowała sztukę korzystnego rozwodu.

– Kiedy zaczyna pachnieć rozwodem – tłumaczyła – przede wszystkim należy siedzieć w domu. Nie zaszkodzi też pochować co cenniejsze sztuki biżuterii. Nie da się podzielić czegoś, czego nie ma. Ja przyjmuję strategię dzikiego lokatora. Nie wyprowadzam się tak długo, aż dom staje się mój przez zasiedzenie.

Powiedziałam jej, że nie zależy mi na domu i nie zamierzam chować biżuterii. Ale uciszyła mnie, jakbym palnęła brzydkie słowo.

– Co za bzdury! Chyba nie tego cię uczyłam! – krzyczała, jak gdyby opór wobec koczowania na dziko obniżał mój status społeczny, podobnie jak niewysyłanie podziękowań lub noszenie białych butów jesienią.

Minęło już prawie sześć miesięcy i sama nie wiem, jakiej doniosłej zmiany się spodziewałam, kiedy jednak taksówka podjeżdża pod dom, jestem zdumiona, że go wciąż poznaję. Czyżbym oczekiwała, że popadnie w natychmiastową ruinę? Wydaje się, że to Artie popadł w natychmiastową ruinę. Infekcję serca wykryto raptem parę tygodni po moim odejściu. Ta zbieżność dat od pierwszej chwili budziła we mnie podejrzenia. Przypuszczałam, że to jakiś kawał, podstęp, który ma wzbudzić we mnie współczucie. Niestety, wygląda na to, że zachorował przeze mnie. Wyciągam rękę, żeby zapłacić kierowcy i, choć się nie znamy, mam nieodpartą ochotę mu powiedzieć: „To Artie złamał mi serce, a nie ja jemu". Hamuję się jednak.

Kierowca-były-niedoszły-champion-dziś-na-odwyku wręcza mi swoją wizytówkę z wytłoczoną rakietą tenisową.

– Gdyby miała pani ochotę na singla... – mówi, puszczając oko.

S i n g l a... Czyżby mój kierowca-były-niedoszły-czempion--dziś-na-odwyku robił jakieś aluzje? Przyjmuję wizytówkę, nie reagując na porozumiewawcze spojrzenie.

– Dzięki.

Kiedy zdrady Artiego wyszły na jaw, zrobiłam się tak surowa i nieprzystępna, że żaden mężczyzną nie próbował ze mną nawet flirtować. Czyżbym się stała przystępna? Czyżbym utraciła swoją surowość właśnie teraz, kiedy jej najbardziej potrzebuję? A może zachowuję się tak tylko dlatego, że jestem pijana? Daję kierowcy skromny napiwek. Nie chcę w nim budzić próżnych nadziei.

Pyta, czy zanieść walizkę pod drzwi.

– Nie trzeba, dam sobie radę – mówię.

Należę do pijaków, którzy sztywnieją, żeby zatuszować bezwładność kończyn. Artie twierdził, że po kieliszku chodzę jak na szczudłach. Jak na szczudłach odbieram walizkę i jak na szczudłach idę do domu, czując ulgę, że kierowca-były-niedoszły-czempion-dziś-na-odwyku na odjezdnym nie walnął dziarsko w klakson.

Ktoś dbał o ogród, pielił, strzygł. Podejrzewam matkę – to jej nałóg od niepamiętnych czasów. Notuję w pamięci, że mam kazać jej przestać. Przechodzę przez próg. Pachnie jak zawsze – słodki zapach detergentów miesza się z wodą po goleniu Artiego, mydłem, czosnkiem i wilgotnym popiołem z pustego kominka. Na chwilę ogarnia mnie radość, że znów jestem w domu.

Nasza ślubna fotografia – Artie i ja w starym cadillacu z otwieranym dachem – stoi nadal na gzymsie kominka. Przerzucam pocztę na komódce. Przechodzę przez kuchnię i jadalnię – natykam się na sofę, tę właśnie, której zafundował obicie w krwiste maki i podarował mi z okazji pierwszej rocznicy naszego ślubu. Czuję ukłucie w sercu. Przymykam oczy i uciekam z pokoju.

W głębi domu słyszę telewizor. Ruszam korytarzem i natykam się na młodą pielęgniarkę w fartuchu we wzorek z dziecięcych bohomazów. Śpi w rozkładanym fotelu Artiego. Czy musi być aż tak młoda? Czy nie mogłaby być stara i zasuszona? Czy musi być aż tak jasną blondynką? Wiem doskonale, że komputer wybrał ją na chybił trafił, mimo to odczuwam jej obecność jako głęboką, kosmiczną zniewagę.

Porzucam drzemiącą pielęgniarkę i ruszam po schodach, przyglądając się fotografiom na ścianach. W takim miejscu zazwyczaj wiesza się rodzinne fotki, u nas jednak wiszą fotografie, które robiłam, zanim poznałam Artiego, w czasach gdy jeszcze miałam ambicje artystyczne: zdjęcie głowy psa wystającej przez otwór w dachu pędzącego samochodu; zapłakana dziewczynka w sukience z falbankami, na kucyku, podczas festynu; harikrisznowiec gadający przez komórkę. Moje pseudoartystyczne impresje. Cieszę się, że nie są typowymi rodzinnymi fotkami. Nie zniosłabym wywołanych w supermarkecie obrazków rodzinnego szczęścia. No i dobrze, że nie wiszą wśród nich portrety naszych rodziców i dziadków – oboje z Artiem mamy nieźle skundlony rodowód. Nie potrafiliśmy zdecydować, kto powinien zawisnąć w tej galerii. Na przykład która z fotografii ślubnych matki powinna się załapać? Ta z ojcem, który nas porzucił? Z małżonkiem numer cztery, który był zdecydowanie najpoczciwszy, lecz ustawiając starą antenę, spadł z dachu i zabił się, gdyż, aby użyć słów matki, „miał tę fatalną wadę, że nie stać go było na kablówkę”? Czy może ostatni z mężów, bo zostawił jej najwięcej forsy przy rozwodzie? Zdecydowanie wolę swoje fotki artystyczne z zamierzchłych czasów. Nie opłakiwałam ich, odchodząc, teraz jednak, jak na ironię, uderza mnie w nich to, o co mi chyba chodziło w czasach, gdy mi o to chodziło.

Ale na ścianie na wprost schodów wisi ramka z nowym zdjęciem, którego autorem jest Artie – poznaję od pierwszego spojrzenia. Na zdjęciu patrzę we własny dekolt – zero nagości czy perwersji – na którym połączone piegi tworzą kontur Elvisa z mikrofonem. Odrzucam głowę i wybucham śmiechem. Teraz wiem, że Artie się mnie spodziewa. Oprawił tę fotografię w ramki, żeby mnie rozmiękczyć, i udało mu się.

Nic na to nie poradzę. Ogarnia mnie tęsknota za tamtą intymną chwilą, gdy byliśmy sobie tak bliscy. Przełamuję jednak ten czar. Nie pozwolę sobą manipulować. Pokonuję ostatnie stopnie.

Skradam się na palcach korytarzem do przymkniętych drzwi naszej sypialni. Kiedy ostatni raz widziałam Artiego, stał po drugiej stronie barierki na lotnisku i patrzył na mnie w osłupieniu, z rozłożonymi bezradnie rękami, jakby zastygł w połowie istotnego pytania. Liczył zapewne, że odczytam to jako prośbę o wybaczenie.

Kładę dłoń na klamce. Boję się pchnąć drzwi. Tak długo Artie istniał tylko w mojej wyobraźni, że nie wiem, jakie ma ciało, głos, dłonie. Boję się, że jest tak schorowany, że mi serce pęknie. Przyjęłam do wiadomości jego chorobę, ale nie wiem, czy jestem gotowa stawić jej czoło. Wiem jednak, że mnie to nie ominie.

Popycham skrzypiące drzwi i widzę Artiego. Leży w łóżku. Patrzy w sufit. Wygląda starzej. Nie wiem, czy dlatego, że w pamięci zachowałam jego młodzieńczy wizerunek, którego nie uaktualniam (pewnie dlatego że wtedy musiałabym uaktualnić własny), czy postarzał się z powodu choroby. Czy wspominałam już, że Artie jest piękny? Nie według klasycznych standardów. O, nie. Jako młody chłopak wdał się w bójkę – o dziewczynę, jakżeby inaczej – i złamał nos, teraz ma krzywy, ale ma również uroczy uśmiech i coś młodzieńczego w sobie, żywiołowość, energię, które zapewne popychały go w objęcia kobiet. Jest barczysty – męski i muskularny – co go zresztą krępuje, więc się garbi. Najlepiej wygląda o zmierzchu, rozluźniony drinkiem, kiedy światło przegrywa walkę z cieniem. Ma gęste, czarne, lekko szpakowate włosy, które niedbale odgarnia z czoła, i niebieskie oczy – łagodne, mroczne, seksowne.

A teraz? Teraz Artie umiera w naszym łóżku. I jest to wciąż n a s z e łóżko, mimo wszystko. I mimo piekącej nienawiści niczego bardziej nie pragnę w tej chwili, jak wczołgać się tam, położyć głowę na jego piersi i opowiadać mu o tym, co się działo, odkąd wyjechałam – o mojej ugrzecznionej asystentce, o sąsiadce w samolocie – na znak, że złe czasy się skończyły i wszystko znów będzie dobrze.

– Co nowego na suficie? – pytam.

Odwraca się i patrzy na mnie. Ma uroczy uśmiech – trochę łobuzerski, ale słodki i ujmujący. Wygląda, jakby się spodziewał, że dziś przyjadę, i choć zrobiło się późno, on nie tracił nadziei. I rzeczywiście, pojawiam się, dowodząc, że miał rację. Uśmiecha się, jakby wygrał zakład.

– Jesteś, Lucy – mówi.

– Jestem.

– Wiesz, nie tak sobie to wyobrażałem.

– Co sobie wyobrażałeś?

– Przebłaganie ciebie. Umieranie nawet mi nie przyszło do głowy. Szczerze mówiąc, jest mało atrakcyjne.

Nie wiem, co powiedzieć. Nie chcę rozmawiać o umieraniu.

– To jaki miałeś plan?

– Pokuta. Skrucha. Miałem zamiar się poprawić i zostać nowym człowiekiem. Zastanawiałem się też nad białym koniem.

– Nie wiem, czy dałabym się nabrać na białego konia.

Artie zawsze lubił teatralne gesty. Niejeden raz moje ciastko w chińskiej restauracji zamiast wróżby zawierało podmienioną na zapleczu karteczkę z czułym wyznaniem. Kiedyś zamówił na moje urodziny sonet u laureata nagrody Pulitzera. Innym razem pod wpływem paniki oznajmiłam koszmarnie ubranej pani domu, że podziwiam jej naszyjnik – jarmarczną błyskotkę w stylu Liberace'a – za co na następne urodziny dostałam ów naszyjnik w olbrzymim aksamitnym pudle. Uwielbiałam niespodzianki, jakie mi robił Artie, ale naprawdę kochałam spędzać z nim czas zwyczajnie –

piekąc wspólnie ciastka, otrzepując się z cukru pudru, dyskutując o zasadach fizyki i budowie akweduktów w starożytnym Rzymie, czyli rzeczach, o których nie mieliśmy pojęcia. Zawsze najbardziej kochałam Artiego, kiedy nie próbował być czarujący.

– Cóż, biały koń mógł być spełnieniem m o i c h marzeń – przyznał. – Wyobrażałem sobie scenę pustynną, coś à la *Lawrence z Arabii*. Ale u nas trudno o pustynię. Zresztą chyba nie byłoby mi do twarzy z oczyma podkreślonymi czarną kredką. Generalnie planowałem uniknąć śmierci.

– Rozumiem, chciałeś o s z u k a ć śmierć. To w twoim stylu.

– Proszę, nie uderzaj od razu w ten ton.

Jest zmęczony. Spójrzmy prawdzie w oczy – Artie umiera. Szybko traci siły. Zapada cisza. Brak mi słów.

– Moje serce zwróciło się przeciwko mnie – dodaje Artie. – Mam nadzieję, że doceniasz ironię tego, że mam zepsute serce.

Nie odpowiadam. Moje cholerne oczy wilgotnieją. Wodzę wzrokiem po sypialni, jak gdybym była w sklepie z pamiątkami. Biorę do ręki flakoniki perfum i inne duperele z komody i oglądam je bezmyślnie. Są moje, ale wydają się należeć do innej kobiety, do osoby, która żyje własnym życiem.

– Uważałaś, że jestem dowcipny – mówi Artie.

– Byłeś dowcipny.

– Grzeczność nakazuje się śmiać z dowcipów umierającego.

– Grzeczność mnie nie interesuje – odpowiadam.

– A co cię interesuje?

Co mnie interesuje? Patrzę na czubki butów. Przepłaciłam za nie. Czuję, że właśnie zaczynają wychodzić z mody. Stoję w tych butach w swojej sypialni, bo matka kazała mi wrócić do domu. Co gorsza, nie jestem po prostu posłuszną córką, która nie wie, co robić, więc robi, co jej każą. Ale jestem córką – córką swojego ojca, który porzucił matkę i mnie dla innej kobiety. Przysięgałam, że nigdy nie powtórzę błędów matki, i czym się to skończyło? Artiem starszym panem, Artiem oszustem. Jak mogłam się nie domyślić, że będzie mnie okłamywał. Czy pociągał mnie, bo podświadomie czułam, że tak będzie? Czyżby podświadomość przechytrzyła mnie, pchając w objęcia ojca? Czy gram w jakiejś pokrętnej, freudowskiej psychodramie i właśnie mam odreagować śmierć ojca, opiekując się Artiem?

– Masz pielęgniarkę przez całą dobę? – pytam.

– Lepiej się czuję, gdy ktoś jest w domu. Nie zostają na noc. Jeszcze jedna kolejka i dobranoc, jak w barze. Ubezpieczenie pokrywa koszty tylko częściowo, ale teraz, kiedy tu jesteś...

– Zatrzymamy pielęgniarkę – wchodzę mu w słowo. – Będę spać w sypialni gościnnej na dole.

– Mogłabyś się mną opiekować – mówi z żałosną miną.

Jest niereformowalny. Czuję, że moje serce wzbiera, jakby miało wystąpić z brzegów, opieram się o komódkę, żeby nie stracić równowagi. To cały Artie, mężczyzna, którego kocham na przekór rozsądkowi. Jestem tutaj, bo go kocham – tego aroganta i kłamcę ze zdezelowanym sercem.

Nie jestem w stanie patrzeć w jego stronę. Udaje mi się skupić wzrok na stoliku nocnym. Cały jest zastawiony lekarstwami. Artie umiera. To ja go będę wyprawiać do kostnicy, na śmierć. Sama. Bez względu na tamte wszystkie żyjące własnym życiem kobiety jestem jego żoną i nagle dociera do mnie kosmiczna niesprawiedliwość tego faktu.

– Czy możesz mi powiedzieć, Artie, gdzie one się teraz podziewają? Gdzie one są?

– Kto?

– Te twoje kobiety? Były przy tobie w dobrych czasach – mówię. – Gdzie się teraz podziały? – Opadam na krzesło przy łóżku. Patrzę na Artiego, nasze oczy spotykają się po raz pierwszy. Jego zrobiły się ciemniejsze, lśniące. – Czy będę musiała sama przez to wszystko przechodzić?

– A zamierzasz przez to przechodzić?

– Chciałam tylko powiedzieć, że nie uważam tego za słuszne i sprawiedliwe. Nie składam na razie żadnych obietnic.

Odwraca się i próbuje dotknąć mojej twarzy. O nie, Artie Shoremanie. Nie tak szybko. Cofam głowę, podrywam się z krzesła i zaczynam krążyć po pokoju. Czuję jego wzrok na sobie, kiedy biorę do ręki fotografię, która przedstawia nas na rufie promu płynącego na Martha's Vineyard. Nagle przypominam sobie, jak trzymając się za ręce, oglądaliśmy podobne do chatek z piernika domki w Oak Bluffs, jak podziwialiśmy widoki ze skał Gay Head, jak Artie modlił się o naszą wspólną przyszłość do brzuchatego wieloryba w starym kościółku wielorybników w Edgartown. Na zdjęciu Artie obejmuje mnie – pamiętam dokładnie tę chwilę: ciepło jego ciała, chłodny podmuch wiatru na moich rękach i małą, zasuszoną staruszkę, która zrobiła nam zdjęcie, uśmiechając się pobłażliwie z wyżyn swojego wieku. Teraz już wiem, co oznaczał jej uśmiech: poczekaj, aż cię zdradzi, a potem ci umrze. Odwracam się do Artiego. Znów patrzy w sufit.

– Zadzwoń – mówi. – Zadzwoń do nich.

– Do kogo?

– Do moich ukochanych. Zadzwoń do nich – mówi. – Nie powinnaś mieć tego sama na głowie.

– Do twoich u k o c h a n y c h? – Nienawidzę tego eufemizmu. – Żartujesz chyba – mówię z niedowierzaniem.

– Nie – mówi. – Nie żartuję. Może to wszystkim zrobi dobrze. A nuż któraś się na coś przyda? – Patrzy na mnie z chytrym uśmieszkiem. – Na przykład będzie mnie nienawidzić, odciążając ciebie.

– I co mam niby powiedzieć? Mówi żona Artiego Shoremana. Artie jest na łożu śmierci. Proszę się wpisać na listę czuwających u wezgłowia?

– Bardzo dobrze. Tak mów. Może jeszcze mam szansę zrealizować swój plan odzyskania ciebie.

– Ten z wynajętym białym koniem na pustyni?

– Wciąż mam szansę na skruchę, pokutę i poprawę. – Z wysiłkiem podnosi się na łokciu i sięga do szuflady nocnego stolika. Podaje mi notes. – Ten notes jest wypełniony nazwiskami osób, z którymi powinienem się pogodzić.

Kiedy wyciągam rękę, przez chwilkę przytrzymuje notes jak moi klienci, którzy lubią grać na zwłokę, zanim powierzą mi swoje załgane rachunki do kontroli. Wygląda na znużonego – chyba moja obecność go wyczerpuje. Na jego twarzy widnieją powaga i cierpienie. Czuję bolesny ucisk w piersiach.

– Chciałbym też zobaczyć syna – dorzuca.

– Nie masz syna – przypominam mu.

Puszcza notes, zostawiając go w moich rękach.

– Miałem zamiar ci o tym powiedzieć. Byłem wtedy bardzo młody, miałem dwadzieścia lat. Nigdy nie wzięliśmy ślubu z jego matką. Jest już dorosły. Nazywa się Bessom. Szukaj pod B.

Nagle w pokoju robi się duszno. To podskoczyła moja temperatura. Wiem, że nie potrafię zamordować Artiego Shoremana na łożu śmierci (choć nie wątpię, że dziesiątki kobiet przede mną zafundowały mężom takie znieczulenie), ale z rozkoszą nakopałabym mu za tę uroczą rewelację. Co mu szkodziło w bukiet numer 34 wetknąć kartkę: „Kocham cię tak bardzo, że aż mi z głowy wyleciało, że mam syna z inną". Biorę naszą fotografię z Martha's Vineyard i zanim dociera do mnie, co robię, rzucam nią przez pokój. Róg ramki robi solidną rysę w ścianie. Szkło rozpryskuje się po podłodze. Gapię się na swoje puste ręce.

Nigdy nie należałam do osób, które ciskają przedmiotami. Artie wytrzeszcza w osłupieniu oczy. Na jego twarzy maluje się pytanie: „O co chodzi?".

– Wiem, Artie, że Bessom zaczyna się na literę B. Jezu, co za gnojek z ciebie! Masz syna i już dojrzałeś do tego, żeby mi o nim powiedzieć? Dobre sobie!

Wybiegam z pokoju, przewracając nieomal seksowną pielęgniareczkę, która podsłuchuje pod drzwiami. Trudno powiedzieć, która z nas jest bardziej zaskoczona.

– Nie pracujesz już tutaj – mówię. – I powiedz swojej agencji, że od dziś mają przysyłać tylko mężczyzn. Brzydkich mężczyzn, najlepiej włochatych i tęgich. Zrozumiano?

ROZDZIAŁ 4

Nie chcesz być jak rodzicielka?
Szansa na to jest niewielka

Marie ulotniła się szybko z miną winowajczyni, a na jej miejsce wkroczyła nowa postać – pielęgniarz do obsługi wieczornych zamówień Artiego, choć nie tak tęgi i włochaty, jak sobie wymarzyłam. Jest jednak mężczyzną – starszym i spokojnym – i nosi jedno z tych nowomodnych imion na T, w rodzaju Todd.

Przechodzi obok drzwi kuchennych i patrzy na mnie. Wraca tą samą drogą. Staje w drzwiach.

– Przed pani domem jest jakaś kobieta. Chyba wyrywa chwasty po ciemku – mówi, jak gdyby pielenie po ciemku dziwiło go bardziej od widoku obcej kobiety wyrywającej zielsko.

Nie jestem zaskoczona. Wstaję i wychodzę przed dom. I, rzeczywiście, zastaję ładnie ubraną starszą panią wyrywającą chwasty spod naszego żywopłotu. Zapalam światło ogrodowe.

Kobieta podnosi się. W rękach ma wyrwane z korzeniami rośliny. Jest to, oczywiście, moja matka w nieodłącznym welurowym dresie – tym razem w kolorze modrym, z suwakiem rozsuniętym dostatecznie głęboko, by odsłonić rowek między piersiami.

– Lucy, kochanie! Jak się czujesz? Wyglądasz okropnie. Znowu zaczęłaś palić?

– Nigdy nie paliłam. To ty palisz – zwracam jej uwagę.

– Czasem mylisz mi się ze mną. Jesteśmy takie podobne.

– Wcale nie jesteśmy.

– Przywiozłam ci kolację – mówi, odkładając chwasty na schludną stertę.

Podchodzi do samochodu, wyjmuje żaroodporny garnek w płóciennej torbie ozdobionej napisem: „Gdy żonka gotuje, mąż się raduje", wykonanym krzyżykowym haftem

– Choćby to, na przykład. Ja nie używam płóciennych toreb, a już na pewno nie haftowanych w jakieś pieprzone dyrdymały! – mówię zirytowana.

Kiwa głową.

– Nie mów brzydkich słów. Kobiety często sądzą, że to dodaje im pieprzyka, ale tak nie jest.

Gapię się przez okno na basen na tyłach naszego domu, tymczasem Joan, moja matka, uwija się w kuchni. Ustawia talerze na wysepce kuchennej. Krząta się: szykuje potrawy, dobiera sztućce, nakłada. Zapomniałam wspomnieć, że wzięła ze sobą Bobusia, swojego psa. Bobuś jest hojnie obdarzonym przez naturę chartem. Obdarzonym tak szczodrze, że czwarty mąż mojej matki nazywał go psem pięcionogim. Piąta noga, niestety, to żałosny relikt. Bezużyteczny, gdyż, po pierwsze, Bobuś jest wykastrowany, a po drugie, zapadł mu się grzbiet, więc kiedy kuśtykał na pozostałych czterech nogach, piąta ciągnęła się trochę po ziemi – na pluszowym dywanie to małe piwo, ale, powiedzmy, na żwirze to już trudna sprawa. Istniała obawa, że może sobie tę piątą nogę otrzeć, co byłoby prawdziwie pieskim życiem, przyznacie sami. Matka też uważała, że to żałosne i krępujące, wobec czego parę lat temu uszyła drogiemu staruszkowi kilka uprzęży na penis. Nazwała je psią bielizną erotyczną, jednak my z Artiem korygowaliśmy ją uparcie: psi ochraniacz genitaliów. Aby najistotniejszy element konstrukcji nie spadał, ochraniacz to wymyślny system uprzęży zaczepionych o tylne i przednie nogi Bobusia, spiętych na środku grzbietu. Nie byłoby w tym nic strasznego, gdyby w matce nie ocknęła się nagle żyłka projektanta ochraniaczy psich genitaliów, o ile nie uśpiony talent. Ozdabia uprzęże wstążkami i kokardkami o barwach związanych z porami roku – rudymi jesienią, czerwono-zielonymi w zimie, a na wiosnę w odcieniu modrych jaj drozda... W efekcie Bobuś zawsze wygląda, jakby szykował się na jakąś uroczystość. Jest postawnym samcem, mógłby się śmiało prezentować na psich wybiegach, o czym matka bardzo chętnie przy różnych okazjach napomyka.

Teraz Bobuś plącze się między nogami mojej matki w swoim odświętnym psim suspensorium. Zawsze chodzi z łbem zadartym do góry, ale z jego kaprawych oczu nie znika już zafrasowany wyraz i dumne uniesienie głowy wydaje się jedynie heroiczną próbą maskowania utraconej pewności siebie. Cóż, trudno żądać od niego asertywności.

– Dobrze dzisiaj wygląda – mówię do matki.

– Widać już po nim wiek. Nie po nim jednym – mówi. Ujmuje smukłą łapę Bobusia i macha nią do mnie. – Cześć, Lucy! – mówi sztucznym, cienkim głosikiem, który ma imitować głos Bobusia. – Przywiozłam go, bo tęsknił za tobą.

– Ja też za nim tęskniłam.

Szczerze mówiąc, Bobuś rzadko pojawia się w moich myślach, choć muszę przyznać, że przypominam sobie o jego istnieniu, kiedy w rozmowach pojawia się temat perwersyjnych gadżetów dla panny młodej na wieczór panieński. Myślę wtedy o Bobusiu, którego Artie nazywa pieskim markizem de Sade.

Mama nalewa nam po kieliszku czegoś mocnego. Wznosi toast.

– Za Artiego! Naszego kochanego Artiego! Żeby się z tego wykaraskał! – ćwierka.

– Nie wykaraska się. Sama mi to mówiłaś.

– Tak, ale ta wiadomość nie nadaje się na toast. Toasty są optymistyczne.

– No to czemu siadamy do stołu, jakby go już nie było? – pytam.

Moja matka nie odpowiada.

Haftowana płócienna torba przypomina mi o żartach Artiego, które były naszą małą tajemnicą. Matka przeszła fazę haftowania każdego porzekadła pod słońcem w stylu: „Samotność to niedola, miłość to niewola" na poduszkach, kołdrach, koszulach, makatkach, rękawicach do garnków i serwetach. Artie wyszukiwał sentencje, które zapomniała wyhaftować dla potomnych, w rodzaju: „Pierwszy mężuś brzuch przyprawi, drugi fortunkę zostawi, za to z trzecim, czwartym, piątym – możesz się do woli bawić".

– Gdzie jest poduszka z tą maksymą? – dopytywał się. – Jakoś nie widzę też poduszki z napisem: „Niech twój zadek porzuci ziemskie przyciąganie poprzez dietę, ćwiczenia i wszelkie umartwianie".

Artie uwielbia moją matkę, a ona, chociaż była na początku przeciwna naszemu małżeństwu, też go uwielbia.

Wychylamy zawartość kieliszków. Zaczynam skubać zawartość talerza.

– Wiem, że cię zranił, ale musisz mu wybaczyć – mówi. – On już taki jest. Taki się urodził.

– Uważasz, że był cudzołożnym noworodkiem?

– Nie łap mnie za słowa. To niestosowne. Wiesz, co mam na myśli.

– Wcale nie jestem pewna, czy wiem, co masz na myśli.

43

– Wiesz przecież, że nie byłam zachwycona twoim małżeństwem z Artiem. Mówiłam ci, że zrobi cię wdową, choć nawet przez myśl mi nie przeszło, że tak wcześnie. Posłuchaj mnie jednak. Wybaczyłam swojemu mężowi i stałam się przez to kimś lepszym.

– Któremu mężowi?

– Twojemu ojcu, rzecz jasna. – Milknie i w myślach wertuje fiszki swojej małżeńskiej kartoteki. – No i mężowi numer trzy.

– Żaden z nich nie zasłużył na przebaczenie. – Po tym jak ojciec rzucił matkę dla innej kobiety, zniknął z naszego życia, wyjechał na Zachodnie Wybrzeże i zredukował się do okolicznościowych kartek na moje urodziny i Boże Narodzenie okraszonych banknotem dwudziestodolarowym. Pękł mu tętniak, kiedy kosił trawnik.

Uprząż Bobusia brzęczy – pies obgryza własną łapę.

– Stałam się kimś większego formatu – ciągnie matka. – Dzięki temu mogę zasnąć spokojnie.

– Wydawało mi się, że bierzesz tabletki nasenne.

– „Mogę zasnąć spokojnie" to takie wyrażenie, moja droga. Nie powinnaś być wiecznie taka dosłowna. Nie służy ci to.

Już mam się zacząć z nią kłócić – uważam, że należy się przyjrzeć nagim faktom – kiedy rozlega się pukanie do drzwi. Patrzę na matkę. Ona patrzy na mnie. Nie spodziewamy się nikogo.

Pielęgniarz wpada do kuchni.

– To musi być doktor. Mówił, że zajrzy do państwa.

– Doktor? – powtarza z entuzjazmem matka, poprawiając włosy.

– Błagam, tylko nie próbuj przy tej okazji upolować męża numer sześć.

– Nie bądź złośliwa.

Pielęgniarz podchodzi do drzwi frontowych, ale brakuje mu śmiałości, żeby je otworzyć. Wychodzę za nim na korytarz. Za mną podąża matka, szeleszcząc poprawianą garderobą.

– Co słychać u buddysty? – pytam, zastanawiając się, czy ta namiętność już wygasła. Matka jest bezwzględnie wierna aktualnym mężom i narzeczonym, ale jak już koniec, to koniec. Nic by jej, na przykład, nie powstrzymało od flirtu z przystojnym sanitariuszem pchającym wózek z mężem numer 19 do kostnicy czy zabójczym pastorem odprawiającym posługę nad grobem męża numer 21.

– Zmienił wcielenie – odpowiada lekko znudzonym tonem.

– Na narzeczonego innej kobiety?

Dalej poprawia włosy, co oznacza „tak".

– Tak szybko?

– Zaciągnął dług karmiczny.

Otwieram drzwi.

Doktor jest w wieku mojej matki – siwy, z wyrazem rutynowej troski na twarzy.

– Proszę wejść – mówię.

– Tak się cieszę, że pan do nas zajrzał! – Mama nie panuje nad euforią. Już jest nim oczarowana. Mam ochotę jej przypomnieć, że Artie wciąż jest umierający, ale postanawiam nie niszczyć miłości w zarodku.

Wzrok lekarza pada na Bobusia, który zbliża się do niego z zamiarem obwąchania mu butów. Widzę, że na usta doktora ciśnie się pytanie o suspensorium, jednak lekarz decyduje się przemilczeć sprawę. Czyżby dobre maniery w obliczu choroby? Albo obawa, że problem ma podłoże medyczne – kto by chciał mieć dodatkowo na głowie chroniczne przypadłości charta?

Zapraszam doktora na górę. Obie z matką stoimy w drzwiach i patrzymy, jak bada Artiego, zadaje mu pytania, udziela półgłosem odpowiedzi.

Słyszę pobrzękiwanie lodu; matka osusza szklankę wódki.

– Nie chcesz skorzystać z okazji zostania kimś większego formatu? – pyta.

– Zależy, co za tym idzie – mówię.

– Na dobre i na złe. Ślubowałaś. W zdrowiu i w chorobie.

– On ma syna.

– Naprawdę? Artie!? Miał wcześniej żonę? Czy... z nieprawego łoża?

Parę lat temu matka poprosiła mnie, żebym aktualizowała jej słownictwo, bo chce się odmłodzić. „Mów mi po prostu, jak palnę coś staroświeckiego. Będziesz pamiętać?".

– Teraz już nikt nie mówi „z nieprawego łoża" – prostuję.

– Tak, wiem – wyjaśnia. – Ale jestem tą wiadomością... zbulwersowana.

Nie mówię jej, że ludzie teraz rzadko używają słowa „zbulwersowana". Nasza cywilizacja za bardzo przywykła do skandali, żeby cokolwiek kogokolwiek bulwersowało.

– Artie miał wtedy dwadzieścia lat. Nigdy się z nią nie ożenił.

Matka już się pozbierała i postanawia zająć się mną.

– Jak to zniosłaś? Tak mi przykro. W jakim jest wieku?

– Coś koło trzydziestki. Artie chciałby go zobaczyć przed...

– To niesamowite. Dlaczego wcześniej ci nie powiedział? Nie podoba mi się taka dyskrecja – oburza się.

– Mnie też.

– A widzisz? Jesteśmy podobne do siebie.

Podnosi szklankę z drinkiem, grzechocząc kostkami lodu, i spod grubego makijażu posyła mi smutny półuśmieszek.

– Poradzisz sobie z tym wszystkim.

Nie jestem tego taka pewna. Obracam się i zaczynam schodzić na dół. Mama rusza za mną, siorbiąc wódkę spod lodu.

– Syn. Nie podoba mi się to ani trochę.

Później, kiedy siwowłosy doktorek zaczyna się szykować do odejścia, mojej matce przechodzi wstręt do mężczyzn. Patrzy na lekarza z uwielbieniem.

– Skończyłem – mówi doktor bardziej jak pracownik zakładu pogrzebowego, który właśnie zakończył balsamowanie zwłok, niż jak ktoś, komu płacą za przywracanie ludzi do zdrowia. Matka mizdrzy się, powoli wychodząc z wódczanego rauszu.

– Sądzi pan, że bardzo go boli? – pytam.

– Ból potrafimy opanować. Infekcja uszkodziła serce. Słabnie w zastraszającym tempie. To już nie potrwa długo.

– Jak długo?

– Tydzień, dwa. Góra miesiąc. Bardzo mi przykro.

Czuję, że krew uderza mi do głowy. Mam ochotę dać doktorkowi w pysk. „Góra miesiąc"? To brzmi jak obstawianie zakładów. Mam gdzieś jego tanie współczucie. Wiem, że górę biorą we mnie emocje, że doktor robi, co może. Patrzę w podłogę, potem znów na niego i wtedy dostrzegam, że jest mu chyba naprawdę przykro. Silę się na podziękowanie.

Matka też nic nie mówi. Myśli wyłącznie o mnie. Czuję jej miłość do mnie. Przynajmniej w tej chwili jestem jedynym przedmiotem jej troski.

Doktor wycofuje się, a my nadal stoimy, jakbyśmy wrosły w ziemię. Trudno nam przyjąć do wiadomości, że Artie leży na piętrze, oddycha, odgarnia włosy z czoła tym swoim szczególnym gestem, a wkrótce go nie będzie.

Patrzę na matkę.

– Moje biedactwo – mówi.

– Wciąż jestem zbyt wściekła, żeby go opłakiwać.

Nie tak wyobrażałam sobie życie z Artiem.

A jak sobie wyobrażałam? Nie mogę sobie nawet przypomnieć. Przyjemne życie. Jakieś dzieci. Maluchy w basenie kąpielowym. Przyjęcia urodzinowe. Artie gra z synkami w baseball. Wakacje na plaży. Starzejemy się razem, chodząc w bermudach. Proste przyjemności. Czuję przypływ gniewu. Zostaliśmy z Artiem okradzeni. Gniew tonie w zalewie bezsilności.

– Masz prawo odczuwać gniew – mówi matka. – To jest w porządku. Żal przyjdzie z czasem. Mamy mnóstwo czasu.

Patrzę na nią – małą kobietkę wciśniętą w welurowy dres, która poznała w życiu, co to żal.

– OK. – To wszystko, co jestem w stanie z siebie wydusić. – OK.

ROZDZIAŁ 5

**Od wódki rozum krótki,
ale pomysły przednie**

Znów jestem pijana. Winię za to matkę i jej niekończące
się toasty. Wkrótce po odejściu doktora objęła mnie i zaciąg-
nęła do kuchni, napełniła nasze szklanki i zainicjowała serię
toastów. Piłyśmy za kobiecą siłę. Za matki i córki. Za Joanne
Woodward i Paula Newmana, bo czemu nie. Za gniew, smutek i nadzieję. Teraz wznosi toast za miłość.

– Za miłość, która rodzi się nagle tam, gdzie jej się najmniej spodziewamy!

Nie przypominam sobie, żebym kiedykolwiek w życiu upi-
ła się dwukrotnie w ciągu dnia. W *college*'u? Przed maturą?
W ferie wiosenne?

Matka zasypia na sofie w jadalni. Wciąż trudno mi patrzeć
na ten mebel. Matka wstanie pewnie przed świtem i wróci do
siebie.

Ląduję w sypialni gościnnej na parterze i postanawiam się
w niej rozlokować. Otwieram zamek w walizce i dźwigam ją
na łóżko. Powinnam obrać odwrotną kolejność, bo nie mogę

trafić na łóżko i ubrania wysypują się na podłogę. Wygrzebuję wiązane na sznurek spodnie od piżamy i koszulkę z Czarnego Psa, sklepu z pamiątkami na Martha's Vineyard. Wciąż nie dopiłam ostatniego drinka. Niezdarnie upycham ubrania w szufladach, próbując je potem bezskutecznie domknąć. Pcham tak mocno, że dostaję zadyszki, w końcu się poddaję i zostawiam szuflady niedomknięte, z wystającymi ubraniami.

Na drugim końcu pokoju widzę swoją torebkę. Wygląda dosyć niewinnie, ale wiem, że w środku znajduje się komplet bilecików miłosnych od numeru 1 do 57.

Biorę torebkę do ręki, wygarniam plik bilecików, otwieram szufladę nocnego stolika i ciskam bileciki do środka, potem kolejny plik i jeszcze jeden, aż wszystkie lądują w szufladzie pogniecione i niechlujnie wymieszane. Wizytówka kierowcy- -byłego-niedoszłego-czempiona-dziś-na-odwyku też się wśród nich znalazła. Drę ją na strzępy, uznawszy, że nie łaknę zemsty w tym stylu, choć jednocześnie czuję, że jestem żądna zemsty – wiem, że to brzmi okropnie.

Z rozmyślań wytrąca mnie czyjś głos.

– Wychodzę na noc – mówi pielęgniarz.

Otwieram drzwi, nie wypuszczając szklanki z ręki. W oświetlonym hallu stoi pielęgniarz, matka pochrapuje lekko w oddali.

– Śpi? – pytam.

– Mocno.

– Dzięki za wszystko – mówię i dociera do mnie, że naprawdę jestem mu wdzięczna. Zalewa mnie fala wdzięczności, nagła, jak to po pijaku. – Nie sądzę, żebym sobie sama poradziła...

– Jestem tu po to, żeby pielęgnować pani męża, aby pani mogła się skupić na ważniejszych rzeczach, takich jak jego potrzeby emocjonalne.

To niesprawiedliwy podział robót! Ani mi się śni, skupiać się na ważniejszych rzeczach. Czuję rozdrażnienie.

– To jest moje zadanie? – pytam chłodno. – Mam być specjalistką do spraw potrzeb emocjonalnych Artiego Shoremana?

– Nie wiem. To znaczy... niekoniecznie. Chciałem tylko powiedzieć... – plącze się Todd czy jak go tam zwał.

– Proszę nie brać tego do siebie – mówię. Wiem, że jestem pijana. Zachowałam resztki świadomości.

– Dobranoc, pani Shoreman – żegna się i wychodzi pośpiesznie.

– Dobranoc – mamroczę ciut za późno. Nie słyszy mnie.

Zamykam drzwi i rozglądam się po pokoju gościnnym, patrzę na świeży bałagan, jaki zrobiłam w rekordowym tempie: torebka na łóżku, a na stoliku nocnym, w którym spoczęły liściki miłosne, notes telefoniczny Artiego wypełniony nazwiskami jego dawnych kochanek, notes zawierający imiona trzech kobiet, z którymi mnie zdradzał, imię kobiety, która uwielbia windy, oraz – pod literą B – adres i numer telefonu syna, o którym nie raczył mi wspomnieć.

Biorę do ręki notes, przerzucam kartki. Przy niektórych nazwiskach zauważam małe czerwone znaki – tylko przy nazwiskach kobiet. Przy jednych czerwone iksy, przy innych kropki – to musi być jakiś kod. Ma ten notes od stu lat, brzegi kartek są poniszczone, miejscami wystrzępione. Wiem, że większość tych kobiet pojawiła się w życiu Artiego wiele lat przed tym, nim go poznałam – niektóre znał jeszcze z liceum. Znały go przede mną. Miały dostęp do takiej jego wersji, której nigdy nie poznam. Wydaje się to okrutne. Czy był wtedy tą samą osobą – w najgłębszej części swojej istoty? Czy człowiek w ogóle się zmienia?

Zastanawiam się, kim są te kobiety. Dziwnie się czuję, odczytując ich imiona: Ellen, Heather, Cassandra. Dociera do mnie, że Wiosenny Ptak – jedyne imię, jakie znam, właściwie nie imię, lecz nick – od miesięcy żyje w mojej wyobraźni. Jest niską blondynką. Ostra kobitka, ale kiedy schodzi z niej para, zaczyna się mazać. To są tylko fantazje. Naturalnie nie znajdę jej loginu w notesie. Wertuję dalej, natykając się na kolejne imiona: Markie, Allison, Liz... Nie chcę czytać dalej, ale to jest silniejsze ode mnie. Czuję bolesny ucisk w piersiach.

Słyszę swoje słowa: nie zamierzam być specjalistką od spraw potrzeb emocjonalnych Artiego Shoremana.

Przysiadam na brzegu łóżka, dopijam drinka i patrzę w sufit. Na górze Artie śpi głęboko, na górze Artie umiera. Dociera do mnie, że Artie doskonale wiedział, że nigdy nie zadzwonię do żadnej z jego ukochanych, że nie chcę słyszeć ani o tych trzech z okresu naszego małżeństwa, ani o całej reszcie z przeszłości.

– Artie, ty sukinsynu! – Wstaję i zaczynam krążyć po pokoju. – Myślisz, że tego nie zrobię, przyznaj się! Myślisz, że będę pokornie odgrywać rolę dobrej żony. Udawać, że nic się nie stało. Że będę przez to wszystko przechodzić samotnie, aby zostać kimś większego formatu.

Otwieram notes na literze A. Błądzę palcem po nazwisku opatrzonym czerwonym znaczkiem. Kathy Anderson. Wypijam kolejnego drinka. Dzwonię. Międzymiastowa – do sąsiedniego stanu – po północy. Moja matka śpi kamiennym snem na sofie w jadalni. Telefon dzwoni dwa razy, potem włącza się sekretarka – słyszę kobiecy głos na tle *newage*'owskich dzwonków. Natychmiast nienawidzę tej kobiety.

– Artie Shoreman umiera – mówię zgodnie z planem. – Proszę o telefon, jeśli chce się pani wpisać do grafiku czuwań przy łożu śmierci.

Odkładam słuchawkę z trzaskiem. O dziwo, humor mi się poprawił. Dzwonię pod kolejny zaznaczony kolorem numer. Tym razem kobieta odbiera. Najwyraźniej ją zbudziłam.

– Artie Shoreman umiera. Kiedy życzy sobie pani pełnić wartę przy łożu śmierci?

– Artie Shoreman? Proszę mu powiedzieć, że jeśli o mnie chodzi, może się smażyć w piekle... – Zamaszysty czerwony znaczek przy jej nazwisku wygląda prawie jak „X". Szyfr zostaje złamany bez trudu nawet przez kogoś tak narąbanego jak ja.

– Wcale się pani nie dziwię – mówię. – Co pani powie na najbliższy czwartek?

– Że co?

– Lubi pani windy?

W odpowiedzi słyszę trzask odkładanej słuchawki.

Uśmiecham się. To głupie, ale nie mogę się przestać uśmiechać. Przechodzę do litery B. Mam go: John Bessom. Brak czerwonego znaczka. Telefon, adres i nazwa firmy: Studio Stylowych Sypialni. Przesuwam palcami po literach, zastanawiając się, jaki może być syn Artiego. Czy wygląda jak Artie? Odgarnia włosy z czoła niecierpliwym gestem jak Artie? Czy jest właścicielem sklepu? A może sklep należy do jego matki? Jak długo Artie był z jego matką? Jej nazwisko też tutaj jest – Rita Bessom. Czy proponował, że się z nią ożeni?

Zbyt wiele emocji. Mam dosyć. Od Bessomów przerzucam się na ostatnie strony. Znajduję kolejną czerwoną kropkę – wielką kropę. Ewidentnie Artie zatrzymał tutaj w zadumie swój czerwony flamaster na dłużej. Podnoszę słuchawkę i wybieram numer, patrząc na krągły księżyc na nocnym niebie.

Włącza się sekretarka. Nagrany głos jest młody i znudzony.

– Tu Elspa. Dobrze wiecie, co macie robić dalej.

Dociera do mnie, że nie wiem, co mam robić. Nie mam pojęcia, co robię. Najpierw milczę. Słucham monotonnego trzeszczenia na linii. Wreszcie przemawiam.

– Artie Shoreman umiera. Proszę telefonicznie uzgodnić termin warty przy łożu śmierci. – Po krótkiej przerwie powtarzam: – Artie umiera.

ROZDZIAŁ 6

Gdy mąż mówi o przebaczeniu,
pewnie ma coś na sumieniu

Nalewam sobie kawy – skacowana i nieszczęśliwa – tymczasem nasz nowy pielęgniarz przygotowuje tacę z jakąś papką i niezliczoną liczbą pigułek w białych papierowych kubeczkach rozmiarów jednorazowych opakowań na śmietankę do kawy. Przypomina mi się, jak w restauracjach, do których chodziłam z mamą i jej rozmaitymi mężami, budowałam wieże z pojemników po wypitych śmietankach. Myślę, że robiłam to nie tylko dlatego, że uwielbiałam śmietanę, ale przede wszystkim dlatego, że straszliwie irytowało to moją matkę. Prawdę mówiąc, bilecik numer 42 wspomina o tym, że nadal zdarza mi się w restauracjach wychylać duszkiem śmietankę jak kieliszek tequili, co wydaje się Artiemu szczególnie urocze i wyzwolone. Pielęgniarz ma olbrzymie dłonie i zastanawiam się, jakim cudem udaje mu się tak sprawnie manipulować miniaturowymi kubeczkami. Orientuję się, że przygotowuje lunch dla Artiego, co wydaje mi się nieporozumieniem, dopóki nie spoglądam na zegar – jest południe. Zwalisty pielęgniarz podnosi tacę – talerze dzwonią głośno, tak głośno, że przypominam sobie, ile wypiłam ostatniej nocy. Zastanawiam się, ile ukochanych Artiego obdzwoniłam w ciągu ostatniej doby (orientuję się nagle, że przyswoiłam słowo „ukochane", które rozbrzmiewa w mojej głowie szyderczym echem, bardziej przezwisko niż czuły epitet). Pół tuzina? Tuzin? Więcej? Po co do nich dzwoniłam? Nie mogę sobie przypomnieć. Dałam się podpuścić? Chyba tak. Chciałam coś Artiemu udowodnić? Czy jedna z kobiet kazała Artiemu przekazać, że życzy mu, by się smażył w piekle? Osiłkowaty pielęgniarz patrzy na mnie znacząco, wyrywając mnie z zadumy. Daje mi sygnał, że robi to, co należy do mnie. To ja powinnam zanieść tacę.

– Zaniosę, jeśli można.

– Naturalnie – odpowiada wielkolud. – Pani mąż wie, jak ma zażywać lekarstwa.

– Czy ktoś dzwonił dziś rano? – pytam.

Kiwa głową.

– Było parę głuchych telefonów. Trzy? – Zerka na kartkę przyczepioną magnesem do drzwi lodówki. – Dzwoniła jakaś kobieta i powiedziała – zaczyna czytać z kartki – „Proszę powiedzieć Artiemu, że jest mi przykro, ale nie mogę mu wybaczyć".

– Czy zostawiła nazwisko?

– Prosiłem ją, ale powiedziała: „Czy to ma jakiekolwiek znaczenie?". Odpowiedziałem, że według mnie ma, na co odłożyła słuchawkę.

– Przepraszam za to wszystko – mówię, wiedząc, że to częściowo moja wina. Stawiam na tacy kawę i ruszam na górę, zastanawiając się, co konkretnie powiem Artiemu. No tak, żadna z kobiet nie zapisała się na czuwanie przy jego łożu śmierci, a jedna życzy mu, żeby się smażył w piekle.

Drzwi do sypialni skrzypią i gdy przekraczam próg, Artie otwiera oczy, jest jednak za słaby, żeby usiąść. Patrzy na mnie i uśmiecha się, ale nie wykonuje żadnego gestu.

– Gdzie się podziała Marie?

– Oświadczyła, że nie jesteś w jej typie.

– Co? Przecież ona z tego żyje. Jeśli będzie taka wymagająca...

– Ach, te kobiety! Mają takie wygórowane oczekiwania! – mówię z udawanym oburzeniem i autentyczną złością. – Możesz siedzieć?

Artie dźwiga się, a ja odstawiam tacę i poprawiam mu poduszki. Wysuwam nóżki tacy i kładę ją Artiemu na brzuchu. Przygląda się papierowym kubeczkom i ze znużeniem bierze do ręki widelec.

– Kiedy byłeś dostatecznie zorganizowany, żeby wypracować system czerwonych znaków? – pytam.

– Byłbym niezłą sekretarką.

– Nie wątpię, że chętnie byłbyś z niezłą sekretarką – mówię. To w gruncie rzeczy nie fair. Nic mi nie wiadomo na temat romansów Artiego z jego sekretarkami.

Artie podejmuje wyzwanie. Dziabie łyżką mus jabłkowy i pyta:

– Przejrzałaś notes?

Potakuję.

– Znalazłaś Bessoma?

– Widziałam jego dane.

– Zadzwonisz?

– Czemu sam nie zadzwonisz?

– Myślisz, że go, ot tak, porzuciłem?

– Nie mam pojęcia.

– Nigdy nie pozwoliła mi zobaczyć chłopca. Tak samo jej rodzice. Prosili, żeby ograniczyć się do wysyłania czeków. Latami błagałem ich listownie choć o jedno spotkanie, a kiedy John skończył osiemnaście lat, napisałem do niego, jak to wygląda z mojej strony, ale mi nigdy nie odpisał. Wybrał reakcję typową dla tej rodziny: brak reakcji. Jest moim synem, ale nim nie jest. – Zamknął oczy i opadł na poduszki.

– Czemu mi o tym nie powiedziałeś?

Potrząsa głową.

– Nie wiem. Chyba nie chciałem, żebyś myślała, że jestem jak twój ojciec. Że jestem jednym z tych typków niezdolnych do uczuć, którzy rozpływają się w powietrzu. Naprawdę. Kochałbym tego chłopca całym sercem, gdyby dali mi szansę.

– Nigdy bym nie pomyślała o tobie, że jesteś jak mój ojciec – mówię. – Wiem, że nie jesteś taki jak on.

– Nie chciałem ryzykować. Wiem, jak bardzo ojciec cię zranił. To jedna z tych zadawnionych ran, które się wiecznie jątrzą. Nie chciałem, żebyś mnie zaliczyła razem z nim do kategorii wyrodnych ojców. Nie zniósłbym tego.

Nie wiem, co mam myśleć. Artie ma swoje tajne życie, a w nim osobne szufladki – jego przeszłość, jego ukochane, smutki, życiowe klęski.

– Nie dzwoniłam do niego, ale dzwoniłam do paru innych osób.

– Naprawdę? – Jest zaskoczony.

– Nie znasz mnie chyba tak dobrze jak ja ciebie. Mam podejrzenia, że czasem mylisz mnie z innymi kobietami.

Patrzy na mnie. Z jego oczu wyziera znużenie. Wciąż nie wziął jeszcze nic do ust.

– Kocham cię, tak czy owak.

Czuję się oszukana. Wiem, że powinnam odebrać jego wyznanie tak, jak zrobiłaby to moja asystentka Lindsay – jako czysty, bezinteresowny przejaw miłości. Jednak nie potrafię. Nie potrafię zaufać Artiemu. Spaceruję po pokoju.

– Żadna z nich nie przyjedzie. Dwie kazały ci coś przekazać, ale nie sądzę, żebyś chciał to usłyszeć.

– Zanim się wszystko wydało, byłaś niezwykle uczuciowa. Miałaś w sobie jakąś niepohamowaną żywotność. Pamiętasz?

Pamiętam – jak przez mgłę.

– Nie za bardzo – odpowiadam. Czuję, jakbym została obrabowana z tamtej osoby. Czasami brakuje mi nie tyle bycia z Artiem, naszego związku, ile osoby, którą byłam. Brakuje mi też Artiego, tego Artiego, na którego wkurzałam się o różne drobiazgi: jeżdżenie samochodem na czerwonym wskaźniku paliwa, odstawianie do lodówki pustego kartonu po soku, próby obściskiwania mnie, kiedy byłam w złym humorze. Takie tam nieistotne sprawy. Jakże tęsknię za nimi.

Artie kaszle urywanym kaszlem z głębi płuc.

– Czy myślisz, że wybaczysz mi kiedykolwiek? Twoja matka była u mnie któregoś dnia i powiedziała, że należy mi wybaczyć, bo taki się już urodziłem.

– Nie ufam jej sądom o mężczyznach. Ma nieciekawe doświadczenia.

– Ja bym ci wybaczył – mówi.

– Ja nie prosiłabym o to. – Czuję się bardzo zmęczona.

Ciężar tych wszystkich emocji dopada mnie. Jestem na skraju wyczerpania. Siadam na brzegu łóżka. Może powinnam wybaczyć Artiemu, jeśli wybaczenie oznacza, że będę mogła o wszystkim zapomnieć. Odwracam się i patrzę na niego.

Wyciąga rękę i dotyka piega na moim dekolcie, potem drugiego, trzeciego. Wiem, że próbuje odnaleźć Elvisa. To nasz poufny język wspomnień. Język bez słów. Chcę mu powiedzieć, że nie wolno mu umrzeć, że mu tego zabraniam.

Opuszcza rękę. Leży bez ruchu i patrzy na mnie.

– Ja ci przebaczam.

– Co mi przebaczasz?

– Kiedy umrę, będziesz żałować wielu rzeczy. Chcę, żebyś wiedziała, że ci przebaczam.

Wstaję. Jestem wytrącona z równowagi. Mam ochotę powiedzieć: co za łaska – Artie mi wybacza!, ale pod tym wszystkim kryje się coś bardziej niepokojącego. Artie ma w planie swoją śmierć. Patrzy w przyszłość, próbuje uporządkować swoje sprawy i wiem, że musi to zrobić. Dociera do mnie, jak wielu rzeczy będzie mi brakować – wcale nie jego teatralnych gestów ani nieodpartego uroku, tylko drobiazgów, które zawsze mnie najbardziej irytowały: jak siorbał kawę albo czasem stękał, siadając, jakby to był wielki wysiłek, jak wyławiał palcami oliwki z martini i łaził za mną, czyszcząc zęby – nazywałam to higieną nomadyczną. I wiem, że będę jeszcze żałować wielu rzeczy. Mogę nawet żałować, że nie byłam osobą większego formatu.

Opuszczam pokój ze łzami w oczach. Skręcam w korytarz i nagle kręci mi się w głowie. Opieram się ręką o ścianę, żeby odzyskać równowagę, potem cała przywieram do ściany, która chłodzi mi czoło.

Ktoś wali w drzwi frontowe, aż cały dom się trzęsie. Nie mogę się ruszyć, jeszcze nie. Domyślam się, że to moja matka, która ekspresowo załatwiła listę swoich spraw i przyjechała sprawdzić, czy jestem już na nogach i zjadłam śniadanie. Wszystko w porządku, zamierzam powiedzieć. Popatrz, jak się świetnie trzymam! Świeża jak poranek! Mam zamiar tak ściemniać przez jakiś czas, żeby choć na chwilę odwlec dalszą introspekcję. Zbiegam po schodach ze sztuczną werwą i otwieram z rozmachem drzwi.

– Wszystko w porządku! – oznajmiam radośnie.

Ale to nie jest moja matka. Przede mną stoi młoda kobieta o włosach koloru bakłażana wystrzyżonych w ząbek. Uszy całe w kolczykach, mały diamentowy wkręt w nosie i kolczyk w dolnej wardze, dzięki któremu wygląda, jakby się dąsała. Nosi czarną koszulkę bez rękawów z logo kapeli

Jaja do Dechy. Nigdy o takim zespole – zespole? – nie słyszałam. Ma też wytatuowany wokół bicepsa – muskularnego bicepsa – wieniec, a na ramieniu worek marynarski, zapewne
z demobilu.

– Jestem Elspa – mówi. – Przyjechałam objąć dyżur.

ROZDZIAŁ 7

Czy tego chcesz, czy nie,
nadzieja dopadnie cię

– Przyjechałaś objąć dyżur? – pytam.

Paradoksalnie kolczyki Elspy, jej tatuaż i kolor włosów przypominają mi matkę i jej makijaż, który służy dezorientacji rozmówcy. Jednak te udziwnienia nie zajmują mojej uwagi na długo. Gołym okiem widać, że Elspa jest piękna – uderzająco piękna. Ma pełne usta i ciemnobrązowe oczy o gęstych rzęsach, drobny nos i cudowne kości policzkowe. Nie ma na twarzy krztyny makijażu. Baranieję już i tak wytrącona z równowagi rozmową z Artiem i tym, że na progu nie stoi moja matka.

– Przysłała cię agencja pielęgniarek? – udaje mi się wydusić.

Nie wyszłam na próg. Drzwi są otwarte na oścież, bo spodziewałam się mamy. Stoję wewnątrz, prawie jakbym oczekiwała tej wizyty. Prawie. I to najzupełniej wystarcza nieznajomej. Wymija mnie z tym swoim workiem i wchodzi do hallu. Widać, że bardzo się spieszy. Wygląda na zdenerwowaną, wręcz wstrząśniętą. Omiata wzrokiem wnętrze.

– Nie, nie jestem z agencji pielęgniarek.

– Całe szczęście.

Elspa puszcza mój komentarz mimo uszu. Patrzy mi prosto w oczy.

– Dzwoniłaś do mnie.

– Naprawdę?

– Przyjechałam objąć dyżur przy łożu śmierci Artiego. Prosiłaś mnie o to. Zgadza się?

– No... tak. A ten worek? – Worek marynarski trochę mnie niepokoi. Jest jakąś zapowiedzią dłuższej wizyty. To ma być jedna z u k o c h a n y c h Artiego? Jest trochę młodsza, niż myślałam. Ile może mieć lat? Góra dwadzieścia osiem.

– Przyjechałam z Jersey najszybciej, jak się dało. Miałam rano wykład, ale zaraz potem ruszyłam. Profesor zwolnił mnie z reszty zajęć.

Jest trochę za stara jak na studentkę. Odstawia worek.

– Gdzie on jest?

– Nie możesz tutaj mieszkać. – Czy jest jedną z u k o c h a - n y c h, z którymi Artie flirtował, z a p o m n i a ł s i ę w trakcie naszego małżeństwa? Jest trochę za młoda na to, żeby znać Artiego z czasów przed naszym ślubem. Co prawda jest to możliwe. Kiedy odeszłam, byliśmy z Artiem cztery lata po ślubie, a przed ślubem chodziliśmy ze sobą tylko rok – zleciało, jak z bicza trzasł. Czyżby przede mną chodził z dwudziestotrzylatką?

– Walnę się na kanapę. Nie będę wam zawadzać. Czy bardzo się męczy?

– Słuchaj – tłumaczę jej. – Byłam pijana. Żartowałam. Nie sądziłam, że ktokolwiek weźmie to na serio.

Elspa zawraca na pięcie. Oczy ma szeroko otwarte jak małe dziecko, które rozsadza nadzieja.

– To jak? – pyta przejęta, ale odzyskuje częściowo swój znudzony ton. – Artie w końcu umiera czy nie?

Czuję, że ta wizyta ma dla niej wielkie znaczenie. Jest kwestią życia i śmierci. Mam ochotę skłamać, powiedzieć, że

Artie jest zdrowy i może jechać do domu, ale nie potrafię. Może ona naprawdę go kocha albo potrzebuje. Trudno powiedzieć.

– Umiera.

– To chcę zrobić dla niego, co tylko w mojej mocy. Był dla mnie dobry.

– Był?

– Uratował mi życie. – Mówi o nim nie jak o kochanku, lecz jak o jakimś świętym.

Zwalisty pielęgniarz wyłania się z głębi domu i zaczyna wchodzić po schodach. Elspa nie spuszcza z niego oczu.

– On tam jest?

Kiwam głową.

– Mogę? – pyta, wskazując na schody.

Jestem oszołomiona jej desperacją.

– Proszę cię bardzo.

No i Elspa, nieznajoma dziewczyna uratowana przez świętego Artiego Shoremana, biegnie na górę, przesadzając po dwa schody na raz.

ROZDZIAŁ 8

Wszystko można zlicytować, wszystko można kupić.
Wystaw się na sprzedaż, nie bądź głupi!

Sterczę na korytarzu, nie bardzo wiedząc, co robić. Patrzę na schody.

Elspa. Co ma do powiedzenia Artiemu? Czy to możliwe, że zgodziłam się, żeby spała na kanapie? Męczą mnie sekrety Artiego – co rusz trafiam na obszary jego życia, których przede mną nie odsłaniał. Wracam do sypialni gościnnej, biorę do ręki notes Artiego. Porywam kluczyki z komody przy wejściu i wychodzę przed dom. Na ulicy stoi zardzewiała toyota.

Mam nadzieję, że jak wrócę, już jej nie będzie.

Mój samochód stoi na podjeździe. Od sześciu miesięcy nie siedziałam za kierownicą. Sadowię się na przednim siedzeniu lexusa. Jest przystosowany do Artiego i nagle czuję ulgę, że Artie nie umarł. Dziwne, że właśnie teraz pojawia się to uczucie. Jestem pewna, że gdyby nie żył, wyskoczyłabym z samochodu rozbita tym, że siedzenie i lusterka są dopasowane do jego rozmiarów. Ale Artie nie umarł i mogę spokojnie poustawiać wszystko pod kątem własnej wygody. Powinnam tak zrobić z całym domem. Śmierć Artiego – potrafię zachować logikę w jej obliczu. Zanim uderzy, przygotuję się do niej psychicznie. Wezmę się do niej metodycznie i ostrożnie – jak do rachunków, które kontroluję zawodowo.

Studio Stylowych Sypialni znajduje się w starej części miasta, która zaczęła się przeobrażać w luksusową dzielnicę. Co czwarty sklep remontuje witrynę. Trafiam na właściwe skrzyżowanie, skręcam w lewo i wjeżdżam na parking. Studio Stylowych Sypialni. Odkąd to każdy sklep nazywa się studiem? Nie przeszkadza mi długa nazwa i wszystkie słowa zaczynające się na tę samą literę, jednak cieszę się, że nazwa się nie rymuje i ktoś miał dość oleju w głowie, żeby nie odwrócić S z lewej na prawą, co jest obecnie modne. Wkurzają mnie te wszystkie PoQsy Qlinarne i ArtyQły Qchenne. Piszcie, do diabła, po ludzku! Podchodzę do sklepu i widzę swoje odbicie w witrynie. Jestem zaszokowana własnym widokiem. Mam znużoną twarz. Oczy podpuchnięte i podkrążone. Spierzchnięte wargi. Potargane włosy. Zatykam kosmyk za ucho i oblizuję wargi. Po chwili odwracam wzrok.

Popycham drzwi. Bim-bom, dźwięczy staroświecki dzwonek. Sklep wygląda jak parking łóżek, jakby zawalił się hotel i pedantycznie zaścielone łóżka wylądowały w piwnicy – ekskluzywnej, nie da się ukryć. Trochę awangardowej sztuki, niklowane stoliki nocne, a do tego ściany w jednym z tych nowomodnych kolorów inspirowanych zapewne limonką. Pluszowy dywan od ściany do ściany. Na łóżkach piętrzą się sterty atrakcyjnych poduszek. W sklepie nie ma klientów, nie gra mdła sklepowa muzyczka. Słyszę jedynie przytłumione odgłosy ulicy i tykanie wskazówek srebrnego zegara ściennego z lat sześćdziesiątych, którego kształt nawiązuje do podbojów kosmosu.

Mam ochotę coś ukraść. To mój pierwszy odruch. Nie wiem czemu. Mój drugi odruch jest nie lepszy: mam ochotę puścić się pędem przez halę. Wyobrażam sobie, jak biegnę pośród łóżek aż na tyły sklepu.

Wtedy właśnie zauważam dziwne wybrzuszenie pod narzutą na eleganckim łożu z baldachimem w głębi sklepu. Uznaję, że to jakiś marudny studencina, któremu powierzono opiekę nad sklepem. Zastanawiam się, czy budzić darmozjada, czy nie, jednak – bez wyraźnego powodu – odzywa się we mnie instynkt opiekuńczy wobec Studia Stylowych Sypialni.

Podchodzę do łóżka.

– Przepraszam pana...

Mężczyzna okazuje się dorosły – na oko ma około trzydziestki. Dziwi mnie, że nie zrywa się na równe nogi i nie załącza kupieckiej gadki, która po brzegi wypełnia podświadomość sprzedawców. On jednak bez pośpiechu otwiera oczy, patrzy na mnie i uśmiecha się leniwie. Rozczesuje i wygładza jasne włosy. Jest przystojny, bez trudu mogę go sobie wyobrazić bosego i półnagiego, w samych tylko spodniach od piżamy. John Bessom niechybnie wcielił go do swojego zespołu sprzedawców za sam wygląd, nieświadom, że subiekt pod jego nieobecność ucina sobie drzemki na towarze. Postanawiam naskarżyć, gdy tylko spotkam szefa.

– Szukam materaca, mocnego i, hmm... wytrzymałego. Wie pan, te solidne, wypróbowane materace. Orientuje się pan, gdzie znajdę Johna Bessoma?

Patrzy na mnie zaspany, lekko wymiętoszony, seksowny.

– Nie sprzedajemy wytrzymałości, mocy, wypróbowania ani solidności – mówi, poziewając.

– Ale chyba sprzedajecie tu materace? – uśmiecham się zalotnie.

Mam wrażenie, jakbym wplątała się w grę słów, której reguł nie znam. Lubię gry słów. Jestem w tym niezła.

– Prawdę mówiąc, nie sprzedajemy materaców. Bynajmniej.

– Co wobec tego sprzedajecie?

Uśmiecha się czarująco. Połknęłam jego przynętę. Ledwie się ocknął z drzemki, a już się wziął do handlu, tyle tylko że inaczej niż sobie wyobrażałam.

– Sprzedaję wiele rzeczy. Sprzedaję sen. Sprzedaję marzenia senne.

– Sen i marzenia senne? – upewniam się.

– Tak.

Wciąż nie wstał z łóżka, tylko oparł głowę na dłoni, a ja dochodzę do wniosku, że Bessom zrobił doskonały biznes, zatrudniając tego chłopaka. Mam ochotę kupić całe łóżko.

– Sprzedaję wykwintne krainy miłości, produkt zaawansowanych technologii – uzupełnia.

Coś w jego słowach budzi moją czujność. Dociera do mnie, że nie mówi już „sprzedajemy", tylko „sprzedaję". Patrzę na szybę wystawową. Tu, w środku sklepu napis Studio Stylowych Sypialni jest odwrócony z lewej na prawą. „Wykwintne krainy miłości, produkt zaawansowanych technologii". Coś takiego mógłby powiedzieć tylko Artie. Zamieram. Facet nie wygląda jak Artie, może z wyjątkiem zarysu szczęki, jednak odziedziczył po ojcu naturę podrywacza. Szczerze mówiąc, sama też z nim trochę flirtowałam. Uśmiechałam się zalotnie, bawiłam się w gierki słowne. Tym razem swojego zachowania nie mogę zrzucić na alkoholową przystępność. W tym chłopaku jest coś rozbrajającego.

– Czy pan jest Johnem Bessomem?

– We własnej osobie. Czym mogę pani służyć?

Nie odrywam od niego wzroku, usiłując się doszukać podobieństw z Artiem. Przekrzywiam głowę. Do pewnego stopnia spodziewałam się ujrzeć kogoś w rodzaju szefa Studia Stylowych Sypialni, jednak część mnie, prawdę mówiąc, wyobrażała sobie jakiegoś synka taplającego się w basenie, harcerzyka czy młodocianego baseballistę.

– Dobrze się pani czuje?

– W porządku. – Rozglądam się po sklepie. – Niestety, potrzebuję tylko materac.

– Nie sposób dzień po dniu sprzedawać materace. – Siada, opuszczając na ziemię stopy w zamszowych półbutach. – To zbyt monotonne.

– Rozumiem. Już wszystko rozumiem – mówię.

Wcale jednak nie wiem, po co tu jestem. Czy mam mu powiedzieć, że jego ojciec umiera? To chyba nie do mnie należy. Gdyby chciał porozmawiać z Artiem, zrobiłby to wiele lat temu. Ruszam do drzwi.

Podnosi się.

– Chwileczkę – mówi. – Proszę mi wybaczyć. Mam za sobą kiepski tydzień. I jeszcze gorszy rok. Dlatego jestem w takim stanie. – Pokazuje na łóżko. – Podrywam. To mój mechanizm przystosowawczy. Staram się nad tym pracować. Jednym słowem chciałem pani powiedzieć, że z rozkoszą sprzedam pani materac. Wolałbym sprzedać pani coś bardziej atrakcyjnego, ale od biedy może być materac.

Sztywnieję jak wtedy, gdy jestem troszkę pijana, a moja nieprzystępność kruszeje i chodzę jak na szczudłach. Mobilizuję się maksymalnie. Ciekawe, czy mam pionową bruzdę na czole? Czy moją niezłomność i nieprzystępność przypłacę zmarszczkami? Nie mam jednak wyjścia – muszę być silna. Na nic więcej mnie nie stać.

– Więc wiem, dokąd przyjść, gdy zapragnę atrakcji – mówię i wychodzę.

ROZDZIAŁ 9

Kobiece rozmowy –
kryzys gotowy

Zajeżdżam pod dom i widzę, że zardzewiała toyota stoi nadal pod dziwnym kątem, jakby się dopraszała blokady kół. Wchodząc do domu, potykam się o marynarski wór Elspy. Leży w hallu dokładnie w miejscu, gdzie go upuściła. Odkładając kluczyki do miski na komódce, czuję się jak układny złodziejaszek, który włamuje się tylko po to, by pobuszować w krakersach, zwędzić parę cukierków, no, może chlapnąć sobie dżinu z tonikiem.

Nie bardzo wiem, co robić. Stoję w hallu. Cisza jak makiem zasiał. Zaglądam do salonu. Wszędzie spokój. Na gzymsie kominka zbyt wielki bukiet niebezpiecznie wychyla się z wazonu. Podchodzę i wyciągam z plastikowych widełek bilecik. Numer 58: „Za to, że przyjechałaś, wróciłaś do domu. Za to, że jakaś część ciebie, drobna, głęboko ukryta cząstka, wciąż nie przestała mnie kochać". Nie wiem, co mam z tym robić. Artie ma rację. Jakaś część mnie nadal go niezmiennie kocha i czasem ta część wzbiera we mnie i wypełnia moją duszę po brzegi. Może powinnam mu to powiedzieć. Może on powinien się o tym dowiedzieć.

I nagle słyszę śpiew.

Wysoki głos śpiewa łagodnie, melodyjnie. Numer 58 wypada mi z rąk na podłogę.

Ruszam na górę. Śpiew dobiega z naszej sypialni. Wchodzę do środka. Łóżko Artiego jest puste. Kołdra jest odrzucona, jakby Artie doznał cudownego uzdrowienia i udał się do pracy.

Śpiew jednak nie dochodzi z sypialni, tylko z przylegającej do niej łazienki. Pielęgniarz stoi przy drzwiach. Wygląda na lekko oszołomionego, niepewnego swojej roli w tym wszystkim. Kiwam mu głową. Odpowiada kiwnięciem.

– Stoję tu, żeby pomóc mu wejść do wanny, a potem wyjść – mówi.

To jednak nie wyjaśnia śpiewu. Przechodzę przez sypialnię i podchodzę do półprzymkniętych drzwi łazienki. Przez szczelinę widzę plecy Artiego. Siedzi w wannie, a z piersi Elspy wydobywa się głos – piękny głos. Elspa klęczy przy wannie, łagodnie nucąc jakąś pieśń, której nigdy nie słyszałam. Zanurza gąbkę w wodzie i wyciska ją na plecy Artiego. Nie ma w tym cienia seksu. Zero erotyzmu. Tylko czułość – jak matka, która koi trawione gorączką dziecko. Brak mi tchu. Ta chwila ma w sobie archetypowe piękno. Czystość.

Czuję nagły ucisk w piersiach – ostry ból. Znów kręci mi się w głowie. Opuszczam sypialnię chwiejnym krokiem. Schodzę na dół, kierując się do barku w kuchni. Kuchnia wydaje się zbyt jasna, zbyt głośna, zbyt przestronna. Sufit jest za wysoko. Czuję się malutka. Moje ręce pracują zwinnie. Lód głucho grzechoce w szklance.

Dzwoni telefon. Odbieram. Lindsay terkocze jak karabin maszynowy, rozumiem co drugie słowo. Kogoś chcą wylać. Danbury'ego? Jakiś klient chce z nas zrezygnować? Jeden ze wspólników upadł na głowę? Nic z tego nie rozumiem.

– Wszystko się ułoży – uspokajam ją. – Po prostu nie daj się ponieść emocjom. Nie bierz tego do siebie. Nie mogę teraz rozmawiać.

Ale ona miele w kółko, że Danbury mało nie wyleciał, że chcą ją awansować i coś o moim wspólniku.

– Nie mogę teraz rozmawiać – powtarzam. – Nie obraź się, Lindsay, ale pozwól, że ci pokażę, jak się kończy rozmowy. – Odkładam słuchawkę i tkwię dalej w miejscu.

Wchodzi Elspa i wyciąga z lodówki sałatkę. Kolejna nowość. Pierwszy raz widzę tę sałatkę.

– Zjesz trochę? – pyta. – Zrobiłam dużo.

– Nie.

Bierze miskę i zaczyna sobie nakładać.

– Jest taki chudy. Wierzyć się nie chce.

Milczę.

– Ale w głowie ma to co zawsze. Nic się nie zmienił. Cały Artie.

– No właśnie.

Elspa żarłocznie pochłania sałatkę.

– Jesteś pewna, że nie chcesz?

– Nie, dzięki.

– Opowiadał mi o tym, jak kiedyś... – mówi z pełnymi ustami.

Unoszę rękę ostrzegawczo.

– Nie chcę tego słuchać.

– W porządku. – Zamiera, zaraz jednak powraca do pałaszowania.

Dociera do mnie, że nie czuję się już jak złodziej, lecz odwrotnie. Czuję się okradziona.

– To do mnie należało.

– Że co?

– Kąpanie go. To ja powinnam robić, a ty okradłaś mnie z tej chwili.

– Nie miałam zamiaru...

– Nie mówmy już o tym.

Elspa wzdycha. Odkłada widelec. Patrzy na mnie. W jej orzechowych oczach drzemie łagodność.

– Ile nas jest?

Nie odpowiadam. Sączę drinka. Nie mam obowiązku odpowiadać na żadne pytania.

– Zdradzał cię? – nie ustępuje. – Dlatego go nienawidzisz. Ile ich było?

– Zanim go poznałam, miał wiele kobiet i nie wiedziałam, że zachował dwie z nich „na pamiątkę".

– Artie nie umie mówić „do widzenia".

– Ujmując oględnie – dorzucam, co nie znaczy, że podzielam jej punkt widzenia. – Potem dołączył do nich trzecią. Tę właśnie wykryłam, a potem tamte dwie. Kiedy z nim byłaś ostatni raz? – pytam odważnie. Uczciwie stawiam sprawy.

Elspa wcale nie wydaje się spłoszona.

– Zanim cię poznał – odpowiada rzeczowo. – Zaczęłam pracować w jednej z jego restauracji, kiedy byłam bardzo młoda. – Nadal wygląda na bardzo młodą. – Rany, to już sześć lat mija, od kiedy cały czas pachniałam włoskim żarciem. Artie wpadł na lotną kontrolę. Ale to nie był t e n rodzaj znajomości. To znaczy nigdy nie byłam żadną jego dziewczyną, nic w tym stylu. Artie był dla mnie trochę jak ojciec. Pomógł mi przebrnąć przez trudny okres w życiu. – Milknie, wciąż trawiąc jakieś bolesne wspomnienia.

Nie wiem, czy mam to kupić.

– Trochę jak ojciec?

– To było dawno. Przeżyłam. Dzięki Artiemu.

Jest tak szczera, że trudno jej nie wierzyć. Jej twarz jest jak otwarta księga – zbyt naiwna, by Elspa mogła kłamać.

Rozluźnia się.

– Opowiadał mi dzisiaj dużo o tobie. Jak się poznaliście, wzięliście ślub. Piękne historie. Ale najbardziej podobała mi się opowieść o ptaku na framudze.

– Ledwie ją pamiętam.

– Uratowałaś go.

– Tłukł skrzydłami o okiennice pensjonatu naszego przyjaciela. To było zaraz po tym, jak się poznaliśmy. Artie pod wieloma względami jest tchórzem. Boi się ptaków we wnętrzach. Nienawidzi też latać samolotami. Otworzyłam odpowiednie okno i tyle.

Jednak tamta scena wraca do mnie jak żywa – wszystko wtedy było takie, jak trzeba, doskonałe. Artie, schowany za mną, obejmował mnie, kiedy ptak odfruwał w stronę drzew.

– Czasem wystarczy tylko otworzyć odpowiednie okno – mówi Elspa.

I nagle zaczynam ją lubić, właśnie teraz, tak po prostu. Potrzebuję kogoś takiego – kogoś, kto nie boi się powiedzieć więcej niż kilka zdawkowych słów, kto potrafi dostrzec w zwykłym wydarzeniu głębszy sens.

– Kiedy opowiadał tę historię, był tak ożywiony, że całkiem zapomniałam, że umiera.

Zastanawiam się, jak Artie uratował jej życie. Wyobrażam ją sobie w stroju kelnerki, czerwonej koszuli z plakietką, fartuchu w kratę, niosącą na tacy drinki. Zastanawiam się, po co tu naprawdę przyjechała i za co kocha go tak bardzo. Podchodzę do salaterki, wyjmuję małego pomidorka i zjadam go. Jest cierpko-słodki. Na pewno uznałaby, że Artie zasługuje na to, żeby przed śmiercią zobaczyć syna. I słusznie. Bo nawet jeśli Artie spaprał w swym życiu wiele spraw, ma prawo poznać syna. Czyż nie jest to niezbywalnym przywilejem rodzica? Co więcej, John Bessom – to ziółko – ma prawo poznać swojego ojca.

– Chciałam cię o coś prosić – mówię.

– Tak? – Patrzy na mnie wyczekująco.

ROZDZIAŁ 10

Gorszący owoc miłości
żonę twoją rozzłości

Kiedy Elspa kończy jeść, dzwonię do matki z pokoju gościnnego. Dlaczego dzwonię do matki? Bo potrzebuję czyjejś rady. Mimo że wykładam swój plan, wykładam metodycznie, mama nie może załapać.

– To dość skomplikowane – zaczynam od początku. – Chcę, żeby Artie poznał syna. Chcę, żeby syn poznał Artiego. Chcę jednak, żeby sam Artie powiedział mu, że jest jego ojcem i że umiera. To jego rola, nie moja. Zastanawiałam się, jak doprowadzić do ich spotkania. I wpadłam na znakomity pomysł.

– Spotkanie za pośrednictwem materaca? – pyta niepewnie.

– Tak, materaca.

– Pozwól, że sprawdzę, czy dobrze zrozumiałam: nie chcesz osobiście namawiać Johna Bessoma do czegokolwiek. Dlaczego właściwie?

– Nieważne. – Nie mam zamiaru jej wyjaśniać, że jeśli znów wpadniemy na siebie, a potem się dowie, że jestem jego macochą, może to być, hm... krępujące.

74

– Rozumiem. Nieważne – mówi. – W tej sytuacji masz zamiar użyć tej dziewczyny, co przyjechała i kocha Artiego, bo uratował jej życie, żeby namówiła Johna Bessoma, aby osobiście dostarczył materac do domu?

– Właśnie tak.

– Cóż, trudno mi osądzić wszystkie za i przeciw, ale myślę, że to niezły plan. Cieszę się, że c o ś robisz. Powinnaś być w ruchu, tak jest zdrowiej. Wpadnę potem do was i sprawdzę, jak wam leci.

– Dzięki.

W drodze do Studia Stylowych Sypialni uczę Elspę, co ma mówić. Układam pseudoscenariusz opierający się na tym, że John chciałby sprzedawać coś więcej niż tylko materace.

– Dobrze. Rozumiem – mówi Elspa.

Potem rozmowa przygasa. Elspa nachyla się i zaczyna kręcić gałką radia.

– Czym się zajmujesz? – pytam.

– Jestem artystką.

– Tak, Artie lubi artystki. – Podobały mu się moje fotografie, stale mnie zachęcał, żebym dalej szła tą drogą. – W jakiej dziedzinie?

– Rzeźba.

– Co rzeźbisz?

– Głównie mężczyzn. Ich części. Pozwalam im decydować.

– A Artie? Nie mów mi tylko, co wybrał. Czy to, o czym myślę?

– Ma duże poczucie humoru. Uparł się. Ale rzeźbiłam z wyobraźni. Abstrakcja. Jest niebieski.

– Abstrakcyjny i niebieski. Coś takiego.

Nagle oczyma wyobraźni widzę niebieski, zdeformowany penis Artiego. Zachodzę w głowę, co mam rozumieć przez abstrakcyjny. Wyłącznie z wyobraźni?

– Chętnie go kiedyś zobaczę – mówię.

Nieważne, czy z wyobraźni, czy nie, jest w tym intymność. I chociaż Elspa twierdzi, że byli z Artiem, zanim go w ogóle poznałam, a w dodatku nie sypiali ze sobą, nadal mnie to uwiera. Przez cały czas czuję podskórną zazdrość. Nie byłabym w stanie śpiewać, kąpiąc Artiego. Jestem na to zbyt wściekła. Mój gniew tkwi we mnie tak głęboko, jak pieśni drzemią w Elspie.

– Naprawdę? – dziwi się.

– Oczywiście.

Zapada cisza. Nie jestem pewna, czy właściwie odczytuje ton mojego głosu. Nie jestem pewna, jak p o w i n n a go odczytywać.

– Pada. – Pokazuje na zamazaną szybę, po której kropelki wody spływają na karoserię. Bez słowa włączam wycieraczki. Skrzypią i stukają o szybę. Trzeba je będzie wymienić.

Dojeżdżamy do sklepu w chwili, gdy John zamyka drzwi od frontu. Rozmawia z wyglądającym na przedstawiciela banku mężczyzną w ciemnym garniturze, który raczej nie kupuje materaca. Bankowiec ma parasol, wygląda chłodno, obojętnie, z brytyjska. John trzyma nad głową gazetę. Widać, że nie jest to przyjemna rozmowa. John wyciąga do mężczyzny rękę, jakby mówił: „Nie posuwajmy się dalej. Jesteśmy dżentelmenami".

Opuszczam lekko szybę.

– Nie możemy zaniechać postępowania, panie Bessom.

– Rozumiem – mówi John.

Mężczyzna w garniturze odchodzi w jedną stronę, John rusza powoli w drugą. Pada już mniej. Strząsa wodę z gazety. Trącam łokciem Elspę, która wysiada z samochodu i zastępuje Johnowi drogę.

– Chcę kupić materac – mówi.

– Już zamknięte.

– To sytuacja awaryjna.

– Awaryjny materac? Niestety, mój wóz dostawczy zepsuł się dwa miasta stąd i...

– To materac dla ojca – mówi Elspa zgodnie z moim scenariuszem. – Umierającego ojca. Spodziewa się przyjazdu syna i materac powinien ładnie wyglądać. – Jestem z niej dumna. Prowadzący kółko teatralne w jej liceum również powinien być z niej dumny.

– Przykro mi, ale już nieczynne.

– Prawdę mówiąc, nie zależy mi na kupnie materaca. Chcę, żeby sprzedał pan konającemu spokój duszy. Chcę kupić od pana pożegnalną scenerię. Proszę o sprzedaż przedśmiertnego pojednania ojca z synem...

Uśmiecha się do Elspy, potem patrzy na samochód. Poznaje mnie, a w jego oczach mogę wyczytać, że wie, kto wymyślił gadkę Elspy. Macha do mnie. Bawię się popielniczką.

– Ojciec i syn? Czuję, że kręci mnie ta scena. Potrzebny będzie prawdziwie piękny materac. Najdroższy.

Na szczęście przestaje padać. John przywiązał owinięty w folię materac do dachu. Przytrzymują go teraz z Elspą z obu stron przez okno. Materac się gibie.

– Więc sypia pan całymi dniami w sklepie? – zagaduję.

– Nie spałem. Pozowałem.

– Wyglądało, jakby pan spał.

– Jestem bardzo dobrym modelem.

– Czy jako model sprzedaje pan dużo materacy? – pyta Elspa.

– On nie sprzedaje materacy tylko sen, seks i marzenia senne – przypominam.

– Czy sprzedaje pan dużo snu, seksu i marzeń sennych?

– Nie za wiele. Ale to tylko jedna z form mojej działalności. Jestem przedsiębiorcą i obecnie realizuję wiele różnych projektów.

– Wiele projektów?

John nie podejmuje tematu. Wygląda przez okno, sprawdza materac, który zdobyłyśmy podstępem – krainę snu, seksu i marzeń sennych. Wjeżdżamy przez bramkę na autostradę. Operatorka obrzuca nas sceptycznym spojrzeniem, jak gdyby widziała niejeden sfruwający z dachu samochodu materac. Ma w sobie coś z gospodyni. „Widział kto wwozić coś takiego na moją autostradę?", czytam w jej oczach. Ale mam to gdzieś. Realizuję swój plan.

Po kilkunastu minutach zjeżdżamy z autostrady i zaczynamy krążyć po słabo oświetlonych uliczkach przedmieścia.

– Pozwolą panie, że zapytam, kim jest umierający?

– Jej mężem – mówi Elspa, nim zdążę coś wymyślić. Instynkt mi podpowiada, że powinnam.

– Przykro mi – mówi John. – Bardzo mi przykro. – Jakaś nuta w jego głosie sugeruje, że sam też kogoś stracił.

Każdy kogoś stracił.

Skręcam w swoją ulicę. Rzęsiste oświetlenie przywodzi na myśl Boże Narodzenie. Wszystkie lampy się palą, na podjeździe stoi karetka z wirującym czerwonym kogutem. Przeszywa mnie gwałtowny dreszcz. Drzwi są otwarte. Światło pada na trawnik, oświetlając moją matkę, która z rękami złożonymi na piersi stoi na progu, patrząc na podjazd.

– Nie! Jeszcze nie! – wybucham. – Nie załatwiliśmy tylu spraw!

– Co się dzieje? – chce wiedzieć John.

– Nie, nie, nie, nie – powtarza w kółko Elspa.

Tuż przed podjazdem zatrzymuję samochód i wyskakuję. Auto toczy się dalej i wpada na krawężnik. Uderzam się w głowę, próbując wskoczyć z powrotem, żeby zaciągnąć hamulec. Upuszczam kluczyki na podjazd. Oczyma szukam twarzy matki.

Kręci głową.

– Nie wiedziałam, co się dzieje! Zadzwoniłam na pogotowie!

Zaczynam głęboko oddychać, jakbym była na treningu prawidłowego oddychania. Chwiejnym krokiem ruszam do wejścia. Przystaję na progu. Elspa wymija mnie pędem.

Odwracam się w stronę Johna Bessoma, który stoi obok samochodu. Nie odwiązuje materaca. Żal mi Johna. Nie ma pojęcia, w czym bierze udział, na co nie zdążył.

Utknęłam na progu, ciężko dysząc.

– Więc to ty jesteś synem – mówi moja matka do Johna. – Tak mi przykro.

Ruszam w ich stronę na chwiejnych nogach. Znów nie zdążyłam z czymś w porę, ale dociera do mnie, że nie ma już wyjścia. Mama wygląda już spokojniej. Załatwi to umiejętnie. Bierze Johna za rękę, obejmuje po matczynemu. John zaczyna nagle wyglądać jak dziecko.

– Próbują odratować twojego ojca – mówi. – Ale nie wiem...

John jest zdezorientowany. Podnosi wzrok na oświetlone okno sypialni.

– Mojego ojca? Arthura Shoremana?

– Tak – potwierdza matka. – Artiego.

Artie jeszcze nie umarł. Próbują go odratować. Wbiegam do domu i rzucam się po schodach na górę. Arthura Shoremana, powtarza coś w moich myślach. Arthura Shoremana. Nienawidzę tego oficjalnego tonu niczym z jakiegoś dokumentu, świadectwa zgonu. Jeszcze nie umarł, powtarzam w myślach. Jeszcze nie.

Wchodzę do sypialni. Artie leży na łóżku otoczony załogą erki, która, jak zawsze, porozumiewa się sobie tylko znanym kodem. Jakaś aparatura. Czyżby robili mu EKG? Nie widzę twarzy Artiego.

Pielęgniarz przygląda się z głębi pokoju.

– Róbcie coś, do kurwy nędzy! – wrzeszczy Elspa. Porażona rozpaczą upada na stolik nocny, zmiatając wszystko na ziemię.

– Zabierzcie ją stąd! – ryczy sanitariusz.

Chwytam ją za ramiona, przyciągam do siebie i wypycham na korytarz. Kołyszę w objęciach. Elspa uspokaja się. Wczepiona we mnie kurczowo, zaczyna szlochać.

– Umrę, jeśli on umrze!

– Nie, nie umrzesz.

– Nie zniosę tego!

Nie jestem sobie w stanie wyobrazić, że Artie może właśnie konać, że na łóżku leży już tylko jego ciało. Nie mam pojęcia, jak długo trzymam Elspę w objęciach, dociera do mnie jednak, że po raz pierwszy od bardzo dawna mam bliski kontakt z drugim człowiekiem.

Nagle dobiega mnie głos Artiego.

– Odwalcie się ode mnie! – wrzeszczy.

– Miło słyszeć – komentuje ktoś z załogi erki.

Elspa przytula się jeszcze mocniej.

– Żyje – szepcę do niej.

ROZDZIAŁ 11

Życia ścieżki poplątane –
uwierz w to, co niesłychane

To, co się dzieje później, jest jak surrealistyczny film. Załoga karetki dalej uwija się wokół Artiego, ale jakby w zwolnionym tempie. Przypuszczam, że syn Artiego nadal stoi na trawniku obok samochodu z przywiązanym materacem. Elspa szlocha nieprzerwanie, choć Artie cudem wrócił do życia. Obejmując ją jedną ręką, zaglądam do sypialni przez drzwi.

– Naprawdę wrócił do życia? – pytam załogę. – Nic mu nie jest?

– Nigdy nie umarł, proszę pani – mówi ten z byczym karkiem. – Fałszywy alarm. Napięcie. Niestrawność. Jest ciężko chory na serce, jak pani wie, ale nic mu nie jest.

– Słyszałaś? Fałszywy alarm. Napięcie. Niestrawność – powtarzam na głos, żeby uspokoić Elspę.

Artie odwraca głowę w moją stronę. Łzawią mu oczy, uśmiecha się niepewnie.

– Pojechała już? – pyta.

– Co? Kto? – zastanawiam się, czy ma na myśli Elspę. Tekst wydaje mi się trochę nie na miejscu. Czy z głową Artiego aby wszystko w porządku?

Nagle Artie krzywi się i zamyka oczy.

– Fałszywy alarm? – słyszę dziwnie znajomy kobiecy głos.

Pojawia się za mną z papierosem w dłoni – wysoka, elegancka, w jasnoniebieskiej obcisłej sukience, trochę młodsza od mojej matki. Jest ładna, choć wygląda jędzowato: ma brwi wygięte w ostre łuki i wyraźnie zarysowane kości policzkowe. Brązowe, długie do ramion włosy spięła nisko posrebrzaną klamrą.

– Kim pani jest? – pytam.

– Jestem Eleanor – odpowiada, jakby to wyjaśniało wszystko.

Patrzę na nią, kręcąc głową. W uszach mi dzwoni. Artie omal nie umarł, ale żyje.

– Sama mnie zapraszałaś – wyjaśnia cierpliwie. – W pierwszej chwili życzyłam Artiemu, żeby się smażył w piekle, ale potem uznałam, że chętnie przedtem na niego popatrzę. – Strzepuje z sukni niewidzialny pyłek.

No tak, już sobie przypominam ten głos. To kobieta, do której dzwoniłam po pijaku w środku nocy, ta, która prosiła, żeby mu przekazać czułe słówka. We własnej osobie. Kolejna ukochana Artiego. Ma niezłe wejście.

– Czyż nie byłoby cudownie, gdyby Artie rozliczył się z przeszłości, całej przeszłości, zanim umrze? – dodaje Eleanor.

– Nie powinnaś tu palić – mówi Elspa, odzyskując zwykłą pewność siebie.

Kobieta uśmiecha się do Elspy, jakby ta mówiła rozsądnie, ale nie na temat.

– Palę tyle, co nic. To taki ratunkowy papieros. Tylko od święta. – Odwraca się do mnie. – Myślę, że moja wizyta mogła go zdenerwować – mówi z lekkim westchnieniem.

– Tak sądzisz? – wrzeszczy z łóżka Artie.

– Twoja matka musiała wezwać pogotowie – ciągnie Eleanor spokojnie. – Ją też mogłam zdenerwować.

– Próbowałaś go zabić czy jak? – pytam.

– Och, nie – odpowiada z cierpkim uśmiechem. Podnosi głos, żeby Artie mógł ją wyraźnie słyszeć. – Zamordowanie Artiego zapewniłoby mi znaczącą pozycję w jego życiu. Ale on chyba uważa, że to byłby dla mnie zbyt wielki zaszczyt.

E l e a n o r. Zaczynam ją lubić.

Mówię Artiemu, że wrócę za parę minut. Pielęgniarz tymczasem przygotuje go do snu. Szybko sprowadzam Elspę i Eleanor na dół. Zauważam, że Eleanor utyka. Przyczyna musi być głębsza niż obtarta pięta czy skręcona kostka. Idzie, wystukując nierówny rytm, nie rezygnuje jednak z wysokich obcasów.

– Usiądź – mówię, wskazując krzesło przy stoliku kuchennym. – Zrób sobie drinka.

– Wolę być trzeźwa.

– W porządku.

Siada, wytwornie krzyżując nogi w kostkach.

Elspę wyprowadzam za dom, nad basen. Każę jej zaczekać i obiecuję wrócić po nią. Wciąż szlocha spazmatycznie – skulona obejmuje się ramionami. Nie dałabym głowy, że wie, gdzie jest, ani, że słyszy, co do niej mówię.

Nie zwracając tymczasem uwagi na Eleanor, przebiegam przez dom drobnym truchtem, jak gdyby zapalił się piekarnik albo przyjęcie potoczyło w niewłaściwą stronę. Artie jest honorowym gościem, ale ja, jako gospodyni, muszę się zaopiekować wszystkimi gośćmi. Wychodzę przed dom. Jeden z sanitariuszy pakuje sprzęt do samochodu. U sąsiada naprzeciwko palą się światła. Biddlesowie – Jill i Brad – sterczą w oknie mansardy, podglądając. Pan Harshorn, nasz sąsiad przez płot, jest odważniejszy. Stoi przed swoim domem z założonymi rękami. Macha do mnie, ale udaję, że go nie widzę.

Moja matka dalej stoi z Johnem Bessomem, żadne z nich nie odzywa się jednak.

Podchodzę do nich i widzę, że mama płakała; makijaż się jej rozmazał. Za to na twarzy Johna maluje się stoicki spokój.

– Czy gram rolę syna w sztuce o umierającym ojcu?

Moja matka patrzy na niego, a potem na mnie z bolesnym współczuciem.

– Ktoś z karetki powiedział, że on żyje – mówi John.

– Owszem, żyje. Fałszywy alarm. – Trudno ocenić, czy John jest zły, czy nie. Nie umiem go rozgryźć. – Chciałam, żebyście z Artiem porozmawiali. Bardzo pragnie poznać... – Mityguję się.

– Proszę przyjąć wyrazy współczucia z powodu męża. Ale ja nie czuję potrzeby poznania Artiego Shoremana.

– W porządku. Rozumiem – mówię, chociaż nie rozumiem.

– Zawołam taksówkę. Jutro przyślę kogoś po materac.

– Zapłacę za materac.

– Nadal go pani potrzebuje?

– Nie, ale nie nadaje się do zwrotu. Jechał na dachu. Jest uszkodzony. Muszę panu zapłacić.

– Nie mógłbym przyjąć tych pieniędzy. Ktoś po niego jutro przyjedzie.

– Zadzwonię. Będę pana informować o Artiem... jeśli pan chce.

– Nie wątpię, że jest dobrym człowiekiem. – Wzrusza ramionami, wkłada rękę do kieszeni, niemal się uśmiecha. Przez chwilę stoimy skrępowani. Wyjmuje komórkę. – Zadzwonię po taksówkę. – Waha się, ale stara się wyjaśnić: – Artie Shoreman był dla nas zawsze szczodry finansowo. Jestem mu za to wdzięczny, ale nic nas poza tym nie łączy. Nie widzę powodu, żeby... Cóż... nie wiem, co powiedzieć.

Jest piękny w swoim smutku. Powiew wiatru porusza jego koszulą, rozwiewa włosy.

– Ja też nie wiem, co powiedzieć – mówię.

– Cieszę się, że to był fałszywy alarm. W samochodzie mówiła pani, że nie załatwiliście między sobą wielu spraw. Nie wiem, co to za sprawy, ale może teraz przyszedł na to czas, dla pani i Artiego?

Zupełnie zapomniałam, że tak mówiłam. Nie chciałam, żeby Artie umierał, bo wciąż mamy tyle spraw do wyjaśnienia.

– Ma pan rację. Między nami spiętrzyło się wiele nieporozumień. Wam obu z Artiem też przydałoby się chyba trochę czasu dla siebie.

– Prawdę mówiąc, znałem go wyłącznie z podpisu na czekach i myślę, że nie ma sensu tego zmieniać – mówi, wychodząc na chodnik i otwierając komórkę. W jego dłoniach rozbłyskuje błękitna poświata.

Moja matka wraca ze mną do domu.

– Jak się czujesz?

– Wszystko w porządku! – strugam chojraka, ale bez przekonania. Artie umiera. Chwilowo nie umarł. Na progu łapię matkę za łokieć. – To ty wpuściłaś tutaj niejaką Eleanor?

– Tylko nie mów mi o tej Eleanor – mówi matka, jakby znała ją od stu lat. – Ta kobieta musi stąd zniknąć.

– Tak sądzisz? – W myślach wciąż wraca do mnie uwaga Eleanor o Artiem. Słyszę, jak mówi: „Czyż nie byłoby cudownie, gdyby Artie rozliczył się z przeszłości, całej swojej przeszłości, zanim umrze?". W jej słowach brzmi groźba, a zarazem głęboka prawda.

– Pozbędę się tej Eleanor. Nic się nie martw – obiecuje matka, kiedy przechodzimy przez próg.

Wchodzimy do kuchni. Eleanor znikła.

– No popatrz, sama się zmyła.

– Nie jest aż tak dobrze – mówi moja matka, wskazując na drzwi ogrodowe wychodzące na patio i basen.

85

Na leżaku przy basenie siedzi Elspa, a naprzeciwko niej Eleanor. Słucha dziewczyny w skupieniu. Wydają się zatopione w intrygującej rozmowie. O czym? Trudno mi sobie wyobrazić, że mają jakiś wspólny temat. Czy to możliwe, żeby rozmawiały o niebieskim abstrakcyjnym fallusie Artiego? Kto wie? W gruncie rzeczy nic nie wiem o Eleanor.

– Co my z tym zrobimy? – pytam matkę.

Patrzymy obie przez szklane drzwi. Elspa musi mieć co najmniej dwadzieścia sześć lat, ale wygląda młodziej, niewiarygodnie młodo.

– Nie wiem – mówi nerwowo, zaciągając suwak welurowego dresu. – Obawiam się, że możemy odziedziczyć Elspę z tatuażem, kolczykiem w nosie i resztą. Powinnaś sprawdzić, czy Artie uwzględnił ją w testamencie.

Jestem zaszokowana – chyba dlatego, że brzmi to bardzo prawdopodobnie.

Wychodzimy razem na brukowane patio. Za podświetlonym basenem rozciąga się starannie przystrzyżony trawnik.

– Elspa?

Dziewczyna nie odwraca głowy.

Eleanor macha do nas.

– Siadajcie, siadajcie – ponagla serdecznie. – Mamy tu ważne sprawy. Opowiedz im – zwraca się do Elspy.

Wymieniamy z matką spojrzenia, po czym zachodzimy ją z dwu stron. Siadamy tam, gdzie nam każe Eleanor. Jest typem osoby wymuszającej instynktowne posłuszeństwo.

– Wyłamał drzwi mieszkania, żeby mnie uratować – zaczyna Elspa. – To było podczas parady; zablokowano ruch uliczny. Wziął mnie na ręce i zaniósł na ostry dyżur, owinąwszy w ręcznik zakrwawioną rękę. Pamiętam, jak balony pękały na niebie. Brakowało mu tchu i czułam bicie jego serca wyraźniej od mojego. „Nie zamykaj oczu, nie zamykaj oczu", powtarzał całą drogę.

Nie wiem, co mam powiedzieć, nie wiem nawet, co zrobić z rękami. Jak dziecko szukam wzrokiem matki. Może od niej się dowiem, jakie uczucie jest stosowne w takiej sytuacji? Czy należy pocieszać byłą-zbyt-młodą-dziewczynę-męża tej nocy, kiedy mąż mało nie wybrał się na tamten świat? Matka wychyla się z leżaka. Jej włosy unoszą się sztywno w podmuchach wiatru. Bodaj po raz pierwszy w życiu zazdroszczę jej makijażu. Swoje prawdziwe emocje może ukryć w gmatwaninie linii i barw.

– Żyję dzięki niemu – mówi Elspa. – A on teraz umiera. Co ja bez niego zrobię? – Pociera lewy nadgarstek. Podciąga rękaw i pokazuje nam cienkie blizny. – Byłam w okropnym stanie i spartaczyłam robotę.

Eleanor, jeszcze nie tak dawno chłodna i surowa, dotyka jej ręki. Elspa wtula szczupły podbródek w jej pierś i zaciska powieki.

Obie z matką nie wiemy, co powiedzieć. Nie jesteśmy gotowe na taką szczerość i czułość.

Ale Eleanor wie. Nachyla się nad Elspą.

– Nie zamykaj oczu – szepce.

Elspa powoli otwiera oczy, unosi głowę i patrzy na Eleanor, a potem na mamę i na mnie. Chociaż na twarzy ma ślady łez, uśmiecha się – samymi kącikami warg.

Wracam do sypialni. Erka odjechała. Pielęgniarz zakończył dyżur. Słyszę, jak wycofuje się z podjazdu na wstecznym biegu. Zostawiłam Elspę, Eleanor i matkę na dworze, gawędzą w ciemnościach przy basenie.

Artie porusza się na łóżku, a potem otwiera oczy, jakby wyczuł moją obecność – a może tylko czyjąś obecność. Mogłam być którąkolwiek z kobiet w tym domu. Chyba nie powinnam wszystkiego odnosić do siebie. Powieki Artiego są ciężkie.

– Fałszywy alarm – mówię.

Jedyne światło w pokoju pochodzi z latarni ulicznej.

– Kiedy cię namawiałem do obdzwonienia moich ukochanych, zapomniałem cię ostrzec, żebyś pominęła Eleanor.

– Nie wierzyłeś, że to zrobię.

Uśmiecha się

– Ten jeden raz cię nie doceniłem.

– Muszę powiedzieć, że lubię Eleanor. Jest... skomplikowana.

– Jest upierdliwa do bólu.

– Jest inteligentna.

– Przyjechała mnie dręczyć.

– Może to mi się w niej najbardziej podoba. Kiedy robiliście te rzeczy?

– „Te rzeczy"? Gdyby to powiedziała twoja mama, zwróciłabyś jej uwagę, że nikt tak już nie mówi.

– Kiedy z nią sypiałeś?

– Nie pamiętam. Jakoś niedługo przed tym, zanim ciebie spotkałem. Nie skończyło się to dobrze.

– Dlaczego?

– Dlatego, że Eleanor to E l e a n o r.

– A ile lat miała Elspa, kiedy z nią byłeś?

– Elspa – wzdycha lekko. – Potrzebowała mnie. Nie miałem wyboru.

Mam w zanadrzu następne pytania, ale wygląda na wyczerpanego. Przymyka oczy i szepcze:

– Chciałbym, żebyś pogadała z Reyerem. – To księgowy Artiego. – Chcę, żeby ci wyjaśnił niektóre sprawy. Są rzeczy, o których powinnaś wiedzieć.

Zawsze mieliśmy z Artiem osobne konta. Kiedy się pobieraliśmy, każde z nas prowadziło własną działalność. Uparłam się, żebyśmy płacili za wszystko po połowie, a rachunki prowadzili osobno.

– Najpierw chciałem go prosić, żeby porozmawiał z tobą, kiedy mnie już nie będzie, ale tak przynajmniej będę mógł odpowiedzieć na pytania.

– Czy będzie dużo pytań? Wszczęcie postępowania spadkowego? Mam nadzieję, że nie. Ja za wszczęcie postępowania spadkowego liczę sobie słono.

Nie reaguje na moje zawodowe żarciki. Podobnie, jak większość klientów.

– Porozmawiasz z nim?

– Porozmawiam.

– Jestem zmęczony.

– Śpij – mówię, opierając się o framugę. Wkrótce zaczyna oddychać głęboko i rytmicznie.

Mamy jeszcze wiele spraw, mówię do siebie. I trochę czasu, ale nie za wiele. Światło latarni pada na łóżko. Podchodzę do okna i widzę Eleanor zmierzającą do samochodu. Utyka, mimo to idzie dziarskim krokiem. Zaparkowała w głębi ulicy. Otwiera drzwi samochodu i zadziera głowę. Jest ciemno. Wiem, że mnie nie widzi, a jednak czuję, że wie, gdzie jestem. Wydaje mi się, że mogę jej jeszcze potrzebować. Patrzy przez chwilę, potem wsiada do samochodu i odjeżdża.

Zaciągam zasłony i odwracam się, żeby popatrzeć na Artiego. Dziś wieczór mogłam go stracić, ale wciąż jeszcze jest ze mną. Kołdra unosi się i opada w rytm jego oddechu. Kładę się na łóżku, ostrożnie, żeby go nie zbudzić, zwijam się w kłębek obok niego. Studiuję w ciemnościach zarys jego twarzy.

Nagle Artie powoli unosi powieki. Jest mi głupio, że zostałam przyłapana, i to w takiej odległości. Siadam.

– To nie był fałszywy alarm – mówi ledwie dosłyszalnie.

– Nie?

– To była próba generalna.

Artie nie powinien umierać. To niemożliwe – zwykłe nieporozumienie, pomyłka biurokratyczna, coś, co można sprostować kilkoma telefonami. Wiem, że jako żona nie wykazałam się szczególnie, lecz wygląda na to, że to ja przede wszystkim będę czuwać przy łożu śmierci Artiego. Chciałabym wyjaśnić komuś w Departamencie Przedwczesnych Śmierci, że nie było takiej umowy. Wiem, że to nie ma sensu. Ale tak obecnie pracuje mój umysł.

– Boisz się? – pytam.

Zamyka oczy i kręci głową.

– To mało powiedziane.

Nie podejrzewałam go o taką szczerość. Mam wrażenie, że został zredukowany do pierwotnej wersji samego siebie – trochę jak bulion, który gotował się tak długo, aż zrobił się z niego gęsty i esencjonalny sos.

Pora jednak wrzucić inny bieg.

– Katamaran dla chłopca – mówię – Spirulina dla dziewczynki. W dalszym ciągu kolekcjonuję.

To nasza stara zabawa w wybieranie komicznych imion dla naszych ewentualnych pociech. Wyznanie, że nadal się w nią bawię, dużo mnie kosztuje.

Artie wie o tym. Patrzy na mnie z czułością i wdzięcznością. Nasze dzieci. Dzieci, których nigdy nie będziemy mieć. Oboje wiemy, że była chwila, kiedy mogłam zajść w ciążę – dwa miesiące, które teraz wydają się tak nieznaczącym momentem naszej znajomości, jakby ich nigdy nie było. Potem dowiedziałam się o zdradach Artiego i odeszłam – niezdolna do jakichkolwiek konkretnych działań, złożenia papierów rozwodowych czy następnej uczciwej rozmowy z Artiem o jego zdradzie. Teraz nasze dzieci mogą istnieć tylko w wyobraźni. Wciąż o nich myślę. Tęsknię do nich. Tęsknię do wersji Artiego, która miała zostać tatusiem. To grząski emocjonalnie teren – ale pragnę coś ofiarować Artiemu teraz, kiedy go omal nie straciłam.

– Cyrkiel – wylicza. – Kaolin. Dla obu płci. A gdyby było jednym z tych niemowląt, które po urodzeniu wyglądają na staruszków: Tetryk. Stary, dobry Tetryk Shoreman.

– Dla starego niemowlaka mam Mumia – mówię. – Ale na czele mojej listy są aktualnie Familia i Ironia.

– Ironia Familia Shoreman. Ładnie. – Uśmiecha się do mnie z głęboką miłością, przez którą przeziera całe nasze wspólne życie.

Nagle zaczynam się obawiać, że za bardzo poszłam na ustępstwa. Należą mi się wyjaśnienia. Mam wielką ochotę powiedzieć mu, że to, iż się przy nim położyłam, nie oznacza bynajmniej całkowitego rozgrzeszenia.

Ale nie czas na rozdrapywanie ran. Nie teraz. Artie się boi. Może nawet jest przerażony. Gładzę go po policzku grzbietem dłoni, wstaję i przenoszę się na fotel przy oknie.

– Musisz odpocząć – mówię. – Zamknij oczy.

ROZDZIAŁ 12

**Czekolada – to nie blaga –
na troski pomaga**

Jest już rano. Nieostre światło skupia się brzegach zwykłych sypialnianych zasłon, sprawiając wrażenie, jakby zostały oprawione w świetliste ramy niczym święte obrazy. Artie śpi z ręką odrzuconą na drugą poduszkę. Zrywam się z fotela i szybko wychodzę z pokoju. Wiem, że to bez sensu, ale nie chcę zostać przyłapana – przez Artiego, mamę czy Elspę – na tym, że spędziłam tutaj całą noc. Byłoby to zbyt oczywistym przyznaniem się do uczuć.

Przechodząc przez salon, przystaję i patrzę na kanapę. Elspy nie ma. Ciekawe, gdzie się podziewa? Ze zdziwieniem odkrywam, że jest mi smutno z powodu jej odjazdu. Potem jednak dostrzegam w kącie jej worek pod złożoną w kostkę pościelą. A więc została z nami.

Wracam do pokoju gościnnego, żeby się przebrać w dżinsy i podkoszulek. Czyszczę zęby, myję twarz. Patrzę na swoje odbicie w lustrze. Stres odcisnął się na moim wyglądzie. Mam bolesny wyraz twarzy. W moich szczękach i karku jest jakieś napięcie i sztywność, za to skóra wokół oczu obwisa. Zastanawiam się, czy to są oznaki żałoby.

Wchodzę do kuchni. Wiem, że zastanę tam mamę. Przejęła stery i zajmuje się posiłkami. I oto jest – w całym swoim wzniosłym zapamiętaniu. Moja matka. Wsuwa do piekarnika tacę bladych, galaretowatych biszkoptów. Czekoladowy sos domowego wyrobu bulgocze na małym ogniu, co oznacza, że sytuacja jest poważna, a nawet tak groźna, że tylko czekolada może wyprowadzić nas na bezpieczne wody. Matka nie odwraca się, matczynym instynktem wyczuwa moją obecność.

– Przemyślałam wszystko – mówi. – Wiem, że wkrótce wszystko się na ciebie zwali, i chcę cię chronić tak, jak będę w stanie. – Zamyka drzwi piekarnika, nastawia temperaturę i dopiero teraz odwraca się do mnie. – Posłuchaj. Przechodziłam przez to. Powinnaś, co się tylko da, załatwić od razu.

Na podłodze leży Bobuś. Nie ma na sobie żadnego ze swoich ochraniaczy i wygląda jak nudysta na plaży.

– Bobuś jest goły – zauważam.

– Wiem, ale jechaliśmy tutaj, a kafelki w twojej kuchni są, hm... bardzo przyjemne w dotyku.

– Nie wątpię.

– Rozumiesz, trzeba już teraz zaplanować następne kroki. Słyszysz mnie?

– Następne kroki?...

– Dzisiaj w nocy dotarło do mnie, że są sprawy, którymi trzeba się zająć. – Wzdycha. – Ciągle dzwoni do ciebie jakaś dziewczyna z twojej pracy. Nic jej nie powiedziałam, ale sprawia wrażenie bardzo, jak by to powiedzieć...

– Spanikowanej? – przyklękam i gładzę Bobusia. Ma jedwabiste futro i małe zakrzywione kły, które wyglądają jak świeżo wypolerowane.

– Tak. Powinnaś do niej zadzwonić.

– Lindsay łatwo wpada w popłoch.

– Dzwonił też wasz księgowy. Rozmawiał wczoraj z Artiem i dowiedział się, że wróciłaś. Chciałby z tobą omówić szczegóły, i to raczej wcześniej niż później. Powiedział, że możesz wpaść, kiedy tylko zechcesz. – Rzeczywiście, obiecałam Artiemu, że porozmawiam z Reyerem, choć nie mam ochoty na nic, co choćby trochę pachnie grzebaniem w papierach. – Jest bardzo dużo drobiazgów, które lepiej załatwić teraz. Czy Artie wyrażał jakieś szczególne życzenia?

– Nie. – Niewiele rozmawialiśmy z Artiem o śmierci, pogrzebach i innych konkretach. Nie mam zbytnio ochoty podejmować tego tematu właśnie teraz. – Nie sądzę, żebym była w stanie wymówić przy nim słowo „pogrzeb".

Mama podchodzi do mnie. Obejmuje mnie. Wie, co mnie czeka. Pochowała już kilku mężów. Wiem, że próbuje tchnąć we mnie własną siłę. Bierze mnie pod brodę. Normalnie – od czasu zerwania z Artiem – nie zniosłabym takiej bliskości, ale teraz czuję ulgę, że ktoś się o mnie troszczy.

– Gdzie Elspa? – pytam.

– Nadal jest rozbita. Powiedziała, że chce teraz spędzić trochę czasu z Artiem.

– A Eleanor? Mówiła coś na odjezdnym? Wraca tutaj?

– Umówiłyśmy się o wpół do piątej u fryzjera i na kawę.

Eleanor z moją matką, ramię w ramię w Starbucksie i salonie fryzjerskim? Wierzyć się nie chce. Czy Eleanor będzie już u nas na stałe? Mama podchodzi do blatu kuchennego i zdejmuje papierowy ręcznik z półmiska z bekonem.

– Zjesz coś?

Kiwam głową.

– Dziękuję ci.

– Za co?

Gestem ręki pokazuję kuchnię, co ma znaczyć: za wszystko.

– Drobiazg. Od czegóż są mamy?

Znajduję Elspę w fotelu przysuniętym do łóżka, w którym śpi Artie. Szurając bosymi stopami po dywanie, patrzy przez okno na drzewa w oddali – zielone wierzchołki na tle jasnego nieba. Nuci coś pod nosem.

– Elspa?

Odwraca się i odczytuje w mojej twarzy przygnębienie.

– Dobrze się czujesz? – pytam.

– Dobrze – mówi i znów kieruje wzrok za okno. – Chyba tylko jest mi smutno. Próbuję sobie wyobrazić, jakie będzie życie bez niego, jak się będę czuła.

Przypominam sobie ślady żyletki na nadgarstkach, które mi pokazała wieczorem przy basenie. Nie jestem pewna, czy jej wierzę, że czuje się dobrze. Patrząc na nią, robię się coraz bardziej niespokojna.

– Jadę do biura księgowego. Ale mogę przesunąć wizytę, jeśli wolisz. Mogłybyśmy na przykład pojechać gdzieś na lunch. – Nie mam pojęcia, co się może zdarzyć, jeśli ona za bardzo przejmie się tym wszystkim. Pamiętam, jak mówiła w nocy, że umrze, jeśli Artie umrze, że nie zniesie jego śmierci.

– Nie, dzięki. Wolę tu zostać, jeśli można. Mogę pomóc Joan. Zaraz zejdę na dół. Jeszcze tylko chwilkę. Przydam się tutaj.

– Świetny pomysł – mówię.

W głębi ducha nie wierzę, żeby Elspa próbowała jeszcze popełnić samobójstwo, jednak instynktownie podejmuję środki ostrożności. Przed odjazdem przebiegam przez wszystkie łazienki, wrzucając do torby brzytwy, żyletki i środki nasenne. Chowam to do szafki w łazience gościnnej.

Mama konwersuje w kuchni z Toddem, czy jak mu tam, który szykuje leki do śniadania Artiego. Perorując o roli błonnika, wsypuje pigułki do tekturowych kubeczków.

Wychodzę do samochodu. Materac zniknął. Ktoś przyjechał i zabrał go, tak jak zapowiedział John Bessom.

ROZDZIAŁ 13

Księgowy męża prawdę ci powie.
Daj mu tylko po głowie

Munster, Feinstein, Howell i Reyer to typowe eleganckie biuro rachunkowe. Paprotki są prawdziwe. Prawdę mówiąc, to tak eleganckie biuro, że jedynym sztucznym elementem jest recepcjonistka, choć wygląda na dobrze nawodnioną i przystrzyżoną. Nie mogę sobie przypomnieć, czy bzyka ją Feinstein czy Howell. Munster nie żyje, a Bill Reyer nie robi przekrętów, dlatego Artie, o ironio!, zdecydował się na niego. Nigdy tu jeszcze nie byłam. Wiem wszystko od Artiego, który jest urodzonym gawędziarzem. W jego opowieściach nawet biuro rachunkowe potrafi być fascynujące.

Mówię recepcjonistce, kim jestem i do kogo przyszłam.

– Proszę usiąść – odpowiada uprzejmie.

Patrzę na stertę czasopism w lśniących okładkach i dystrybutor wody mineralnej. Siedzę jak na szpilkach. Dzwonię z komórki do Lindsay, by sprawdzić, jak sobie radzi.

– Halo? – odbiera zdyszana.

– Gdzie jesteś? – pytam.

– Gdzie t y jesteś? – mówi lekko uszczypliwym tonem, którego nigdy dotąd nie słyszałam z jej ust.

Udaję, że tego nie zauważam. Nie mam pojęcia, o co jej chodzi.

– Jestem w biurze rachunkowym, koszmarnym – mówię szeptem.

Oszalałabym w takim biurze rachunkowym. Wiem, wiem – dla wielu z was nudne rządki cyfr to tylko nudne rządki cyfr, a biuro księgowe jest najnudniejszym miejscem na ziemi, ale to miejsce tchnie szczególną beznadzieją. Zawód rewidenta ma tę zaletę, że pracujemy na zlecenie, z doskoku. Zdecydowanie wolę taki system pracy.

– Wszystko w porządku? – pyta Lindsay, bardziej wyluzowana.

– Tak. Jak na razie.

– No to mam cię gdzieś!

– Że co?

– Słyszysz, co mówię.

Jestem w głębokim szoku. Lindsay była zawsze taka uległa i zgodna. Odwracam się od sekretarki i zniżam głos, walcząc o odrobinę prywatności.

– Słyszę, ale nie wiem, czy wiem, co jest grane.

– Odłożyłaś słuchawkę i musiałam współpracować z Danburym sama jak palec, a wiesz, jak się go boję. To olbrzym o wielkich łapach i kanciastym łbie. Nie został wylany, ale były jeszcze przeprawy z Komisją Papierów Wartościowych i Giełdy.

– I... jak poszło?

Na chwilę zapada cisza. Lindsay jest przy kasie. Słyszę, jak rozmawia z kasjerką.

– Dobrze – mówi. – Dobrze poszło.

– No to wspaniale, Lindsay. Wszystko dobrze poszło.

– Zero pomocy od ciebie!

– No właśnie – mówię. – Poradziłaś sobie beze mnie. O własnych siłach.

– Aha – mówi zmienionym głosem. – Jednym słowem, dobrze się stało?

– Dokładnie.

– No to nie mam cię gdzieś.

– Możesz nadal mieć mnie gdzieś. To też ci wolno.

– Jesteś pewna?

– Tak.

– Awansowałam troszkę.

– Wspaniale!

– Niedużo, ale mam większe pole manewru, co się liczy, kiedy ciebie tu nie ma.

– Krok do przodu! Zasługujesz na to.

Przede mną wyrasta recepcjonistka.

– Mogę już panią stąd zabrać – mówi.

Przez sekundę w jakiejś oćmie łudzę się, że zabierze mnie stąd w lepszy, weselszy świat. Płonne nadzieje. Przez chwilę gapię się na recepcjonistkę, potem żegnam się z Lindsay i zamykam z trzaskiem komórkę.

– Proszę za mną – mówi recepcjonistka.

Jej niemożliwie obcisła i niemożliwie krótka spódniczka ze zwiewną falbanką przyprawia mnie o oczopląs. Kiedy docieramy do drzwi gabinetu Billa Reyera, pyta mnie, czy chcę kawy, jednak ton jej głosu jest tak nieszczery, że lepiej nie brać poważnie nawet tak błahej propozycji.

– Dziękuję, nie.

Naciska klamkę i Bill zrywa się z krzesła, żeby mnie powitać. Pędzi, jakby ścigały go demony z opasłych teczek zeznań podatkowych. Ujmuje moją dłoń.

– Miło panią wreszcie poznać. Artie zawsze o pani opowiadał same cudowne rzeczy.

– Naprawdę?

– Naturalnie – mówi Reyer z przesadnym entuzjazmem czy może defensywnym entuzjazmem. A może tylko z fałszywym? Chrząka, żeby odzyskać powagę.

Zapada niewygodne milczenie. Milczenie księgowych.

Reyer podchodzi do biurka i zaprasza, żebym usiadła. Skórzana tapicerka skrzypi.

– Jest mi, hm, przykro, że spotykamy się w tak trudnych okolicznościach. Jak się Artie dziś czuje? – Brzmi to tak, jakby był świeżo po lekturze rozdziału: *Jak pocieszać załamane kandydatki na wdowy* z podręcznika *Jak być ludzkim księgowym*. Oficjalny ton i profesjonalizm działają niezwykle kojąco.

Spotykamy się w interesach. Siadam.

– Zeszłej nocy napędził nam stracha. Ale dziś już wrócił do formy – mówię. – Jeśli można, przejdźmy do sedna.

– Istnieją trzy osobne konta, co trochę komplikuje sprawę, ale Artie wyraźnie polecił, żeby wszystkie zostały oddane do pani dyspozycji. Na świadectwo zgonu trzeba będzie poczekać około dziewięciu dni, a polisa ubezpieczeniowa…

– Prawdę mówiąc, nie potrzebuję pieniędzy. Zarabiam dostatecznie dużo – wtrącam całkiem niepotrzebnie.

– Cóż… Tak czy owak pieniądze są pani. Może pani dowolnie nimi dysponować. Z wyjątkiem…

Zaczyna grzebać w jakichś papierach. Denerwuje mnie ta przerwa i jego marne aktorstwo. Czuję, że zaczyna się część, przed którą ma pietra. Niewątpliwie przestudiował również rozdział pod tytułem: *Jak dawkować drażliwe informacje kandydatkom na wdowy*, ale nie na wiele się to zdało. Gra teraz na zwłokę, przerzuca dokumenty, udaje, że jest kiepsko zorganizowany. Rany boskie. Jest przecież księgowym, i to dobrym księgowym. Niech przestanie wertować te papierzyska. Niech wreszcie wydusi to z siebie.

– Pani mąż ma pewne zobowiązania finansowe, co prawda nie do końca uregulowane prawnie.

99

– Spłaty?

– Co miesiąc ze specjalnego funduszu wysyła przekaz Ricie Bessom. Niezmiennie od trzydziestu lat. Zaczął płacić jako młody chłopak tyle, ile mógł i, jak się pani domyśla, kwota z czasem się powiększyła.

Ricie Bessom. Matce Johna Bessoma. Płacił jej przez tyle lat? Próbuję sobie wyobrazić Ritę Bessom, jak inkasuje czek i wręcza forsę synowi. O ile tak jest. Bo Rita może wszystko zatrzymywać dla siebie. Próbuję sobie wyobrazić, jak wygląda, gdzie mieszka.

– Ricie Bessom? Wciąż?

Znów chrząka, zmieszany.

– Dlaczego nie wysyła pieniędzy synowi?

– O ile wiem, swego czasu próbował nawiązać z synem kontakt, ale chłopiec, John Bessom, nie chciał mieć z nim do czynienia. Cóż, nie jest już chłopcem. Myślę, że jest w pani wieku... – Reyer orientuje się nagle, że strzelił gafę, sugerując, że Artie mógłby być moim ojcem. Dociera do mnie, że John Bessom jest moim rówieśnikiem. Odruchowo zaszufladkowałam go do niewinnej kategorii synków Artiego. Czyżbym wyobrażała sobie, że na zapleczu Studia Stylowych Sypialni bawi się zielonymi żołnierzykami z plastiku? Uwaga Reyera nie poprawia atmosfery. On stara się szybko zatuszować gafę.

– Artie uważa, że dziecku należy pomagać również po dojściu do pełnoletności. Chciałby kontynuować przelewy.

– Czy pieniądze docierają do syna?

– Czeki są wystawione na Ritę. Ona je inkasuje. Tyle wiemy.

Trawię rewelacje Billa. John uważa, że nic go nie łączy z Artiem, mimo to nie ma nic przeciwko jego kasie? Czy przez te wszystkie lata pobierał alimenty – wystarczająco duże, by założyć własny interes? Czy może jego matka zatrzymuje wszystko dla siebie? Co to za rodzina?

– Artie ma niemały majątek, jak się pani domyśla.

– Oczywiście. W końcu założył sieć restauracji.

– Pani jest rewidentem, prawda?

Kiwam głową.

– Nie ciekawią panią liczby?

– Nie.

– Dlaczego? Przychodzą do mnie ludzie, pytając o liczby, choć nie mają właściwie pojęcia, co one znaczą. Pani by się świetnie w nich orientowała. Czemu pani nie chce ich poznać?

– Ponieważ j e s t e m rewidentem. – Ta odpowiedź ma dla mnie sens, ale widzę, że Reyer nie załapuje. Chodzi mi o to, że za dużo tego wszystkiego dla mnie, że to zbyt osobiste. Chyba zdarzają się lekarze, którzy nie chcą znać szczegółów swojej choroby, nawet jeśli się w niej specjalizują? Chcę, żeby Artie był Artiem, a to i tak dostatecznie trudne. Nie chcę, żeby kojarzył mi się ze swoim majątkiem. – Ale pan ma jeszcze coś do wyjawienia oprócz liczb – ciągnę. Reyer nadal wygląda, jakby coś go nieznośnie uwierało. – W czym rzecz?

– Artie chce, żeby pani jednorazowo ofiarowała jakąś sumę Johnowi Bessomowi.

– Powiedział ile?

– Nie, nie wymienił kwoty. Chciał, żeby pani podjęła taką decyzję, z którą się pani będzie dobrze czuła.

– Chce, żebym j a zadecydowała? Po to żebym się d o - b r z e   c z u ł a? Nie czuję się dobrze i nie sądzę, że będę się dobrze czuła.

Księgowy znowu chrząka. Wertuje akta. To jeszcze nie koniec.

– Coś jeszcze? – pytam.

– Jest jeszcze comiesięczny czek wspierający fundację na rzecz sztuki. Prosi, żeby podtrzymać comiesięczne donacje.

– Fundację na rzecz sztuki?

– E.L.S.P.A. Mówi to pani coś?

Nazwa, przeliterowana, brzmi w pierwszej chwili jak skrót państwowej instytucji. Dopiero po chwili zaczynam jarzyć.

– Ach, ELSPA – mówię. – Owszem, słyszałam.

Przez mój mózg przepływa szereg obrazów. Czy kiedy mówił, że się może pogubić w wyjaśnieniach, chodziło mu właśnie o to? Nie miał odwagi sam mi powiedzieć? Ale numer! Utrzymywał Elspę! Teraz, kiedy poznałam Elspę, trudno mi go nie zrozumieć. Wścieka mnie, że znów coś przede mną zataił. Swoją drogą jego sekretom nie ma końca. Ale mam to gdzieś.

– Artie i ta jego dobroczynność – mówię bezbarwnie, jednak mój umysł pracuje gorączkowo. Co Reyer wie? Zapewne więcej niż mówi. W t y m przypadku jednak potrzebne mi są fakty i konkrety. – Chciałabym poznać szczegóły. Wiem, że E.L.S.P.A. nie jest zarejestrowana jako organizacja non profit. Tych dotacji nie odlicza się od podatków. – Dociera do mnie, że muszę się dowiedzieć jeszcze jednej rzeczy. – Od kiedy płaci na E.L.S.P.A.?

– Artie mówił, że musi jej pomóc zacząć nowe życie. Pragnął stworzyć jej taką możliwość i, w swojej dobroci, otworzył dla niej konto. – Księgowy popatruje na złożone dłonie.

– Od kiedy płaci na Elspę?

Bawi się papierami, ale ja wiem, że on wie.

– Hm – zaczyna, jakby ten szczegół był tak mało znaczący, że zapomniał o nim wspomnieć. – Już mam. Zaczął dwa lata temu. W lipcu. – Powiedziawszy to, chowa twarz w dłoniach.

– Płaci od dwu lat? Od dwu lat?

Byliśmy już po ślubie, kiedy się poznali, kiedy zaczął jej płacić? Elspa zapewniała mnie, że jej znajomość z Artiem datuje się sprzed naszego małżeństwa. Czy była jedną z tamtych trzech kobiet Artiego? Zresztą, jakie to ma znaczenie, czy były trzy, cztery czy dwadzieścia trzy? Artie mnie zdradzał, Elspa oszukała.

– Świetnie – mówię przez zaciśnięte zęby. – Doskonale.

Reyer patrzy na mnie wzrokiem zbitego psa.

– Mówiłem Artiemu, że byłoby lepiej, gdyby wyjaśnił pani wszystko osobiście. Miałem nadzieję, że wykorzysta czas, który mu pozostał, żeby...

Rozsiadam się w fotelu, muszę mieć trochę wygody i czasu, żeby to jakoś ogarnąć. Czy Artie szukał kogoś młodszego ode mnie? Czy wolał jej delikatne rysy? Czy jest lepsza w łóżku? Widzę przed oczyma twarz Elspy – słodycz, niewinność. Wiosenny Ptak jest w mojej wyobraźni tylko imieniem, ale Elspa, bezsprzecznie, jest rzeczywista. Moje myśli szybują do abstrakcyjnego niebieskiego penisa wyrzeźbionego z w y - o b r a ź n i.

– Muszę już iść.

Coś we mnie pękło. Sądziłam, że przebolałam już zdradę, ale ten cios jest jeszcze dotkliwszy.

– Nie skończyliśmy jeszcze... – dogania mnie głos Billa, gdy ruszam sztywno w stronę drzwi. – Nie omówiliśmy szczegółów, nie doszliśmy do żadnych konkretów.

Świat mętnieje i skwierczy. Słyszę w uszach narastający syk przetykany głuchym dudnieniem moich kroków w korytarzu.

– Proszę pani! – woła za mną recepcjonistka. – Czy coś się stało?

Macham ręką, jakbym powiewała białą flagą.

– Pani wybaczy – mówię, nie zatrzymując się. – Muszę już iść.

ROZDZIAŁ 14

Rozumu ci doda
chlorowana woda

Wjeżdżam zygzakiem na podjazd, wyszarpuję kluczyk ze stacyjki i sztywnym krokiem przemierzam trawnik. Nie ma auta matki. Zapewne wyskoczyła załatwić jedną z tysiąca swoich spraw. Otwieram drzwi i pozwalam, żeby zatrzasnęły się za mną. Może żal nadejdzie poprzez gniew.

– Elspa! – wrzeszczę.

Mój głos rozchodzi się w ciszy.

W wazonie na komódce przy wejściu stoi nowy bukiet. Mam gdzieś kwiaty, wazon, wszystkie matactwa Artiego. Zaglądam do salonu, przebiegam przez kuchnię, jadalnię.

– Elspa!

Zawracam na schody i wbiegam na górę. Przed oczyma przewijają mi się sceny z biura rachunkowego, złożone ręce Reyera, jego pochrząkiwanie. Wiem, jaką minę przybierają księgowi, gdy usiłują ukryć prawdę przed klientem. J a mam decydować, ile kasy dostanie John Bessom? J a mam się dobrze czuć? Artie utrzymywał Ritę Bessom i Elspę? Elspa mnie okłamała?

Skręcam w korytarz i wpadam do sypialni.

– Co się dzieje? – woła Artie. – Coś nie tak?

Pielęgniarz siedzi na fotelu przy oknie wpatrzony w palmtop z grą wideo. Zrywa się, choć udaje, że nic się nie dzieje.

– Dlaczego mi nie powiedziałeś?

Artie opada na poduszki.

– Rozmawiałaś z Reyerem. Czuję, że nie wtajemniczył cię dosyć delikatnie. Brak mu...

– Trzeba mi było kazać tam iść dopiero po twojej śmierci – wrzeszczę. – Nie mogłabym cię wtedy zabić. Fundacja E.L.S.P.A.? Ja mam decydować, ile wart jest twój synalek?

Pielęgniarz zatrzaskuje palmtop i wrzuca go do plecaka, usiłuje wymknąć się chyłkiem.

– Teraz, kiedy ją poznałaś, sama widzisz, że na to zasługuje – mówi Artie.

– Tak, słyszałam, co z niej za rzeźbiarka! Wreszcie wiem, jak należy wspierać sztukę!

– Już dobrze, dobrze. Wiem, czemu jesteś zła o Elspę. Ale chyba rozumiesz, że Johnowi, mojemu synowi, coś się ode mnie należy. Pokaż mi byle skurwysyna, który by nic nie zostawił swojemu dziecku.

– Takiego jak ty?

– Ja nie jestem byle skurwysynem – upomina mnie.

Podchodzę do jego łóżka i nachylam się. W moim umyśle wyświetla się jedna z niewyhaftowanych maksym mojej matki: „Nic nie straci, kto pięknym za nadobne płaci".

– Wiesz, że mogłabym cię w środku nocy udusić poduszką i nikt by mnie nie podejrzewał?

– On by się domyślił – mówi Artie, wskazując na przestraszonego pielęgniarza, który zasuwa zamek swojego plecaka.

– Może poproszę o pomoc Eleanor. Ten pomysł na pewno by się jej spodobał. A skoro o tym mowa, to zastanawiam się, ile tych twoich cholernych ukochanych chętnie pomogłoby mi cię wykończyć!

– Naprawdę uważam, że nie powinnaś mi grozić przy świadkach – mówi, zerkając na pielęgniarza.

– I nie kupuj mi więcej tych pieprzonych kwiatów! – ryczę.

Wchodzę do łazienki, w której Elspa kąpała Artiego. Pusta. I nagle jakbym dostała w łeb.

– Elspa – mówię.

Przeszywa mnie nagły strach. Czyżby Elspa miała już dosyć, leżała, brocząc krwią gdzieś w domu, albo może już nie żyła? Nie wiedzieć czemu rozwściecza mnie to jeszcze bardziej, chociaż mój gniew jest podszyty trwogą.

– Co się stało? – pyta z łóżka Artie.

Pielęgniarz zamiera z plecakiem pod pachą.

Pędzę po schodach, krzycząc jeszcze głośniej niż w sypialni.

– Elspa! Elspa!

Zakręt przy komódce biorę tak gwałtownie, że przewracam wazon, który spada na podłogę i rozpada się na kawałki. Woda zalewa dywan, widać łodygi kwiatów. Wazon, spadając, tłucze lampę, cenną lampę, którą kupiłam kilka lat temu – matka stale mnie namawiała, żeby ją przestawić. Wbiegam do kuchni, w której piętrzy się stos biszkoptów w polewie czekoladowej wyrobu mojej matki. Otwieram drzwi ogrodowe i wybiegam na patio. Zaglądam w każdy kąt ogrodu, potem do basenu.

Na samym dnie basenu, w najgłębszym miejscu, widzę niewyraźny kształt – powolnie falująca koszula, połysk mokrych włosów. Elspa. Nie! Nabieram powietrza, rozpędzam się i skaczę na główkę, tak jak stoję – w ubraniu, butach i tak dalej. Woda jest zimna. Płynę w stronę dna – nasiąknięte wodą ubranie hamuje każdy mój ruch. Płynę zbyt powoli, woda jest za gęsta. Zaczynam się obawiać, że nigdy tam nie dopłynę.

Wreszcie jednak widzę przed sobą Elspę. Zdumioną twarz, nieprzytomne oczy, wydęte policzki. Obejmuję ją w pasie jedną ręką i zaczynam wyciągać na powierzchnię. Miota się w moich objęciach, jakby próbowała mnie pociągnąć na dno, jednak podrywam ją ostrym szarpnięciem. Chwilę później obie płyniemy do góry pieskiem.

Jednocześnie wypływamy zdyszane na powierzchnię. Wciąż obejmuję ją w pasie.

– Co? – pyta, krztusząc się i próbując odzyskać oddech.

– Jak to co?

– Co ty wyprawiasz?

Rozluźniam uścisk. Elspa podpływa do brzegu.

– Myślałam, że ratuję ci życie – mówię.

Elspa żyje i nic jej nie jest. Powinnam czuć ulgę i radość, tymczasem powraca złość. Mam wrażenie, że zaraz się nią udławię.

– Medytowałam – wyjaśnia.

– Na samym dnie? – Płynę do przeciwnego brzegu. – Ubrana od stóp do głów?

– Siedziałam w pozycji lotosu – mówi. – Liczyłam sekundy. Ćwiczyłam koncentrację. Nauczyłam się tego od byłej współlokatorki.

– Na samym dnie, w najgłębszej części basenu? – Z furią walę ręką w powierzchnię wody. – Co to za pomysł? Śmiertelnie mnie przestraszyłaś.

– Przepraszam – mówi Elspa – ale ty też mnie przestraszyłaś.

Podciągam się i wychodzę z basenu oblepiona spodniami i koszulą. Siadam na brzegu, zdejmuję nasiąknięte wodą buty. Nie patrzę na Elspę. Nie potrafię.

– Czy miałaś zamiar kiedykolwiek powiedzieć mi prawdę?

– Jaką prawdę? – pyta Elspa, jak gdyby było Bóg wie ile prawd i „nieprawd” do wyboru.

– Taką, że miałaś romans z Artiem, kiedy był już żonaty ze mną? Że wciąż cię utrzymuje? Okłamałaś mnie i wciskałaś mi cały ten kit: o tym, jak byłaś kelnerką, o tym, że nigdy nie byłaś z nim w t e n sposób, o fiucie rzeźbionym z wyobraźni.

Elspa milczy. Po długiej chwili namysłu mówi:

– On umiera. Wydało mi się to jakieś, czy ja wiem... niestosowne.

– N i e s t o s o w n e?

Elspa ociera twarz z wody, kuli się z zimna.

– Właściwie to już mam jasność – mówię. – Twój dyżur przy łożu śmierci się skończył. Możesz jechać. Dziękuję za wszystko... – Urywam, bo nagle coś przychodzi mi do głowy. – Tylko jedno pytanie: lubisz windy?

– Windy?

– Nie, już nic. – To musiała być inna z ukochanych Artiego. Ile ich jest? I ile kłamstw każda wlecze za sobą?

Patrzę na Elspę. Trzęsie się. Wstaje i rusza w stronę drzwi na patio, jednak się zatrzymuje.

– Dlaczego właściwie wyszłaś za niego za mąż? – Odwraca się do mnie. – Czy ty w ogóle widzisz w nim coś dobrego? – Czeka na odpowiedź.

Patrzę na nią. Pytanie jest zdecydowanie nie na miejscu. Nie mam obowiązku spowiadać się jej z mojej miłości do Artiego. To właśnie chcę powiedzieć, kiedy nagle coś we mnie pęka i tworzy się jakby szczelina. Zaczynam myśleć o Artiem i o sobie, przypomina mi się szczególnie zabawna chwila.

– Kiedy byliśmy z Artiem w podróży poślubnej, był właśnie sezon godowy rai, to gatunek płaszczki – zaczynam opowiadać bardzo cichym głosem. – Brodziliśmy wśród przybrzeżnych fal, kiedy jakiś facet powiedział nam, że płaszczki są nieszkodliwe, pod warunkiem że nie nadepnie się na nie. Co wtedy, zastanawialiśmy się. Pewna śmierć? Zawróciliśmy do brzegu. Ja krzyknęłam pierwsza, bo myślałam, że musnęłam płaszczkę stopą, więc Artie krzyknął, bo ja krzyknęłam. Więc ja krzyknęłam, bo Artie krzyknął. A potem przez całą drogę do brzegu krzyczeliśmy na przemian dla zabawy.

Wbijam wzrok w wodę. Mówię tak cicho, że nie wiem, czy Elspa mnie słyszy. Nie jestem nawet pewna, czy jest jeszcze na patio. Kiedy jednak podnoszę głowę, widzę, że stoi po drugiej stronie basenu i z płonącymi oczami słucha. Nic nie mówi.

– Kiedyś jakiś łobuz chciał ukraść Artiemu z garażu starą corvettę – ciągnę – ale Artie usłyszał go, wyskoczył z łóżka i biegł za nim goły ulicą, wymachując kijem golfowym.

Elspa się śmieje. Ja też zaczynam chichotać. Nie mogę się już zatrzymać.

– Najchętniej rozmyślał i snuł wielkie plany w obskurnej spelunie o nazwie Manilla. Niesamowicie mówi łamaną francuszczyzną. Zawsze mylą mu się słowa piosenek, ale drze się na cały głos. Rozmawiając z telemarketerem, nie potrafi odłożyć słuchawki. Kiedyś przyłapałam go, jak doradzał telemarketerce zachwalającej niskie raty kredytów hipotecznych. Dziewczyna, a jakżeby inaczej, była świeżo po *college*'u, zadłużona po uszy, i miała poważne wątpliwości, czy przyjąć oświadczyny pilota. Artie wisiał na linii bitą godzinę, życzliwie doradzając.

Słowa wypływają ze mnie z dziwną łatwością. Myślę, że to efekt bilecików, które Artie dołączał do tych wszystkich bukietów. Chyba przez cały czas nieświadomie układałam tę historię. Wreszcie jest gotowa i wydobywa się ze mnie.

– Tego dnia, kiedy zdechł Midas, jego pies, z łazienki na piętrze zaczęła się lać woda i Artie pruł cały dom, szukając, gdzie pękła rura i którędy woda wędruje po belkach. Ale naprawdę szło o psa. Kochał tego psa... Chciał też, żebym zaszła w ciążę. Rozpaczliwie pragnął dziecka. W łóżku przykładał głowę do mojego brzucha i udawał, że programuje moje łono, tak żeby dziecko przez dziewięć miesięcy miało aksamitną wyściółkę. Albo mówił: „Jakby tak odsunąć sofę i rozłożyć puszysty biały kocyk...".

Milknę. Słyszę w myślach głos Artiego tak wyraźnie, że nie potrafię mówić dalej.

– Pieprzony skurwysyn! – wrzeszczę na całe patio.

– Przepraszam – mówi Elspa.

– Za co?

– Kochałaś go i kochasz nadal. Wcześniej nie byłam pewna.

Czuję, że zaraz się rozpłaczę. Nie chcę tego. Boję się, że jak raz zacznę, nigdy nie przestanę. Podnoszę wzrok na Elspę.

– Dlaczego próbowałaś się zabić? – pytam.

Wodzi wzrokiem po wierzchołkach drzew. Patrzy na niebo, potem na mnie.

– Kiedy poznałam Artiego, byłam narkomanką.

Jej wyznanie wywołuje we mnie panikę. W chwili, kiedy nie powinnam być ani trochę samolubna, nachodzi mnie bardzo egoistyczna myśl: Artie uprawiał seks z narkomanką!

Elspa bez trudu rozszyfrowuje mój wyraz twarzy.

– Nie używałam igieł – śpieszy z zapewnieniem. – Nie puszczałam się też za narkotyki. Nie jestem... chora. Byliśmy ze sobą bezpiecznie, a on opowiadał o tobie same cudowne rzeczy, same piękne historie. Wielbił cię, nadal cię ubóstwia.

Nie bardzo wiem, jak to przyjąć.

– Dziwnie to jakoś okazuje. Jestem jego bóstwem, któremu składa hołd za pomocą deflorowanych dziewic? Nie takiej czci mi trzeba.

– Prawda jest taka – tłumaczy – że to był inny... inny rodzaj bliskości.

– Wydaje mi się, że nasze definicje p r a w d y się różnią. Wciąż nie rozumiem, jak mogłaś mnie oszukiwać tak przekonująco.

– Jestem narkomanką. Narkoman jedno potrafi dobrze: kłamać – mówi z głębokim smutkiem w głosie, smutkiem, jakiego nigdy u niej nie słyszałam. – Właśnie teraz próbuję przekazać ci prawdę. Moje stosunki z Artiem nie były takie, jak myślisz. Rozumiesz?

- Nie, nie rozumiem.

- Przez większość czasu byłam bardzo rozbita. Źle znosiłam dotyk. Byłam w rozsypce.

- Mów dalej.

- Tydzień przed tym, zanim spotkałam Artiego, oddałam moją córkę Rose na wychowanie matce.

- Masz córkę?

Kiwa głową.

- Wybacz moją podejrzliwość, ale czy mogłabyś mi powiedzieć, jak się ma czas przyjścia na świat twojego dziecka do znajomości z Artiem? – pytam, choć wiem, że Artie jest w takim punkcie życia, w którym raczej uznaje swoje dzieci, niż się ich wypiera.

- Rose nie jest dzieckiem Artiego. Miała półtora roku, kiedy poznałam Artiego i kiedy ją oddawałam. Teraz ma trzy latka. Mało mnie nie zabiło to, że ją oddałam. Naprawdę. Od czasu, kiedy Artie uratował mi życie, jestem czysta.

- Więc dlaczego jej teraz nie wychowujesz?

- Odwiedzam ją, kiedy tylko się da. Moi rodzice uważają, że od tego robi jej się w głowie mętlik. Kto jest jej mamusią i tak dalej. Ale ja zawsze potrafię się jakoś wśliznąć. – Potrząsa głową. – Moi rodzice zażądali, żebym im ją oddała. Mieli rację. Nie byłam w stanie się nią opiekować. To oni przejęli tę rolę. Nie było to dla nich łatwe. Są już starsi. To tyle. Nie mam prawa wymagać teraz od nich, żeby zrezygnowali ze swojej roli. Tak czy owak, nie zgodziliby się na to. Nigdy by mi jej nie powierzyli.

- Ale chcesz być jej matką? – pytam.

- Niczego bardziej nie pragnę.

- Twoi rodzice dzielnie podjęli się tej roli, ale może oddaliby ci dziecko, gdyby wiedzieli, jak bardzo się zmieniłaś.

- O, nie – mówi. – Nigdy mi nie ufali. Przedtem też. Nigdy nie byłam dla nich dostatecznie dobra. Uważają, że jestem nic niewarta. Opowiedziałam im, dzięki komu znów chodzę do *college*'u, ale oni cały czas się boją, że jak mi dadzą pieniądze, wydam je na narkotyki.

– Ale masz prawo być matką, prawda? To znaczy z prawnego punktu widzenia. A może zrzekłaś się praw rodzicielskich?

Kręci głową.

– Nie.

– No to masz prawo nie tylko od strony formalnej, ale również moralnej.

– Chcę pojechać i zabrać ją stamtąd. Chcę tego jak niczego w życiu. Ale nie mogę.

– Może już byłabyś dobrą matką, Elspo. Może już dorosłaś.

Milczy przez chwilę.

– Ty byłabyś dobrą matką – mówi ledwie dosłyszalnie.

Trafiony. Szczelina pęka i dobrze znany gniew miesza się z żalem. Zginam się wpół. Wstrząsa mną szloch, głęboki, z samych trzewi. Artie nie będzie ojcem mojego dziecka. Nie ma żadnego znaczenia, czy uda nam się pogodzić, czy nie. Artie wkrótce umrze.

Nie słyszę, jak Elspa okrąża basen, ale nagle wyrasta przede mną. Obejmuje mnie. Obie jesteśmy całkowicie przemoczone. Tuli mnie mocno, ściska, jak gdyby teraz ona wydobywała mnie z dna. Zaczynam się jej poddawać.

Podnoszę głowę i widzę Artiego, który z pielęgniarzem przygląda się nam z okna gabinetu naprzeciwko sypialni. Na twarzy Artiego maluje się zdziwienie, ale i ulga. Orientuje się chyba, że jest niepożądanym świadkiem intymnej sceny, intruzem. Widzę, jak obaj z pielęgniarzem wycofują się do sypialni.

ROZDZIAŁ 15

Gdy emocje się wypalą,
uporządkuj salon

Zaczynam sprzątanie od pozbierania kawałków stłuczonego wazonu, kwiaty przekładam do jednego ze starych wazoników, które trzymam pod zlewem, wodę wycieram papierowym ręcznikiem. Nie czytam liściku numer 59. Jestem zmęczona uczuciami, które są tak nikłe, że mieszczą się na papierowym bileciku. Jestem zmęczona artiezmem.

Sprzątanie nie daje mi wystarczającej satysfakcji.

Decyduję się na remont kapitalny, pełną reorganizację.

Wiem, kiedy zwoływać spotkania. Jestem przecież prawdziwą profesjonalistką – wykresy mnie koją, wskaźniki poprawiają mi humor, bywa, że dobrze wypełnione rubryki wzbudzają mój zachwyt.

Wiem, że w życiu moim, Eleanor, Elspy – nawet mojej matki – są rzeczy, które powinnyśmy zmienić. Nasze cele, jak się to mówi w kręgach biznesowych, zazębiają się. Zebrałyśmy się tutaj z powodu nieuchronnej śmierci Artiego i niech mnie diabli wezmą, jeśli nie wyciągnę z tego jakichś korzyści, choćby emocjonalnych, dla każdej z nas. Każdy dobry menadżer wie, że katastrofa może być szansą, jeśli do niej właściwie podejść.

Umiem przygotowywać plan obrad. Spędzam popołudnie i wczesny wieczór na tworzeniu naszych profilów osobistych – potrzeby, cele, wytrzymałość psychiczna. Na podstawie profilów robię plan dla każdej z zaproszonych.

Czy jestem zbyt asertywna, przesadnie zorganizowana, wkładam wszystko w tabelki? Pewnie tak, ale po tym jak zostałam oszukana przez jedną z ukochanych mojego męża, odgrażałam się przy świadku, że uduszę schorowanego małżonka, wyciągnęłam z dna basenu kobietę o skłonnościach samobójczych i doznałam lekkiego załamania nerwowego, czegóż się można spodziewać? Największe wyczyny organizacyjne są, jak wiadomo, reakcją na kryzysy ludzkości.

Spotkanie jest dla uczestników niespodzianką. Eleanor z moją matką, prosto od fryzjera, podkręcone na maksa kawą latte siedzą przy stole w jadalni. Matka ma na głowie usztywnioną lakierem koafiurę. Eleanor nadal spina włosy klamrą, jednak po obu stronach jej szczęk wiją się wiotkie kosmyki, jakby się unosiły w ostrych podmuchach wiatru. Jest jakaś łagodniejsza, wyładniała. Bobuś siedzi na kolanach mamy. Jego psie suspensorium ma bladożółty kolor dopasowany do jej stroju, pantofli i akcesoriów – nowy trend. Elspa też jest z nimi, a jej wkręty połyskują w świetle żyrandola. Każda trzyma wydrukowany przeze mnie plan obrad.

– Zwołałam to zebranie – mówię – ponieważ nie ma dużo czasu, a musimy być zorganizowane, jeśli mamy osiągnąć nasze cele.

– Po co zebranie? Czemu takie oficjalne? – dopytuje Eleanor.

– Ubrałaś się jak do biura? – dziwi się matka.

Rzeczywiście, mam na sobie spodnie, które noszę do pracy, ładną koszulę z kołnierzykiem oraz żakiet, ale niepasujący do reszty.

– To jest mój strój wypoczynkowy – mówię. Lubię go, bo kiedy go noszę, wiem, kim jestem.

– Ciekawe – zauważa Eleanor.

– Jak można wypoczywać w takim stroju? – dziwi się Elspa.

– Przynajmniej nie wyglądam jak ten pies – mówię, wskazując na biednego, Bogu ducha winnego Bobusia.

Moja matka wygląda na urażoną.

– Przepraszam – mówię do niej. – Nie odbiegajmy od tematu.

Wiem, że udało mi się wzbudzić ich zainteresowanie. Jestem pewna, że widzą, iż nadrabiam miną, a ponieważ ja wiem, że one wiedzą, czuję, jak wzbierają we mnie różne uczucia: głęboki smutek, gniew, miłość i, w efekcie ich mieszanki oraz intensywności – panika.

– Rozkład obrad jest klarowny. Wynotowałam potrzeby i cele każdej z nas oraz to, jak w obliczu nieuchronnego odejścia Artiego możemy indywidualnie i zespołowo osiągnąć nasze cele.

Nieuchronne odejście. Pisząc plan obrad, zastanawiałam się, jak to ująć. To najbardziej neutralne określenie, jakie udało mi się wymyślić. Bałam się, że jeżeli użyję innego, nie będę w stanie go wymówić. „Nieuchronne" jest na tyle mocnym słowem, że aż nierzeczywistym. Nie zamierzam w tej chwili stawiać czoła temu, że Artie umiera. Nie mogę. Wiem, jak bardzo jestem krucha emocjonalnie.

– Kim jest John Bessom? – pyta Eleanor, wskazując palcem jego nazwisko.

– Synem Artiego. Nie ma go tutaj, ale jest z nami wszystkimi związany przez Artiego. Choć jeszcze o tym nie wie, pozna Artiego przed jego śmiercią, ponieważ nie powinien powtarzać błędów swojego ojca.

– Którego Artiego pozna? – pyta Eleanor. – Czy Artie poczęstuje go legendą o sobie?

– Nie. – Ja też o tym myślałam. Legendarny Artie to trochę za mało. – Przekażę mu również moją wersję. Chcę go oprowadzić po życiu Artiego.

– Oprowadzić? – powtarza moja matka.

– Zwiedzanie Dobra i Zła.

– Wspaniały pomysł – mówi Elspa, a jej głos brzmi dobrotliwie, głęboko i z wyższością, która sugeruje, że to ja potrzebuję tego bardziej niż syn Artiego. Wkurzające, ale nie jestem w nastroju, żeby się wdawać w słowne przepychanki.

– Ojcowie są ważni – mówię do zgromadzonych. – Nawet jeśli się ich prawie nie zna. – Mój ojciec, umierając, był dla mnie praktycznie obcym człowiekiem. John Bessom pozna swojego ojca. W przeciwnym razie nie dostanie spadku.

– Spadku? – dziwi się moja matka.

– Tak. Artie zapisał mu pieniądze, ale ja mam zdecydować, ile dostanie.

– Ojej – martwi się mama. Ma swoje teorie na temat majątku zmarłych i eksmałżonków, a rozdawnictwo na pewno nie wzbudza jej entuzjazmu.

– Więc drań ma syna! – Eleanor bębni paznokciami po stole.

– Dowiedziałam się o tym dopiero parę dni temu – wyjaśniam.

– To cały Artie – mówi Eleanor, czerwieniejąc z wściekłości. – Wieczne kłamstwa.

– Cóż, jest tylko mężczyzną. Czego się można spodziewać – łagodzi moja matka.

– Jeśli nie będziemy niczego po nich oczekiwać, niczego się nie nauczą. To wyjaśnia zanik uczuć wyższych u mężczyzn – oświadcza Eleanor.

– Przejdźmy zatem do Eleanor – mówię.

Panie zerkają w plan obrad.

– Czyż nie byłoby cudownie, gdyby Artie mógł się rozliczyć z przeszłości, z całej przeszłości, zanim umrze? Tak powiedziałaś wczoraj wieczorem. Masz rację. Dobrze mu to zrobi. – Mój głos nabiera ostrego brzmienia. Wyraźnie słyszę w nim złośliwość?, mściwość? Chcę, żeby Artie dostał nauczkę. Chcę, żeby stawił czoło widmom swojej przeszłości. Znów złość chwyta mnie za gardło. Odkasłuję i zaglądam do planu spotkania. Kolejny punkt obrad został podciągnięty pod potrzeby i cele Artiego, ale nie potrafię się do tego publicznie przyznać.

– Ja sobie poradziłam z mężczyznami – mówi Eleanor. – To bardzo proste: wyrzekłam się ich.

Moja matka jest w szoku.

– Pomóżcie mi sformować trybunał sędziowski, dzięki któremu Artie, dla własnego dobra, będzie mógł się rozliczyć ze swojego życia. A jeśli przy okazji dowiecie się więcej o sobie, tym lepiej – mówię.

– Ale jak mogłabym pomóc Artiemu rozliczyć się z przeszłością? – pyta Eleanor.

– Mam notes z telefonami ukochanych Artiego. Dzięki niemu skontaktowałam się z tobą. Uważam, że powinien odbyć sesje z maksymalną liczbą tych kobiet i usłyszeć, jak bardzo je skrzywdził i zawiódł.

– Hm, to może być naprawdę miluchne. Wezmę w tym udział z rozkoszą.

– A jeśli on im nie zrobił nic złego? – wtrąca Elspa.

– No tak, ty jesteś jedną z czerwonych kropek.

– Czerwonych kropek?

– Przy każdym imieniu jest jeden z dwu znaków: czerwona kropka, która oznacza, że rozstał się z kobietą w zgodzie albo za obopólną zgodą, i czerwony krzyżyk, który oznacza mniej przyjemne rozejście.

– A przy moim imieniu? – pyta Eleanor.

A jak myślisz, odpowiadam spojrzeniem.

– Wielki iks – mówi niemal z dumą. – Powinnyśmy zaprosić tylko te kobiety, które Artie skrzywdził. Tylko czerwone iksy.

– Czy to sprawiedliwe? – dopytuje Elspa.

– Artie umie doprowadzić do tego, by go wielbiono – zwracam jej uwagę. – Artie Shoreman zaakceptował wszystkie swoje mocne strony. Teraz musi przyjąć do wiadomości i zaakceptować swoje słabości i wady. Musi zrozumieć zdradę – przekładam na język zrozumiały dla Elspy. – Uczymy się więcej na błędach niż na sukcesach.

Moja matka wzdycha i wywraca oczyma.

– To strata czasu. Czym skorupka za młodu nasiąknie... Mężczyźni potrzebują rozpieszczania. Są słabszą płcią.

Jej słowa zostają przyjęte chóralnym jękiem.

– Nie wiem, czy to zadziała – mówię – ale warto spróbować.

– Nie wiem, o co chodzi w tych celach dla mnie – mówi matka. – Być sobą? Jestem sobą, kochanie.

– Mogłabyś bardziej być sobą – mówię.

– Jak wyobrażasz sobie osiągnięcie przez nią tego celu? – naciera na mnie Eleanor.

– Nie wiem – mówię. – Wystarczy, że się do tego weźmie.

– Ależ to śmieszne – protestuje matka.

– Na przykład gdybyś przestała się uganiać za szóstym mężem. Po prostu wyluzowała nieco na tym odcinku...

– Za nikim się nie uganiam!

– Przemyśl to sobie – mówię.

Nie zamierza skinąć głową.

– Zgadzam się z Eleanor! To spotkanie jest idiotyczne!

– Nic takiego nie mówiłam – robi unik Eleanor.

Mama porywa swoją żółtą torebkę z oparcia krzesła, zakłada ją na ramię, bierze Bobusia na ręce i gwałtownie rusza do drzwi.

– Odjeżdżam – oświadcza, jakby ktokolwiek miał wątpliwości.

– Zaczekaj – proszę ją. – Nie jedź.

Zatrzymuje się, nie odwracając głowy. Spod jej pachy wystaje kuper Bobusia.

– Są jeszcze dwie sprawy, w których potrzebna mi jest pomoc – mówię.

– Potrzebujesz mnie? – pyta niepewnie.

– Po pierwsze, byłabym ci niezmiernie wdzięczna, gdybyś omówiła z Artiem sprawy pogrzebowe. On i ja... Cóż, ja nie mogę. Nie jesteśmy jeszcze na tym etapie.

– Nno... mogłabym się tego podjąć – oświadcza po dramatycznej przerwie.

– A po drugie, chciałam cię prosić, żebyś trzymała sąsiadów na dystans. Zwłaszcza tych, którzy udają przyjaciół.

Odwraca się, unosząc znacząco brwi.

– Jestem mistrzynią uprzejmego spławiania.

– Weźmy na przykład nasze pierwsze spotkanie – wali prosto z mostu Eleanor, zbijając moją matkę, choć nie na długo, z pantałyku.

– To jedna z moich specjalności – mówi matka, wracając na miejsce z Bobusiem, który wygląda jak zbity pies.

– Dziękuję – mówię.

Odwracam się do Elspy. Nie odzywa się. Studiuje plan obrad. Jej oczy błyszczą od łez, jednak uśmiecha się od ucha do ucha.

Myślę o tym, co mi powiedziała nad basenem, że o niczym nie marzy tak bardzo, jak o odzyskaniu córki. Chce być z powrotem matką, a dzięki troskliwej opiece, jaką sprawuje nad Artiem i nade mną, wiem, że byłaby wspaniałą matką.

– Matki są potrzebne. Niezastąpione. – Patrzę na mamę, którą wciąż staram się uspokoić po nagłym ataku histerii. – Dzieci mają prawo żądać od nich tyle miłości, ile są w stanie unieść.

Elspa nie mówi nic. Patrzy na Eleanor, na moją matkę i z powrotem na mnie. Czuję, że od dziś możemy na siebie liczyć bezwarunkowo dzięki naszej dziwnej bliskości, zaufaniu zrodzonemu w trudnych okolicznościach.

– Co masz na myśli? – dopytuje się moja matka.

– Chcę, żebyś odzyskała córkę – mówię do Elspy. Pewnego razu otwarłam okno i wypuściłam na wolność ptaka, który wpadł do pokoju. Artie bał się cholernego ptaka, który obijał się o ściany. Elspa przypomniała mi tę historię. Teraz chcę znów pootwierać właściwe okna. – Ułożyłam plan, jak masz zostać matką, którą, *notabene*, już jesteś.

– Na czym konkretnie ten plan polega? – pyta Eleanor.

Elspa gapi się na mnie oczyma jak spodki.

– Plan polega na wyprawie do rodziców Elspy. Musi odzyskać swoją córkę. Elspa i Rose mogą tutaj zostać tak długo, aż Elspa stanie na nogach.

– Przemyślałaś to dokładnie? – pyta Elspa, drżąc z podniecenia.

– Może nie do końca. Jestem pewna, że pojawią się jakieś problemy czy sprawy do załatwienia. Wiem na pewno, że będę musiała zabezpieczyć dom przed dzieckiem, zwłaszcza basen.

Na moje nieszczęście zbyt wiele myślałam o domu wypełnionym dziećmi. Wyśnione dzieci, moje i Artiego – te, dla których wybieramy imiona, te, których nigdy nie będzie. Wyobrażałam sobie, gdzie będzie pokój dziecinny. Wyobrażałam sobie wysoki fotelik w kuchni. Domek do zabawy w ogrodzie. Wiem, że do Rose przyciągają mnie fantazje na temat matki i córki, pragnienie, żeby się to udało jeśli nie mnie, to chociaż Elspie.

– Nie oddadzą jej – mówi Elspa. Kartka drży w jej ręku. – To znaczy... nie zalegalizowaliśmy tego. Nie mają do niej praw. Ale mają władzę. Są... są moimi rodzicami. Stwierdzą, że lepiej wiedzą, co jest dla mnie dobre. A ja dam się przekonać.

– Dlatego właśnie pojedziemy razem. Przekonuję ludzi do różnych rzeczy. To moja specjalność.

– Nie znasz moich rodziców. Nie dadzą się przekonać. Zobaczysz.

– „Zobaczysz"? Czy to znaczy: tak?

Elspa kiwa głową.

– Robisz to dla mnie. Nie potrafię odmówić. To dla mnie zbyt ważne.

– A co z tobą, Lucy? – pyta moja matka.

– Nie ma cię w grafiku – mówi Eleanor, zaglądając do planu obrad.

Zauważyłam to, pisząc plan, ale miałam nadzieję, że inni nie zwrócą na to uwagi.

– Coś dobrego na pewno wyniknie z naszej współpracy – wpadam w menadżerski ton, traktując kryzys jako szansę. – Ale to niekoniecznie znaczy, że muszę bezpośrednio odnieść z tego korzyść. Po prostu coś dobrego się zdarzy.

– Musisz mieć z tego jakąś korzyść – kręci głową Elspa. – Koniecznie.

– Co by to mogło być? – zastanawia się Eleanor.

– Co by to mogło być? – powtarzam za nią.

– No... coś dobrego dla ciebie. Jak by to mogło wyglądać?

– Nie wiem – mówię. Zastanawiam się przez chwilę. – Nie miałabym nic przeciwko temu, żeby być taką osobą, jaką byłam, zanim przyłapałam Artiego na zdradzie.

– A jaka byłaś? – pyta Elspa.

– Nie byłam taka zamknięta w sobie, bardziej ufałam ludziom.

– Myślę, że musisz znaleźć jakiś sposób, żeby przebaczyć Artiemu – mówi Elspa.

– To byłoby zbawienne dla twojej duszy – dodaje moja matka.

– Do diabła z przebaczeniem – uzupełnia Eleanor.

– Widzę, że muszę to przemyśleć – mówię. – Moim planem będzie zatem wymyślenie mojego planu.

ROZDZIAŁ 16

Kiedy los się opierdziela,
sięgnij do portfela

Kiedy szykuję się do wyjazdu na swoją pierwszą misję, dom tętni życiem. Eleanor przebiła się przez adresownik Artiego, wyszukując nazwiska z czerwonym znaczkiem. W kąciku śniadaniowym urządziła sobie biuro i rozmawia teraz z kimś przez komórkę. Mama przez telefon stacjonarny negocjuje z trzema domami pogrzebowymi. Pracuje nad listą pytań do Artiego. Elspa krąży po patio z notatnikiem w ręku. Dostała ode mnie zadanie napisania eseju na temat mechanizmów, na których opiera się psychika jej rodziców. Kim są jej rodzice? Jakie są ich motywacje? Co ich napędza? Poglądy polityczne, religijne, życiowe porażki.

Artie leży w sypialni nad nami. Czy dociera do niego ten zamęt? Z pewnością. Musi czuć tę energię, ten świeży powiew. Ale nie wie, co się szykuje. Nie wie, co ma w zanadrzu Eleanor.

Lindsay dzwoni co jakiś czas, jej telefony znaczą kolejne dni jak przebój, który w kółko chodzi w radiu. Nigdy nie wiem, kiedy zadzwoni, ale kiedy dzwoni, wiem, że na to czekałam. Dopada mnie w drodze do Studia Stylowych Sypialni. Czuję, że oddalam się od spraw zawodowych, które wcześniej mnie pochłaniały. Jestem zdumiona, jak łatwo udaje mi się kierować Lindsay na odległość.

– Phi, to się zrobi samo – słyszę swój głos. – Tym się zbytnio nie przejmuj. – Mój głos dochodzi z daleka, jak gdybym to nie ja mówiła, tylko ktoś za mną albo obok. Praca zwykła mnie absorbować, ale teraz, wobec śmierci Artiego, niepokojąco mało mnie obchodzi.

– Jak się miewasz? – pyta Lindsay.

– Mam plan – mówię.

– Twoje plany są doskonałe – stwierdza. – Bardzo mi ich brakuje.

– Nie jestem całkiem pewna, czy ten jest taki dobry. Jest trochę chwiejny. Ma w sobie dużo zmiennych, podobnie jak ludzkie serce.

– Rozumiem – mówi. – Ludzkie serce! Co poradzisz?

– No właśnie.

Kiedy kończę rozmawiać z Lindsay, próbuję się dodzwonić do Johna. Nikt nie odbiera telefonu. Trzy razy dzwonię z autostrady. Stale włącza się automatyczna sekretarka.

– Dodzwoniliście się państwo do Studia Stylowych Sypialni – mówi głos Johna. – Nasz sklep jest chwilowo nieczynny. Mamy nadzieję, że wkrótce przywrócimy działalność, aby być do państwa usług. Proszę zostawić wiadomość.

Za pierwszym razem wyłączam telefon, zastanawiając się, co się stało. Przypominam sobie gościa o wyglądzie urzędnika bankowego, który rozmawiał z Johnem przed sklepem, kiedy przyjechałyśmy z Elspą po materac, i zastanawiam się, czy interes Johna upadł. Za drugim razem słucham uważniej głosu. Jest bardziej szorstki, niż zapamiętałam, jakby znużony. Rozłączam się. Za trzecim razem jestem już pewna, że głos załamuje się chwilami. Wzrusza mnie to, sama nie wiem czemu. Zostawiam wiadomość: Chciałabym wpaść, porozmawiać o Artiem... Mam nadzieję, że nie masz nic przeciwko temu. Chodzi o to, że... Cóż, mam nadzieję, że porozmawiamy osobiście. – Dyktuję numer mojego telefonu i urywam na chwilę, zastanawiając się, czy słychać, jaka jestem rozdygotana. – Pożegnam się teraz, żeby nie powiedzieć za dużo. – Jednak wcale nie mówię „do widzenia", tylko rozłączam się.

Na drzwiach Studia Stylowych Sypialni wisi napis „Zamknięte", ale kiedy naciskam klamkę, drzwi ustępują tak lekko, że prawie wpadam do środka. Nie ma dzwonka. Czyżby został wyłączony? Zepsuł się? Wielkie, puszyste, kolorowe łóżka toną w kołdrach i stertach poduszek.

Na tym właśnie polega mój plan – ma sprawić, że coś dobrego wyniknie z nieuchronnej śmierci Artiego, jakaś korzyść dla wszystkich osób, które ta śmierć połączyła. Ale teraz, kiedy stoję pośród łóżek, patrząc w głąb sklepu na drzwi biura, opadają mnie wątpliwości.

Drzwi są nieznacznie uchylone. Podchodzę i słyszę, że ktoś urzęduje w środku – słyszę szelest papierów. Czuję się dziwnie, i nie bez powodu. Jestem tutaj intruzem. Podnoszę rękę, żeby zastukać, ale boję się, że przestraszę Johna. Dociera do mnie, że powinnam przynajmniej zaczekać, aż odpowie na mój telefon. Wypada jakoś go uprzedzić.

Wyciągam komórkę i wybieram numer. Jego telefon zaczyna dzwonić. Nie zwraca na to uwagi. Włącza się sekretarka. Głos Johna odbija się od ścian małego gabinetu.

– ... chwilowo nieczynny... Proszę zostawić wiadomość – mówi.

– To ja, Lucy – słyszę teraz swój głos ze środka. – Jestem tutaj. To znaczy jestem właśnie tu. – Odchodzę od drzwi, potem zawracam. – To znaczy jestem za drzwiami twojego biura. Nie chciałam cię przestraszyć.

Zapada cisza, podczas której, jak się domyślam, trawi moją wiadomość.

– Gdzie jesteś wielki, zły wilku? Miewałem większe wilki u moich wrót – woła żartobliwie. – Czego pragniesz?

– Porozmawiać – mówię trochę do komórki, a trochę do uchylonych drzwi.

– Możesz odłożyć telefon.

Zatrzaskuję komórkę.

– I otworzyć drzwi.

Tak też robię. Drzwi skrzypią. John podnosi wzrok znad biurka z łobuzerskim uśmieszkiem. W jego oczach kryje się łagodność. Rozpięta koszula odsłania z jednej strony obojczyk.

– Jak się masz? – pyta.

Wchodzę do środka. Tym razem nie spodziewam się już zielonych żołnierzyków z plastiku. John jest synem Artiego, ale nie jest dzieckiem. Zaskakuje mnie jednak to, że mieszka w sklepie. W rogu mruczy minilodówka, wśród papierów na biurku stoi misa z dwoma jabłkami i sczerniałym bananem, na szafce z aktami leżą złożone ręczniki, zza uchylonych drzwi szafy widać wieszaki z koszulami i spodniami oraz buty schludnie ustawione na półce.

– Jak się masz? – mówi.

– Bywało lepiej. – Silę się na pogodny ton, ale z marnym skutkiem. – Przepraszam za to, co się działo tamtego wieczoru. Nie tak to planowałam.

– To ja przepraszam – mówi. – Jest przecież twoim mężem i trudno mi sobie nawet wyobrazić, jak się czujesz, wiedząc...

– Jakoś to znoszę. – Kiwam głową. – Nie znam się na tym całym umieraniu. Pewnie niedługo będę miała w domu stertę kart kondolencyjnych z lilią. – Milczymy przez chwilę. Nie bardzo wie, co dalej. Ja też. – Przyjechałam tutaj, że się tak wyrażę, w interesach. – Rozglądam się po niewielkim biurze. – Jak idą twoje interesy?

– Jak po grudzie.

Zaczyna dzwonić telefon.

– To nie ja, słowo daję – mówię.

Podnosi bezprzewodową słuchawkę i nie odbierając, odczytuje nazwisko dzwoniącego. Uderza w klawisz raz i drugi. Rozłącza się.

– Wilki u bram – mówi. Ma zmęczone oczy, lekko nieświeżą twarz. Kiedy wzrusza ramionami, widać, jak pracuje kość obojczyka. – To najkrótsza definicja moich interesów. Czemu pytasz?

Nie bardzo wiem, jak mam mu przedstawić sprawę. Bawię się komórką – otwieram klapkę, zamykam. W pracy bez przerwy mówię o pieniądzach. Ale bez obciążeń osobistych. Bez żadnego bagażu emocjonalnego. Postanawiam zastosować ten styl, przynajmniej chwilowo przywdziać profesjonalną maskę. Prostuję się.

– Artie zostawił testament. Jesteś w nim uwzględniony.

Zaskoczyłam go. Jest zaintrygowany. Wertuje kupkę papierów, nie zaglądając do nich. Nachyla się w moją stronę. Chce coś powiedzieć. Podnosi nawet palec do góry. W końcu jednak potrząsa głową. Rozrzuca papiery po biurku.

– Nie chcę jego pieniędzy.

– To chyba nie od ciebie zależy.

– A od kogo?

Zastanawiałam się, kiedy dojdziemy do tego punktu. Tak szybko? Nie jestem w stanie utrzymać dłużej profesjonalnej pozy Lucy rewidentki. Podchodzę do niskiego stołka i siadam. A raczej opadam. Patrzę na Johna, potem odwracam wzrok.

– Ode mnie. Artie chce, żebym ja zadecydowała, jaka część jego pieniędzy przejdzie na ciebie.

– Ty?

Zapada niezręczna cisza.

– Ja tego nie wymyśliłam.

Wstaje, jakby nagle nie mógł usiedzieć na miejscu. Jest wyższy, niż mi się wydawało, wyższy i szczuplejszy, także bardziej przystojny, a przecież już wtedy wydał mi się cholernie przystojny.

– Posłuchaj, mówiłem już i powtarzam po raz drugi...

– Wiem. Nic cię obecnie nie łączy z Artiem. – Jestem zmęczona tą jego gadką. – Może uważasz się za owoc niepokalanego poczęcia. Ale twoja matka nie ma skrupułów, żeby brać pieniądze od Artiego.

– Co chcesz przez to powiedzieć?

– Artie, o ile wiem, nigdy nie przestał cię utrzymywać. Twoja matka inkasuje comiesięczne przekazy przez całe twoje życie.

– Naprawdę? – Jest zdumiony. Również wściekły. Wsparty o biurko na zaciśniętych pięściach, patrzy na papiery: zaległe faktury, wezwania do spłaty długów. I nagle wybucha śmiechem.

– Co cię tak śmieszy?

– Rita Bessom. – Kręci głową. – Ja też jej wysyłam czek co miesiąc. Oto moja matka!

– Jej czeki od Artiego wkrótce się skończą – zapowiadam. – To też ode mnie zależy.

– Najwyższa pora – mówi i siada z powrotem. – Posłuchaj, nie zamierzam tego w ogóle tykać. Skończmy ten temat. Mam zresztą dosyć kłopotów tutaj. Tonę po uszy w długach...

Jestem tutaj z powodu, który nie ma nic wspólnego z Ritą Bessom ani nawet z pieniędzmi.

– Nie chcesz nic wiedzieć o swoim ojcu? Nie jesteś ciekaw?

Pociera czoło.

– Rozumiem twoje intencje, ale to nie jest tak, jak...

Chcę, żeby kochał jakąś część Artiego Shoremana, a także, żeby dowiedział się o jego słabostkach. Chcę, żeby rozumiał swojego ojca.

– Nie bardzo mi się poszczęściło z ojcem – mówię. – Odszedł, kiedy byłam mała, a potem umarł, zanim byłam na tyle dorosła, żeby nawiązać z nim prawdziwy kontakt. Znam różne historyjki o nim, fajne i niefajne, i one mi pomagają. Chcę powiedzieć, że to jest ważne. Chcę, żebyś wiedział coś o Artiem, cokolwiek. To twoja jedyna szansa. Jeśli z niej nie skorzystasz, może przyjść taka chwila, że będziesz żałować.

John patrzy na mnie, jakbym była jakimś okazem egzotycznego ptaka, który zjawił się w jego biurze i śpiewa. Przechyla głowę na bok. Przyglądamy się sobie przez chwilę, przez długą chwilę. Rumienię się, ale nie odwracam wzroku.

– Posłuchaj... – zaczyna, a ja wiem, że próbuje się wycofać na dawne pozycje.

– Pozwól, że ci wyjaśnię – przerywam mu. – Przyjechałam, żeby ci złożyć propozycję.

– Chcesz mi złożyć propozycję? Nie co dzień przychodzą do mnie kobiety z propozycjami.

Ignoruję jego uwagę.

– Artie chce ci zostawić pieniądze. Wysokość kwoty pozostawia mojemu uznaniu. Możesz użyć tych pieniędzy, żeby ratować swój sklep, dać je na niewidome dzieci albo rozdać striptizerkom. Wszystko mi jedno. Proszę cię tylko, żebyś w zamian spotkał się z nim i spróbował trochę go poznać. Chcę, żebyś wysłuchał jego opowieści z jego własnych ust, a że mogą być tendencyjne, chcę, żebyś również wysłuchał mojej wersji. Chcę ci pokazać życie twojego ojca.

– Wycieczka z przewodnikiem po życiu Artiego Shoremana?

– Tak.

– Połączona z prezentacją w PowerPoint? A ty będziesz przewodniczką?

– Będę przewodniczką, chociaż zapewne nie we wszystko jestem wprowadzona. Dam z siebie, ile mogę. – Gorączkowo gestykuluję. Nie pamiętam, kiedy ostatni raz byłam tak pod-ekscytowana.

Znów dzwoni telefon. John nie reaguje.

– I wtedy zdecydujesz, ile mi dać pieniędzy? – Przygląda mi się zmrużonymi oczami, potem odchyla się na oparcie krzesła. – Próbujesz mnie przekupić?

Błądzę wzrokiem po pomieszczeniu – sufit, kuchenka mikrofalowa, której dotąd nie zauważyłam, zielona wykładzina. Dociera do mnie, że jest na bosaka. Opalone stopy, wystrzępione nogawki dżinsów. Czuję, jakbym oglądała intymne szczegóły. Odrywam wzrok, ledwie kojarząc, o co pyta. Czy usiłuję go przekupić, żeby poznał ojca?

– Tak – odpowiadam. – Można to tak nazwać.

Uśmiecha się znów, a ja gapię się na niego, szukając w nim choćby śladu Artiego, jednak z trudem udaje mi się wypatrzyć jakiś cień cienia podobieństwa. Niemniej po swojemu jest piękny – poważny, szczery.

– Dobra, dosyć. Zastanowię się – mówi. – Uciekasz się do przekupstwa. Kawał mafiosa z ciebie.

– Następnym razem mogę się uciec do fizycznych metod perswazji – paruję bez zastanowienia. O Boże, co ja gadam? Słowa zwielokrotnionym echem grzmią w mojej głowie. „Następnym razem mogę się uciec do fizycznych metod perswazji"! Może powinnam to jakoś zatuszować, bąkając: nie to miałam na myśli, ale chyba pogrążyłabym się ostatecznie. Chcę mu powiedzieć, że wcale mnie nie pociąga i że musiałabym być chora na umyśle, żeby myśleć tak o synu Artiego.

John ma ubaw. Obdarza mnie łaskawym uśmiechem.

– Będę pamiętać.

Wycofuję się z biura, zamykam drzwi i rzucam się do wyjścia. Następnym razem mogę się uciec do fizycznych metod perswazji. Następnym razem mogę się uciec do fizycznych metod perswazji, powtarza katarynka w mojej głowie.

ROZDZIAŁ 17

Znajdź czas na wspominki,
ale tylko pół godzinki

Jest już wieczór, kiedy docieram do domu. Krańce ogrodu toną w mroku. Kilka robaczków świętojańskich lawiruje wśród drzew.

Przy stole kuchennym zastaję Eleanor sączącą kawę z moją matką. Eleanor z dumą prezentuje mi grafik – nie ja jedna jestem obsesyjnie zorganizowana. Grafik obejmuje trzy najbliższe dni podzielone na półgodzinne sesje z przerwami na posiłki i wypoczynek. Połowa okienek jest już wypełniona nazwiskami kobiet.

– Jak ci się udało je namówić? – pytam, przysuwając krzesło.

– Nie było to bardzo trudne. Po prostu zmodyfikowałam twoją metodę. Dzwoniłam trzeźwa i przed północą. No i odwoływałam się do ich próżności.

– Nieźle – chwalę ją. – Moja metoda miała słabe strony.

– Udało ci się coś wskórać z Bessomem? – pyta matka.

Kiwam głową. Wciąż myślę o naszym spotkaniu. Podczas jazdy powrotnej dotarło do mnie, że nie tylko zapowiedziałam, iż skorzystam z fizycznych metod perswazji, ale też obiecywałam r o b i ć mu propozycje, co brzmi jeszcze gorzej. Nie wiem, czy popełniam przejęzyczenia z nerwów, że zniweczę szanse Artiego na spotkanie z synem, czy dlatego, że czuję niewyjaśniony pociąg do Johna, do jego urody, tak różnej od urody Artiego, do tego, jak na mnie patrzy i jak ze mną rozmawia.

– Połknął haczyk – mówię – Myślę, że potrzebuje pieniędzy.

– Cóż, w grafiku mam wolne okienka, które mogę przeznaczyć równie dobrze na jego wizyty. – Eleanor puka palcem w schemat. (Zapomniałam wspomnieć, że stosuje oznakowania kolorystyczne. Wizyty Bessoma są zaznaczone na granatowo).

– Gdzie Elspa? – pytam.

– Leży w gościnnym – mówi Eleanor. – Pisze o swoich rodzicach. To chyba trudniejsze, niż się wydawało.

Niepokoi mnie to. Mam nadzieję, że Elspa sobie poradzi, że się nie podda. To zbyt ważna sprawa.

– Elspa nie ma takiego szczęścia do rodziców jak ty – mówi moja matka bez cienia ironii i klepie mnie po dłoni.

Nie reaguję. Nie chcę utwierdzać jej w samozachwycie.

– A Artie? – pyta podniecona Eleanor, kładąc dłoń na sercu. – Kiedy poinformujemy go o naszym planie? Od jutra rana zapełniam rubryki.

Chwytam brzeg stołu i wstaję.

– Może teraz?

Czemu nie? Mam nadwyżkę energii psychicznej do spalenia, poza tym jakiś głos we mnie domaga się ukarania Artiego. Czy to pragnienie przeszło już w nałóg? Uświadamiam sobie, jak bardzo chcę zobaczyć jego minę, kiedy mu przedstawimy nasz plan.

– Teraz? – pyta matka.

– Jestem za – mówi Eleanor, ściskając w ręku grafik.

– Dla porządku chciałam zaznaczyć, że nie uważam tego za dobry pomysł – mówi moja matka.

– Tu nie ma żadnego porządku – mówię. – Tylko my i nasze kolejne pomysły.

– Ale przecież... – mówi matka. – Artie, ach, biedny Artie...

– Nie zapominaj, że sam się prosił. Kazał mi dzwonić do swoich byłych ukochanych. To był, do pewnego stopnia, jego pomysł!

– Wiesz, co myślę o mężczyznach. – Nie ustępuje. – Uważam ich za...

– Kruche istoty?

– Użyłabym raczej słowa „słabe" – mówi Eleanor. – „Kruche" sugeruje konieczność delikatnego obchodzenia się z nimi.

– Mężczyźni to wieczne dzieci – kręci głową mama. – Nigdy się nie zmienią.

– W tym właśnie sęk – stwierdzam. – Od kiedy zaczęłyśmy usprawiedliwiać ich zachowanie, mówiąc: „mężczyźni to wieczne dzieci", stracili motywację do rozwoju i zmiany. Kobiety kontynuują ewolucję, ponieważ zostały do tego zmuszone. Podstawą ewolucji jest elastyczność, dzięki niej mamy szanse na przeżycie. Niczego nie oczekuje się od mężczyzn, od kiedy wymyślono powiedzenie: „mężczyźni to wieczne dzieci". Odtąd wolno im po prostu być sobą, a ich repertuar zredukował się do bekania i obmacywania.

– Plus kłamstwa i zdrada – dorzuca Eleanor.

– Mówicie, że to krok naprzód w dziejach ludzkości? – Moja matka zaczyna się wciągać.

– Tak – zgadzam się po namyśle. – Dla ludzkości.

– Dla Artiego również – rozlega się zza pleców melodyjny głos. Do kuchni wkracza Elspa. – Grzebanie w przeszłości jest trudne, ale bardzo ważne.

Z ulgą przyjmuję jej obecność. Ciężko pracowała. Nie poddała się. Powinna być z nami w tej chwili.

– Chodźmy więc – zarządzam.

We cztery luźnym półkolem otaczamy łóżko Artiego. Śpi, ale nawet we śnie oddycha jakby z trudem.

– Zostawmy go w spokoju – mówi matka, nerwowo gładząc po głowie Bobusia, którego trzyma na rękach.

– Jest zmęczony – popieram ją. Z zaskoczeniem konstatuję, jak bardzo się postarzał. – Chodźmy. Powiemy mu jutro.

Ruszamy w stronę drzwi, ale Artie mruga i otwiera oczy, wodząc wzrokiem po naszych twarzach.

– Czyżbym umarł i znalazł się w niebie, czy też zawsze czuwacie przy mnie, kiedy śpię?

– Nieznośny zarozumialec – mamrocze pod nosem Eleanor.

– Hm, widzę, że to nie jest niebo, chyba że się wkręciłaś na lewo – mówi do Eleanor. – Wydawało mi się, że miałaś wyjeżdżać.

– Poproszono mnie, żebym została i wypełniła swoją misję.

– Ach, tak – drwi. – Masz mnie zamordować? Nie musisz się wysilać. Nie słyszałaś, że jestem umierający?

– Nie, plan nie polega na tym, żeby cię zabić. Raczej zgotować ci pożegnanie.

– Lucy, o czym ona mówi? – zwraca się do mnie.

– Mamy plan. Ten, którego sam się domagałeś. Eleanor go nadzoruje – odpowiadam ze sztucznym entuzjazmem w głosie.

– Chciałam zaznaczyć – wtrąca moja matka, czochrając uszy Bobusia – że nie popieram tego wszystkiego. Ja...

Posyłam jej mordercze spojrzenie, więc milknie.

– Uważamy, że powinieneś się skonfrontować ze swoją przeszłością – mówi Elspa. – Uważamy, że to może być oczyszczające.

– Oczyszczające?

– Eleanor wyznaczyła terminy wizyt twoich ukochanych. Okazuje się, że ludzie poważniej podchodzą do sprawy, jeśli kobieta nie dzwoni do nich o północy, po pijaku.

– Czyżby? – Artie siada, jakby chciał wszystko lepiej przemyśleć. Ciekawe, czy tylko tyle ma do powiedzenia? Żadnych wykrętów? Nie jest zaniepokojony ani wkurzony naszym pomysłem. Wydaje się... zadowolony z siebie. Prawdę mówiąc, jest wręcz obrzydliwie zadowolony z siebie. – Cóż, to ładnie z ich strony. Oczywiście nie muszą tu przyjeżdżać, ale podejrzewam, że... hm... że mają ochotę.

– Najwyraźniej cię to cieszy? – mówię lekko zaskoczona.

– Nie, nie cieszy – wycofuje się Artie. – Nic z tych rzeczy. Tyle tylko że to... że to mi schlebia.

– Doskonale – syczy Eleanor. – Zaczynamy od jutra.

– Kto przyjdzie jutro? – pyta Artie nadal zbyt entuzjastycznie, z chłopięcym uśmiechem na twarzy.

– Widzicie – mówi moja matka, wskazując na Artiego, jakby przedstawiała dowód ławie sędziowskiej. – Mówiłam wam. Starego psa nie nauczysz nowych sztuczek... Jest niereformowalny! Mężczyźni to kruche istoty!

– Stary pies!? – obrusza się Artie. – Nie słuchaj jej – mówi do Bobusia, szukając poparcia. – Po prostu zazdrości nam męskiego wigoru.

– Wiesz, co mam na myśli – mówi mama. – To przecież powiedzonko.

– Jadę do siebie – informuje nas Eleanor.

– Nie jedź – prosi Elspa.

– Ja mam być tym starym psem? – droczy się Artie.

– Lepiej bądź grzeczny – mityguje go moja matka. – Zarządzam twoim pogrzebem. Jak mi się spodoba, to będziesz ubrany jak Liberace. Chcesz stanąć u nieba bram w garniturze z karmazynowego aksamitu!?

– Albo jak biedaczyna Bobuś, pieski markiz de Sade w wytwornym ochraniaczu genitaliów? Nie bądź okrutna. To nie na miejscu.

– Zostań z nami, Eleanor – mówi mama, patrząc złowrogo na Artiego. – Artie może być niereformowalny, ale warto spróbować.

– Proszę, zostań – odzywa się Elspa.

Eleanor jest jednak nieugięta.

– Dobranoc.

– Ej, uchyl rąbka tajemnicy – nalega Artie. – Kto przyjdzie?

– Dobranoc – mówi Eleanor, kuśtykając do drzwi. Jej utykanie nie wydaje się słabością, lecz siłą, która ją popycha, jakby kulawa noga była źródłem napędu. – Zobaczymy, czy po tym wszystkim będzie ci do śmiechu, Artie Shoremanie. Zobaczymy. – I trzaska drzwiami.

– Zawsze była taka nerwowa – wyjaśnia Artie.

Ja też zaczynam się gotować z wściekłości. To miała być frajda. Wyrównanie rachunków. Co będzie, jeśli te kobiety przyjadą go adorować? Jeśli niczego go nie nauczą? Co wtedy? Dociera do mnie, że plan opiera się na niepewnych przesłankach.

– Twój syn też się pojawi. Jednak musiałam się uciec do przekupstwa. Będziesz mu to musiał wyjaśnić – mówię zjadliwie.

Ta część planu zaskakuje Artiego – nie tylko wiadomość, ale chyba również ton mojego głosu. Sztywnieje.

– John?

– Bessom. Znalazłam jego nazwisko w twoim notesie pod B, tak jak mówiłeś.

– Muszę się rano wykąpać. No i ogolić. – Gładzi się po podbródku. Mówi bardziej do siebie niż do naszej trójki. – Jesteś pewna? – pyta, a jego twarz łagodnieje. Oczy mu błyszczą i po raz pierwszy od niepamiętnych czasów przypomina mężczyznę, którego pokochałam: za-kochanego, niespokojnego, nieomal nieśmiałego, i zaczynam go pragnąć do bólu. Moja rozpaczliwa tęsknota za tą nieskomplikowaną wersją Artiego jest dla mnie szokiem.

– John Bessom – mówi. – Po tylu latach. Mój syn.

ROZDZIAŁ 18

Przeszłość we wspomnieniach
w idyllę się zmienia

Jimmy Prather, jeden z moich eksnarzeczonych, lubił mitologizować swoje dawne dziewczyny. Była więc wśród nich superlaska, która rzuciła go, ruszając na podbój Hollywood, wojująca feministka, która porzuciła go dla polityki, i wariatka, która kazała mu biegać po śniegu na dowód, że ją kocha na śmierć i życie – ta z kolei została podrzędną gwiazdką u zarania *reality show*. Nie sposób rywalizować z legendą, co gorsza czułam, że Jimmy już tworzy moją legendę, choć żyję i jeszcze go nie opuściłam. Nie byliśmy ze sobą długo. Zastanawiam się, czy Artie również mitologizował swoje ukochane. Jak zniosę ich paradę? Czy zacznę się czuć jedną z nich?

Rozmyślam o tym w środku nocy. Nie mogę zasnąć. Z nudów zaczynam sobie wyobrażać przemarsz m o i c h ukochanych, co nie jest dobrym pomysłem, jeżeli chce się zasnąć. Otwierają się wrota przeszłości. Jimmy Prather to zaledwie czubek góry lodowej. Wędruję w myślach po ukochanych z ogólniaka – paru sportowców, perkusista z marnej kapeli garażowej, i ukochanych ze studiów – koleś, który po naszym zerwaniu zaliczał wszystkie dziewczyny, jak leci; gnuśny student zarządzania, który się stoczył w narkotyki; i chłopak, za którym szalałam, a który później wylądował w dyplomacji. Potem seria chybionych wyborów sprzed Artiego – koledzy z pracy, paru gości poderwanych w barze, dwóch oszustów matrymonialnych i próba wspólnego zamieszkania, która trwała aż trzy tygodnie... Najróżniejsze doświadczenia. Chcę przez to powiedzieć, że gdybym musiała stawić czoło moim ukochanym, w pierwszej chwili mogłabym zareagować podobnie jak Artie – podniecić się, że znów zobaczę ich wszystkich naraz jak w programie *Oto twoje życie*. Czy okazałoby się wtedy, że z jednym, dwoma, trzema mam stare porachunki? Dlaczego mieszkaliśmy ze sobą tylko trzy tygodnie? Bo go zdradzałam. Dobrze wiem, co to zdrada. Jasne, nie byłam wtedy mężatką. Nie ślubowałam wierności. Grzechy Artiego są o wiele poważniejsze, ale ja też niejedno mam na sumieniu.

I wtedy łapię się na tym, że zaczynam myśleć o Artiem – o rytualnych niedzielnych śniadaniach z gazetą i rogalikami, o tym, jak co roku w pierwszy ciepły, wiosenny dzień braliśmy wolne, żeby się upić już w południe, o tym, jak wziął mnie na ryby i złowiłam olbrzymiego węgorza.

Koło piątej nad ranem zasypiam pełna poczucia winy i śnię, że jestem uwięziona w lochu z gazetą, rogalikami i gniewnym szopem praczem, który chodzi w moim zegarku.

Budzę się późno i, wciąż zaspana, wciągam dżinsy i podkoszulek. Zwlekam się do kuchni, gdzie Eleanor z notatnikiem w ręku zarządza wszystkim nieco zbyt obcesowo i profesjonalnie. Kiedy jem śniadanie przygotowane przez mamę, która nadal się plącze po kuchni, słyszę dzwonek do drzwi.

– Ja otworzę – woła Eleanor i pędzi do drzwi.

Słyszę, jak prowadzi przybyłą do salonu, prosząc, żeby się rozgościła. Następnie, ku mojemu osłupieniu, zadaje jej kilka dziwnych pytań.

– Ma pani przy sobie broń? Truciznę? Środki wybuchowe?

Kobieta jąka się i urażonym tonem udziela przeczących odpowiedzi. Wreszcie Eleanor informuje ją, że ktoś (czyli – Eleanor) będzie dotrzymywał jej towarzystwa. Rozmowę prowadzi ze sztuczną uprzejmością pani w okienku rejestracji do ginekologa czy sekretarki psychoterapeuty.

Kiedy odtwarzam w pamięci obrazy z ostatniej nocy – szopa pracza, przemarsz moich eksukochanych – i porównuję z aktualną paradą ukochanych Artiego, które mogą być uzbrojone, matka informuje mnie, że dała dziś pielęgniarzowi wychodne, a Elspa jest na górze i pomaga Artiemu się wyszykować. Mama szoruje patelnię, na której usmażyła dla mnie jajka. Nie mam ochoty na jajka. Grzebię widelcem w talerzu. Jest jeszcze zbyt wcześnie, by pozwolić sobie na atak zazdrości – Elspa znowu zajmuje się Artiem – więc odpuszczam sobie. A niech go wyrychtuje na te jego randki, powtarzam w myślach. Zaraz jednak wyobrażam sobie, jak Artie wciera wodę kolońską w policzki, i zaczyna mnie skręcać.

Eleanor wraca i otwiera komórkę, lecz dzwoni dzwonek, więc rzuca się do drzwi z notatnikiem w ręku. Wraca, żeby naszykować tacę z kawą, styropianowymi kubkami oraz opakowaniami śmietanki i cukru.

– Ta z dziesiątej trzydzieści przyjechała za wcześnie, a dziewiąta trzydzieści prosi, żeby ją przesunąć.

Gapię się na Eleanor. Czyta w moich myślach.

– Mój mąż był ortodontą. Prowadziłam jego gabinet. To mój zawód – wyjaśnia.

Obie z matką kiwamy głowami.

– A pracowałaś na lotnisku albo w ochronie? – dociekam.

– Nie – peszy się.

– Myślę, że pytanie o broń to lekka przesada. Trąci groźbą rewizji osobistej.

– Czy będziesz konfiskować ich pasty do zębów i cążki do paznokci? – pyta moja matka ubawiona.

– Chciałam po prostu zachować środki ostrożności – mówi Eleanor. – Same wiecie, że każda z nas miała kiedyś ochotę go zamordować, więc...

– Myślę, że można zrezygnować z tej indagacji – stwierdzam. – Pozwólmy sobie na drobne ryzyko.

– Proszę bardzo – mówi.

Dzwoni komórka. Eleanor odstawia tacę, żeby odebrać.

Rzeczywistość wypiera wspomnienia nocnych fantazji. Dwie ukochane Artiego siedzą w moim salonie, czekając na spotkanie z moim mężem, i nie kto inny, lecz ja je tutaj ściągnęłam – czyżby po to, żeby mu dać przed śmiercią nauczkę? Jaki jest protokół postępowania w tego rodzaju sytuacjach? Czy powinnam się przedstawić? Wnieść kawę na tacy, częstować cukierkami, rozdać gumę do żucia?

Tak czy owak powinnam spróbować je zrozumieć, odwołując się do własnych emocji. Chcę zrozumieć, dlaczego zdecydowały się przyjść i co mają do powiedzenia Artiemu. I, oczywiście, zorientować się, czy mają jakiś wspólny mianownik, pod który również podpadam.

Dwie ukochane siedzą ramię w ramię – na ich głowy pada światło z wykusza. Jedna, brunetka o onieśmielająco długich nogach, przerzuca stronice „People", jakby była w prawdziwej poczekalni. Czy przyszła z własnym czasopismem? Czy Eleanor była uprzejma przygotować prasę? Brakuje tylko akwarium i okienka rejestracji.

Nie jestem w stanie do nich podejść. Przemykam bokiem w stronę schodów. Wolę sprawdzić, co u Artiego.

Na górze uderza mnie fala intensywnego zapachu. Płyn po goleniu, woda kolońska – ulubiony zapach Artiego, zapach prawdziwego mężczyzny, takiego, który chętnie spędza czas pod gołym niebem, powiedzmy, na kortach.

Spodziewam się najgorszego. Wiem, jak się szykował na tę okazję. Wchodzę do sypialni i widzę, że rzeczywistość przerosła moje najczarniejsze wizje. Artie siedzi wsparty na niezliczonych poduszkach. Nie szczędził pianki starannie ułożonej fryzurze. Patrzy w okno, za którym – o ile wiem – nie ma nic oprócz wierzchołków drzew. Wygląda na zadumanego. Gorzej – wygląda, jakby trenował, żeby wyglądać na zadumanego.

– Czy to aby nie smoking?

Nie odwraca się do mnie. Chyba jest trochę zażenowany.

– Szlafrok. Nie chcę siedzieć w samej piżamie.

– Wygląda jak smoking – mówię zgodnie z prawdą. Czarny, lśniący, wręcz z aksamitnym połyskiem. Skąd go wytrzasnął? – Nie mógłbyś się ubrać normalnie?

– Za dużo zachodu – mówi, jakby nie miał zwyczaju wysilać się dla kobiet.

Dopiero teraz dociera do mnie, że jest spięty. Siedzi jak nastolatek odpicowany na maturę. Oczywiście wykorzystuje okazję, żeby teatralnie ograć swój najświeższy wizerunek – mężczyzny, który z heroizmem czeka na śmierć.

– Za dużo zachodu dla kogoś, kto umiera, chcesz powiedzieć? Chcesz wyglądać stosownie do swojej roli, zgadłam?

– Kiedy ja naprawdę umieram – broni się. – Ja nie udaję.

Przez ułamek sekundy chcę wierzyć, że kłamie, że wymyślił całe to swoje umieranie po to, żebyśmy potem mogli się zaśmiewać, wspominając smoking, paradę ukochanych... Niestety, wiem, że to nieprawda.

Artie jest próżny. Kto wie, czy jego najgorszą wadą nie jest potrzeba bycia adorowanym. Czyż nie darzyłam go wystarczającym podziwem? Czy ktokolwiek był w stanie nasycić jego głód uwielbienia?

Nagle czuję, że mam ochotę go palnąć. Jestem w szoku.

– Chcesz napawać się swoją rolą, prawda?

– Lubię schlebiać publice. Dawać jej to, czego oczekuje – mówi, odwracając wzrok od okna. – Zresztą, jak wiesz, nie każdy ma szansę zagrać tę rolę. Autobus cię potrąci i koniec. Żadnych scen na łożu śmierci.

– Dałabym sobie spokój z tym smokingiem – mówię. – Wyglądasz w nim trochę żałośnie, jak mama w tej złotej sukni z dekoltem do pasa.

– To nie jest smoking. To mój szlafrok.

– Jak uważasz.

Wychodzę z sypialni i wracam na dół. Rani mnie to, że Artie chce oglądać te wszystkie baby. Nie przypuszczałam, że tak go to nakręci. Czy nie mógłby, choćby ze względu na mnie, pozorować brak zainteresowania? Nie o to chodzi, że wizyty tych kobiet mogą odnieść wręcz odwrotny skutek, niż zamierzyłam, i dostarczyć mu zwielokrotnionej dawki adoracji. Rzecz w tym, że nawet teraz czuję, że nie do końca wystarczam Artiemu. Jego serce wciąż nie należy wyłącznie do mnie.

Niemniej to, że Artie jest zdenerwowany, trochę mnie uspokaja. Pragnę słusznej kary, jestem żądna zemsty. Chcę, by Artie nie mógł już dłużej udawać, że nie wie, jak parszywie traktował kobiety, żeby wziął na siebie odpowiedzialność za swoje czyny. Przystaję na dole schodów, po czym szybko przemierzam hall i wkraczam do salonu nieumalowana, w dżinsach i podkoszulku, z wyciągniętą powitalnie dłonią.

– Cześć, jestem żoną Artiego – mówię.

Długonoga brunetka odkłada pismo na kolana i gapi się na mnie tępo. Druga kobieta jest drobną, ostrzyżoną na pazia blondynką z wycieniowaną grzywką. Patrzy na mnie z zaskoczeniem

– Ojej. – Łapie się za serce. – Nie spodziewałam się pani.

Żadna się nie kwapi, by ściskać moją wyciągniętą bez przekonania dłoń, wobec czego wsuwam ją do tylnej kieszeni spodni.

– Artie ma żonę? – Długonoga brunetka jest w szoku.

– Nie wiedziałaś? – dziwi się blondyna.

– A pani skąd wie? – pytam.

– Wspominała o tym osoba, która do mnie dzwoniła.

Brunetka kiwa głową, po czym lustruje mnie od stóp do głów.

– A więc w r e s z c i e się ustatkował.

Nie podoba mi się nacisk, jaki kładzie na słowo „wreszcie" (w domyśle: przy niej), ale mam to w nosie. Zaczynam żałować, że nie jestem porządnie ubrana, umalowana, nie mam szpilek. Moja matka nie zmarnowałaby takiej okazji. Zapewne nie bez racji. Niedbały strój miał wyrażać moją pewność siebie, oznajmiać: nie muszę się stroić, żeby z wami rywalizować. Wyścig się dawno skończył i nie ma potrzeby chyba wspominać, że to ja wygrałam. Teraz jednak czuję się jakaś niedorobiona, bezbronna, nijaka. Czy Artie wybrał mnie spośród swoich kobiet dlatego, że byłam niegroźna, ale stale tęsknił za czymś więcej?

– Miło panią poznać – mówi blondynka, usiłując wybrnąć z niezręcznej sytuacji. – Tak mi przykro. To znaczy mam na myśli okoliczności. – Jej oczy zachodzą łzami, a ja zaczynam się niepokoić. Przyjechała, żeby dać Artiemu popalić, czy ma zamiar pójść tam, żeby się mazać?

– Okoliczności? – cedzi brunetka. – Artie ma szczęście, że udało mu się pociągnąć tak długo i nikt go nie zastrzelił w łóżku z cudzą żoną. – Zerka na mnie. – Bez obrazy – mówi, a ja nie jestem pewna, czy przeprasza, bo jestem żoną Artiego, czy dlatego, że jestem żoną w ogóle. – Kiedy się pobraliście z Artiem? – pyta.

– Kiedy spotykała się pani z Artiem? – odpowiadam pytaniem.

– Dziesięć lat temu, ale nadal mnie wkurwia.

– Artie tak działa – mówi blondyna, zaraz jednak się mityguje. – To znaczy nie wątpię, że jest wspaniałym mężem. Jest jednak koszmarnym kochankiem. W każdym razie jeśli się nie jest jego numerem jeden.

– Jak się pani nazywa? – pytam blondynę.

– Spring Melanowski.

– Spring? – Tak jak w „Springbird"?, mam ochotę zapytać.

– Urodziłam się na wiosnę – wyjaśnia. Jej oczy znów zachodzą łzami. – Wolałabym wiedzieć z góry, jeśli wygląda bardzo... jeśli choroba go zmieniła. Czy on wygląda, jakby, wie pani, jakby... – Jest wstrząśnięta i mam powody, by sądzić, że rana po Artiem jest jeszcze świeża. Jak świeża?

– Artie to showman – mówię. – Jestem pewna, że na pani widok ożyje. Zna go pani przecież – dorzucam, ponieważ rozmowa się nie klei.

Popełniłam poważny błąd.

Blondyna nerwowo kiwa głową. Brunetka posyła mi znaczący uśmiech: „już ja go znam". I nagle zaczyna się we mnie kłębić zazdrość przemieszana z głębokim zakłopotaniem. Te dwie kobiety znają Artiego. Każda zna go od takiej strony, od której ja nigdy go nie poznam. Każda z tych kobiet ma jakiś ułamek Artiego... A ułamek należący do Spring Melanowski być może doprowadził do rozpadu mojego małżeństwa. Wcześniej mogłam się przynajmniej łudzić, że Artie jest mój i tylko mój, teraz jednak nie mogę się już oszukiwać.

Blondyna znowu płacze, czym irytuje długonogą brunetkę, i, co gorsza, mnie również.

– Kochana, ja wiem, po co tu przyjechałam – mówi brunetka do blondyny. – A ty? – pyta z naganą.

Chwila jest pełna napięcia i obawiam się, że blondyna się rozklei. Po co tutaj przyjechała? Obie kobiety mają przy swoim nazwisku krzyżyk. Obie rozstały się z Artiem w gniewie. Blondyna wyjmuje z torebki chusteczkę. Wyciera nos i odgarnia grzywkę z oczu. Obie z brunetką czekamy na jej odpowiedź. Powie coś? Blondynka wodzi po nas wzrokiem.

– Wiem, do diabła, czemu tu jestem – mówi.

Dopiero teraz się orientuję, że stoję zbyt blisko nich, więc robię krok do tyłu, tracąc przy tym równowagę. Próbując ją odzyskać, robię krok do przodu i przydzwaniam kością piszczelową w stolik. Łyżeczki brzęczą na tacy. Ląduję kolanem na stoliku.

– Kurwa mać – mówię.

Nagle dociera do mnie, co zrobiłam. Sprosiłam stado wilczyc i będę je wysyłać, jedną po drugiej, by schrupały Artiego. Czy zasłużył na to? Patrzę na Spring(bird?). Owszem, zasłużył. Obie kobiety wyglądają całkiem normalnie, sprawiają wrażenie fajnych kobitek. Artie je skrzywdził. Nie powinien ich tak traktować. Mnie też. Zastanawiam się, czy je wysyłam, żeby odwaliły za mnie brudną robotę. Dlaczego nie próbuję sama stawić czoło Artiemu? Boję się konfrontacji? Tego, czego mogę się jeszcze dowiedzieć? Prawdy o naszym związku? A może boję się, że stchórzę? A co, jeśli zapłacę za swoje tchórzostwo? Niewykluczone, że przemarsz ukochanych odbywa się nie tylko na benefis Artiego, ale mój również. Czyżbym to wszystko wyreżyserowała, licząc na to, że ból na widok jego kobiet osłabi ból z powodu jego nieuchronnego odejścia?

– Nic się pani nie stało? – pyta blondynka.

– Będzie z tego siniak – mówi brunetka.

– Nic mi nie jest – mówię. – Dzięki, że przyjechałyście. Proszę, częstujcie się kawą.

Nie wiem, jak się wycofać z wdziękiem. Nie wiem, co dalej robić.

Na szczęście moje rozterki nie trwają długo. Wybawia mnie stukanie do drzwi. Zderzam się z Eleanor. Przepraszam ją w biegu, lecz w ostatniej chwili zamieram z ręką na klamce. Robi mi się niedobrze. Nie chcę poznawać kolejnej ukochanej, kolejnej kobiety, która wniesie do mojego salonu swój egzemplarz „People" i swoją, tylko swoją wersję Artiego.

Jednak, skoro już tutaj stoję, powinnam otworzyć. Nie mam wyjścia.

Otwieram drzwi, patrząc na czubki swoich butów. Zmuszam się, żeby podnieść oczy.

– Przyjechałem – mówi męski głos.

W drzwiach stoi John Bessom. Przygładza włosy ręką, poprawia koszulę na plecach. Nagle wydaje się niewiarygodnie młody, onieśmielony jak uczniak.

– Przyjechałeś – mówię z ulgą.

Rozgląda się.

– Wiem, że przyjechałem – mówi, nachylając się do mnie. – Sam ci to powiedziałem przed chwilą.

Nie wiem, co się ze mną dzieje. Jego koszula jest bardzo błękitna. Dzień jest chłodny, ogród tonie w zieleni. Za progiem rozpościera się cały świat.

– Zaprosisz mnie do środka? – pyta.

– Nie.

Przez chwilę jest zaskoczony.

– Artie ma wypełniony harmonogram. – Patrzę w stronę salonu. – Jeszcze raz dziękuję, że się pani stawiła – mówię do brunetki. – Do zobaczenia, Springbird – mówię do jasnowłosej pani Melanowski.

Wiosenny Ptaszek podskakuje, na jego zaszokowanej twarzy maluje się nieme pytanie: „skąd wiesz?".

Odwracam się do Johna i mówię:

– Chodźmy stąd.

ROZDZIAŁ 19

Na pierwszy znak, gdy serce drgnie...
uciekaj i nie oglądaj się

John prowadzi przy otwartym oknie. Ciepłe powietrze wpada do samochodu. Kazałam mu jechać do śródmieścia Filadelfii i teraz pędzimy drogą numer trzydzieści. Prawie wszystko, co mam do opowiedzenia o Artiem, rozgrywało się w śródmieściu – jego dzieciństwo w Southside, hotel, w którym podjął pierwszą pracę jako boy, Uniwersytet Pensylwański, na którym rzekomo studiował (w rzeczywistości, do czego się przyznał we wstępnym stadium naszej znajomości, zaliczył tylko kilka przedmiotów wieczorowo – historię sztuki i sztukę wygłaszania przemówień), tu się poznaliśmy i tu odbyła się nasza pierwsza randka. Z głową wspartą o zagłówek upajam się jazdą.

– Jako przewodniczka pewnie powinnam zacząć coś mówić. Coś w rodzaju: „po lewej stronie zobaczą państwo... a teraz proszę spojrzeć w prawo i zwrócić uwagę". Ale jest wiele rzeczy, których nie wiem o Artiem, właśnie to do mnie dotarło. – Myślę o krzywym uśmieszku długonogiej brunetki i nerwowym potakiwaniu blondyny.

147

– No to trzymaj się tego, co znasz.

– Dobra. Poznaliśmy się w irlandzkim pubie o błyskotliwej nazwie Irlandzki Pub podczas stypy.

– Stypy? To trochę makabryczne.

– Umarł pewien O'Connor. Artie znał go od dzieciństwa, ja znałam jego córkę z pracy. Stypa była cudowna. Ludzie się śmiali i płakali, pili i wygłaszali wspaniałe mowy. Artie opowiedział historię, całkiem niesamowitą, o tym, jak nieboszczyk po pijaku wypuścił niechcący królika swojej córki i jak przez całe popołudnie i wieczór próbowali go z Artiem złapać. Opowiadał cudownie, oczarował słuchających. Skręć tutaj. To ja go zaczepiłam. Byłam strasznie napalona. Dałam mu swoją wizytówkę. Powiedziałam, że chcę go wynająć na moją stypę. Byłeś porywający, chwaliłam go. Powiedział, że bierze dużo, ale mogę z nim negocjować cenę. Skręć tutaj. To chyba jest za rogiem.

John parkuje naprzeciwko pubu. Pub jest skromny, niepozorny. Na froncie brakuje tabliczki: „Tu po raz pierwszy Lucy spotkała się z Artiem".

– Wchodzimy? – pyta John.

– Nie, to pub jakich wiele. Chodzi o ogólne wrażenie.

– Zawsze uważałem, że wspominanie zmarłych odbywa się za późno – mówi John. – Ludzie powinni wysłuchiwać wspomnień o sobie za życia. Powinno to być obowiązkowe.

Rozważam jego słowa przez chwilę.

– Bez trumny. Bez wieńców.

– Płynu do balsamowania – podrzuca.

– Kierownika domu pogrzebowego, który przyjmuje taśmowo zlecenia.

– Tylko wspominanie. Nic więcej.

– Chyba masz rację – mówię.

– Czy Artie wygłosił mowę pochwalną na twoją cześć?

– Nie. Wciąż jest mi to winien.

– Obiecał wygłosić. Obietnica słowna w świetle prawa ma moc wiążącą.

– Jeśli uważasz, że to stosowna pora... – Właściwie John ma rację: Artie jest mi winien mowę pochwalną.

– Złapali go?

– Kogo?

– Królika.

– A, królika. Tak, złapali go, przy czym zdążyli się już tak nawalić, że popłakali się z radości.

– Fajna historia. – John hamuje na czerwonych światłach. Rozgląda się. – Dokąd teraz?

Dokąd? Tam, gdzie po raz pierwszy umówiliśmy się na randkę: do serca.

Wielkie Serce wygląda dokładnie tak, jak je zapamiętałam – wysokie jak piętrowy domek, wielkie, z czerwonego i purpurowego tworzywa, poprzecinane żyłami i arteriami. Wydaje mi się większe i szersze niż na naszej randce. Czyżby urosło? Stoimy w kolejce złożonej z dzieci i ich rodziców. Dzieciaki wrzeszczą – onieśmielone w Sercu, po wyjściu na zewnątrz piszczą z zachwytu wniebogłosy. Ciągną rodziców za rękaw z powrotem do kolejki.

– Artie w dzieciństwie był z klasą na wycieczce w Instytucie Franklina, ale serce było zamknięte, przechodziło operację, jak wyjaśnił im nauczyciel.

– Istnieje od tak dawna?

– Od lat pięćdziesiątych. Początkowo miało być tylko czasową instalacją i było wykonane z czegoś w rodzaju *papier mâché*. Cieszyło się jednak tak wielkim zainteresowaniem, że zdecydowano się je wyremontować. Właśnie na jeden z takich remontów trafiła klasa Artiego. Można było patrzeć na serce, ale nie można było wejść do środka. Dlatego Artie zabrał mnie tutaj na naszą pierwszą randkę. – Przypominam sobie, że opowiadał mi tę historię, kiedy staliśmy w kolejce. Dzieci hałasowały, a on stał za mną, szepcąc mi do ucha. – Artie nie liczył na to, że rodzice przyprowadzą go tutaj, kiedy serce znów będzie czynne. Wiedział, że to jego jedyna szansa, więc puścił klasę przodem, długo wiązał sznurowadło, po czym wskoczył za barierkę.

– Wszedł do serca?

– Nie. Też go o to pytałam. Za bardzo się bał. Myślę, że chciał tylko dotknąć, sprawdzić, czy serce bije. Przyłożył rękę, potem przytknął ucho jak lekarz. Ale to nie było prawdziwe serce.

Zbliżamy się do wejścia. Po kilku minutach po wąskich schodkach wchodzimy do głównej arterii. Słychać, jak serce bije, pompuje krew. W środku jest ciemno, ciasno, dużo zakrętów. Tu Artie mnie pocałował – to był nasz pierwszy pocałunek. Oszczędzam Johnowi tego szczegółu. Przypominam sobie, jak Artie dotknął mojego policzka, odwracając mnie twarzą do siebie. Przystanęliśmy. Zaczął mnie całować. Ale nawet wspomnienia są teraz skażone zwątpieniem. Czy naprawdę odłączył się od wycieczki szkolnej, żeby sprawdzić, czy serce jest prawdziwe? A jeśli tak było, ile kobiet poderwał w sercu, może nawet w tej samej komorze? Czy był tutaj z Wiosennym Ptaszkiem? Dociera do mnie, że to właśnie powinnam powiedzieć Johnowi. Nie zna prawdy o Artiem, a ja jestem tutaj po to, żeby mu ją wyświetlić. Ale jakoś nie mogę. Gdzie indziej. Kiedy indziej.

Horda wyjątkowo hałaśliwych dzieciaków w jednakowych niebieskich szkolnych koszulach przeciska się obok mnie do prawej komory. Pomieszczenie jest za małe, za ciasne dla nas wszystkich. Powiedziałam wszystko. Mogę już iść. Muszę już iść. Natychmiast. Oglądam się za siebie, ale John zniknął. Brnę więc do przodu, przez kolejne pomieszczenia i w końcu wydostaję się na zewnątrz.

Rozglądam się, ale nie widzę Johna. Czuję się lekko zaniepokojona. Czyżbym zgubiła syna Artiego? Besztam się w myślach. Jest przecież dorosłym mężczyzną, a nie pięciolatkiem.

Wracam do kolejki, która tym razem posuwa się żwawo. Wchodzę do serca i wołam: John! Najpierw cicho, potem trochę głośniej. Znów ląduję w miejscu, gdzie Artie pocałował mnie po raz pierwszy, które zawsze uważałam za miejsce n a s z e g o pierwszego pocałunku. Z iloma kobietami dzielę tę przestrzeń? Jak to jest, że gdy ktoś nas raz oszuka, cień nieufności pada na wszystko, co się z nim wiąże? Wielkie Serce zaczyna bić głośniej.

A może to moje serce?

– John! – krzyczę. – John Bessom!

Niestety, nie mam pojęcia, jak ma na drugie imię, inaczej na pewno bym go użyła. Opieram się ręką o plastikową ścianę i przepycham się pod prąd, z jednej komory do drugiej, w końcu udaje mi się wydostać z serca na zewnątrz, na czerwoną wykładzinę. Zdyszana przeczesuję wzrokiem tłum i nagle czuję zalew radości i ulgi. Jestem zdumiona intensywnością swoich uczuć. Zachowuję się, jakbym naprawdę się bała, że zaginął i więcej go nie zobaczę.

John klęczy obok beczącego, zasmarkanego chłopczyka w białej koszulce umazanej musztardą.

– Wróci – perswaduje John. – Prosiła, żebyś stał w miejscu, jeśli się zgubisz. Więc stójmy w miejscu. To bardzo duże serce. Musiało należeć do bardzo dużej osoby. Jak myślisz? – Przy umorusanym, zagubionym dziecku wykazuje wielką pewność siebie, a umiejętność obchodzenia się z dziećmi to nie byle co. Jest w nim coś, co pozwala mu dostrzec w dziecku ludzką istotę. Chyba wciąż pamięta, jak to jest być w skórze malca. W jego głosie nie ma cienia cukierkowatej słodyczy. Po prostu pilnuje chłopca, mówi do niego, żeby go uspokoić. Chłopiec zadziera głowę do góry. Na chwilę przestaje płakać. I nagle dociera do mnie, że potrzebuję tego samego: chcę, żeby mnie ktoś odnalazł, żeby się mną zaopiekował. Może wszyscy tego potrzebujemy? Czy można chcieć czegoś więcej?

– John – mówię, jakbym wymawiała to imię pierwszy raz w życiu.

Podnosi głowę.

– Zgubiliśmy się – mówi do dziecka. – Popatrz, ta pani już mnie znalazła. Twoja mama też cię znajdzie.

– Mama! – woła chłopczyk i w pierwszej chwili myślę, że chce mi paść w objęcia. Sztywnieję, szykując się na uścisk, ale on przelatuje obok mnie i dopada potarganej dziewczyny z końskim ogonem. Łapie ją za nogi.

– Już dobrze – mówi dziewczyna. – Już wszystko dobrze.

John patrzy na mnie. W jego oczach czytam, że mam wszystko wypisane na twarzy. Najpierw robi zatroskaną minę, potem jednak uśmiecha się i wyciąga do mnie rękę.

– Może chcesz mnie trzymać za rękę, żebyśmy się już nie zgubili?

Mam ochotę powiedzieć: tak, na to właśnie mam największą ochotę. Biorę go za rękę i odchodzimy.

John podrzuca mnie do domu, gdzie trafiam na improwizowaną odprawę. Cała trójka – Elspa, Eleanor i moja matka – raczy się gorącym chlebem pita z serem brie, sącząc wino z kieliszków, które dostaliśmy z Artiem w ślubnym prezencie. Bobuś widocznie został dziś u siebie.

– Trzy rozwódki, dwie wdowy, jedna niezamężna – wylicza Eleanor, zaglądając do grafiku. – Miałyśmy rozhisteryzowaną panią adwokat, eksstriptizerkę o słabym głosie, która uczy się języka migowego, cycatą nauczycielkę rosyjskiego…

– Artie mówi po rosyjsku? – podnieca się Elspa, jak zawsze skłonna doszukiwać się w Artiem samych zalet. – Nie wiedziałam!

– Hm, kiedyś powiedział „cigarieta” i twierdził, że to po rosyjsku – mówię zduszonym głosem.

– Rosjanka jest palaczką – oznajmia moja matka z dezaprobatą i nutą niepokoju w głosie, co, na wypadek, gdybym miała pretensje, ma wyrażać skruchę z powodu wpuszczenia do domu komunistki. – Większość czasu spędziła, strzepując popiół do donicy na ganku.

– Czy przyjmował je przez cały czas w smokingu?

– W smokingu? – mówi Eleanor. – Nie, miał na sobie piżamę.

– Artie ma smoking? – Moja matka jest pod wrażeniem.

– Co to jest smoking? – pyta Elspa.

– Marynarka, w której się pali cygara – usiłuje wyjaśnić matka.

– Podobała mi się striptizerka – mówi Elspa. – Odbywa staż w szkole dla głuchoniemych, żeby sprawdzić, czy to jej powołanie.

– No i ta płaczka. Bardzo ją polubiłam – mówi mama. – Została potem na herbatę.

– Spring Melanowski? – indaguję dalej.

– Melanowski? – Eleanor sprawdza zapiski. – Dziwna babka. Nie doczekała swojej kolejki. Coś tam mamrotała, że ma ważne spotkanie.

– Jej sprawa – mówię.

Chcę i nie chcę słuchać o kobietach Artiego. Czuję się jak wtedy, gdy byłam mała i oglądałam horrory, zasłaniając oczy i podglądając przez szpary między palcami. Czy rzeczywiście nie chcę wiedzieć, które on rzucił, a które rzuciły jego? Naprawdę nie chcę znać szczegółów, dowiedzieć się, co i jak poszło źle? Naprawdę. Myślałam, że będę to lepiej znosić, ale się przeliczyłam. Wszystkie te baby przyprawiają mnie o mdłości. Chcę, żeby były mniej atrakcyjne ode mnie, bardziej zranione i rozgoryczone, tak bym mogła sobie pozwolić na luksus pogardy, ale jednocześnie jako członkini naszego klubu – klubu kobiet Artiego – nie chcę, żeby były zbyt nieatrakcyjne, zranione i rozgoryczone.

– Sądzę, że nie powinnyśmy przywiązywać większej wagi do przypadków jednostkowych – mówi Eleanor. – Ważny jest raczej efekt. Długoterminowy. W tym wszystkim liczy się naprawdę...

– Chwileczkę – przerywam jej. – A co z Artiem? Co z naszym zadośćuczynieniem? Czy zdradza oznaki skruchy?

– Śpi – mówi Elspa.

– Czy wygląda, jakby... Czy wspominał... – Nie jestem pewna, o co chcę spytać.

– Spokojnie – mówi Eleanor – to dopiero pierwszy dzień. Te wszystkie kobiety, nawet te, które zostawiają niedopałki w donicach, a może zwłaszcza one, zrobią swoje. Uważam, że na porzucone kobiety można bankowo liczyć.

Mama martwi się o mnie, widzę to po jej ściągniętej twarzy, i jest to jedna z tych dziwnych chwil, kiedy w twarzy własnej matki widzę odbicie swojej twarzy. Ulotny moment, kiedy nasz duch mieszka w innej osobie.

– Jak spędziłaś dzień z synem Artiego, Lucy?

– Wpisałam go na półgodzinne spotkanie z Artiem jutro rano – rzuca Eleanor od niechcenia.

– Artie będzie szczęśliwy! – cieszy się Elspa, równoważąc obojętny ton Eleanor.

– Elspa odrabiała lekcje ze swoich rodziców – raportuje Eleanor.

– Mam trudności – wyznaje dziewczyna.

– Jutro omówicie to z Lucy – postanawia moja matka, która nie pamięta już, że pytała o Johna Bessoma. – Ona ci pomoże.

– Poranne spotkania zaczynają się od Johna, potem przyjeżdża ta babka z Bethesda... – wylicza Eleanor.

Rozmowa znów się ożywia, ale ja mam dość. Za dużo paplaniny. Wymawiam się sennością i wychodzę z pokoju.

Mama dogania mnie w hallu.

– Dobrze się czujesz? Może masz tego dosyć? Jeśli masz dosyć, możemy odwołać wizyty.

– Trochę tego… za wiele – mówię. – Śmierć Artiego to trochę za wiele. Może ją mogłabyś odwołać?

Uśmiecha się i kręci głową ze smutkiem.

– Idę na górę popatrzeć, jak Artie oddycha. – Chcę sprawdzić, czy jego płuca wciąż pompują powietrze.

Matka kiwa głową i patrzy, jak wchodzę po schodach.

W pokoju Artiego wciąż unosi się lekka woń wody kolońskiej. Siadam w fotelu, podciągam kolana pod brodę. Nie wiem, która, poza mną, siedziała dziś w tym fotelu, co mówiły do niego te kobiety i co on do nich mówił. Mogłabym potrząsnąć nim, żeby się zbudził, powiedzieć, że nadziałam się na Wiosennego Ptaszka, indagować na temat brunetki, ale nie chce mi się teraz o tym myśleć.

Artie ma rozluźnioną twarz. Oddycha spokojnie. Smoking gdzieś zniknął. Przypominam sobie jeden z jego bilecików, jeden z tych, które wrzuciłam do szuflady w szafce nocnej. Nie pamiętam, który to był numer. „Za to, jak czasem lekko posapujesz we śnie”. Nie przypominam sobie, żebym przyglądała się śpiącemu Artiemu, kiedy byliśmy ze sobą, tymczasem on mnie obserwował. Jego miłości towarzyszy uwaga – intensywna i wnikliwa. Czy naprawdę mnie kocha? Czy to możliwe, żeby mnie kochał i zdradzał jednocześnie? Ostatecznie jestem skłonna przyjąć dodatkową dawkę miłości w ramach rekompensaty za zdradę. Coś mi się należy.

A potem przypomniałam sobie naszą rozmowę z Johnem w samochodzie przed pubem. Artie jest mi winien mowę pochwalną, ale czyż jego bileciki nie są swoistym poematem miłosnym? I, na Boga, co ja powiem o Artiem, gdy przyjdzie pora, by jego wspominać?

ROZDZIAŁ 20

Nawet jeśli seks do rzeczy,
facet trosk twych nie uleczy

Każdy dzień jest inny, ale powoli zaczynają się ze sobą zlewać. Każdy z nas żyje we własnym rytmie. W salonie często przesiadują kobiety, popijając kawę podawaną na tacy, którą przywiozła Eleanor, i zajadając ciasteczka, które moja matka piecze w ilościach hurtowych – nie potrafi się oprzeć widowni. A widownię ma nie lada!

Ukochane Artiego nie mają wspólnego mianownika – w każdym razie nie udało mi się go wypatrzyć. Reprezentują całą paletę typów. Są wśród nich wulgarne kurwiszony i wyrafinowane elegantki. Kobiety nieśmiałe, odważne, bezczelne. W kardiganie i sportowym obuwiu, z gołym pępkiem albo w modnych szpileczkach z odsłoniętą piętą.

Patrząc od strony ciastek, wygląda to następująco: niektóre grzecznie skubią, inne dziękują, wymigując się dietą, jeszcze inne pałaszują, ile się da, resztę zawijają w serwetkę i ukradkiem wrzucają do torebki.

Bobuś je uwielbia. Choć brak mu jaj, krąży po pokoju, żebrząc o okruszki ciastek, liżąc panie po gołych nogach, domagając się pieszczot. Raz dosiadł długą, cylindryczną torebkę, biorąc ją pewnie za jamniczkę.

Wiosenny Ptaszek na szczęście pojawił się wcześnie i odfrunął, dzięki czemu nie muszę zachodzić w głowę, która nim jest, choć, nie ukrywam, mam ochotę odpytać każdą z ukochanych o jej stosunek do wind.

Niektóre ukochane zapadają mi w pamięć na zawsze.

PANI DUTTON

Niemłoda. Prawdę mówiąc, całkiem stara. Ma żółtosiwe włosy, sękate dłonie i sznurowane buty na grubych, gumowych podeszwach. Jednak spod maści na artretyzm sączy się niepokojąca woń perfum.

Postanawiam odpytać ją osobiście.

– Jak też poznała pani Artiego?

– Byłam jego panią od matematyki w liceum. Nazywam się Dutton – przedstawia się belferskim tonem, jak gdyby zaraz miała wstać i wielkimi zawijasami wypisać na tablicy swoje nazwisko.

– Rozumiem – mówię. – Znała go pani dobrze?

Kiwa głową z pobłażliwym uśmiechem.

– Czy utrzymywała z nim pani kontakt przez te wszystkie lata?

– Sporadyczny. Mój mąż za nim nie przepadał.

Dochodzę do wniosku, że mąż pani Dutton mógł być przyczyną opatrzenia jej nazwiska krzyżykiem. Mężowie potrafią wprowadzać do romansu nerwową atmosferę.

– Rozumiem – mówię.

– Obawiam się, że nie do końca, ale to już nie ma znaczenia. – Klepie mnie po kolanie i mruga porozumiewawczo.

MARZIE MOTOCYKLISTKA

Wkrótce po odjeździe pani Dutton pojawia się lesbijka. Moja matka wpuszcza ją, po czym wraca do kuchni.

– Do Artiego przyjechał jakiś babochłop – mówi szeptem do Eleanor i do mnie. – Przyszła z k a s k i e m m o t o c y k l o - w y m. Ma na sobie męską koszulę, w ogóle b e z r ę k a w ó w.

Mama jest tak roztrzęsiona, że musi aż umyć ręce i przysiąść na chwilę.

Zgłaszam się na ochotnika z ciasteczkami.

Kobieta jest bardzo sympatyczna. Nazywa się Marzie. Przyjechała z New Jersey. Dawno się z Artiem nie widzieli.

– Nie mogę się doczekać jego miny, kiedy mnie zobaczy – zwierza mi się.

– Jestem pewna, że zauważył pani nazwisko na liście – studzę ją. – Na pewno czeka na panią.

– Może czeka na mnie, ale to już nie jestem j a – śmieje się. – Kiedy chodziłam z Artiem, nie wiedziałam, kim jestem. Dzięki niemu doznałam olśnienia.

– Artie pomógł się pani odnaleźć? Można wiedzieć, w jaki sposób?

Marzie pochłania kolejne ciastko.

– Jak by to powiedzieć? Przedstawił mi się jako supersamiec. Wie pani, o czym mówię?

Kiwam głową. Artie lubi się oszukiwać.

– Ale nie umiał mi dogodzić, więc pomyślałam sobie, że skoro supersamiec tego nie potrafi, to pewnie innym samcom też się nie uda. Nigdy.

– Może przecenił swoje siły? – mówię. – Supersamiec? Skąd mógł wiedzieć, czy nim jest, czy nie?

– Tak, myślę, że to była forma autoreklamy. Ale wtedy ślepo mu wierzyłam. Tymczasem okazał się beznadziejny w łóżku, rozumie pani. Nie czułam nic, ale to nic! – relacjonuje radośnie Marzie. – Więc skumałam parę rzeczy.

– Pani wybaczy, ale wolałabym, żeby pani to wszystko wyłuszczyła Artiemu. Moim zdaniem to bardzo ważne dla niego, żeby się dowiedział, jak pani nie dogodził w łóżku... i tak dalej.

Sytuacja przybiera czarowny obrót – nie posiadam się z radości. Artie będzie musiał wysłuchać, jak zawiódł w łóżku, zrażając swoją kochankę nie tylko do siebie, ale do całego gatunku męskiego. To wyśniony scenariusz. Nigdy bym na to nie wpadła!

– Dobra – mówi. – Z przyjemnością. Należy mu się.

– Niech ma za swoje!

CÓRKA

Tego samego popołudnia w drzwiach staje kobieta mniej więcej w moim wieku. Wygląda na biurwę, która urwała się z roboty przed końcem urzędowania. Witam ją na progu, przedstawiając się jako żona Artiego.

– Bardzo mi przykro – mówi, przyjmując wyciągniętą dłoń. Trudno orzec, czy jest jej przykro, bo Artie umiera, czy współczuje mi, bo jestem jego żoną, czy przeprasza mnie za to, że była jego kochanką.

– Proszę usiąść i poczęstować się. – Prowadzę ją do salonu, gdzie czeka już jakaś pani, piłując paznokcie. Pani wygląda, jakby była w wieku Artiego, może nawet parę lat starsza.

Biurwa, której jest bardzo przykro, wchodzi przez próg i staje jak wryta.

– Co ty tu robisz, do diabła?

Starsza kobieta wstaje, torebka leci jej z kolan na podłogę.

– Kochanie, pozwól, że coś ci wyjaśnię – mówi.

– Nie! – wrzeszczy biurwa. – Nie, nie, nie! To właśnie jesteś cała ty! Myślałam, że zerwanie to wina Artiego, ale teraz już wiem, kto za tym stał! Zawsze mi musisz zazdrościć! Spróbuj wreszcie żyć własnym życiem jak normalna matka!

Stoję w miejscu jak zamurowana.

Biurwa robi w tył zwrot. Trzaska frontowymi drzwiami.

Starsza pani schyla się, żeby zebrać z podłogi zawartość torebki.

– Tak mi głupio. – Patrzy mi w oczy i siada z powrotem. – Zawsze robi z igły widły. – Kiwa ponuro głową. – Zresztą to była głównie wina Artiego.

Wcale nie dałabym głowy.

ZAKONNICA

Eleanor z posterunku na dole schodów chętnie wsłuchuje się w co głośniejsze i bardziej zażarte rozmowy. Czasem znika na górze, gdzie bez skrępowania wystaje na korytarzu. Od czasu do czasu notuje coś, ale nie umiem powiedzieć co. Raz czy drugi słyszałam, jak przeklina pod nosem Artiego.

Co pewien czas kobiety na górze zaczynają się drzeć na cały dom. Jedna ruda dostała takiego szału, że zbiegłyśmy się wszystkie.

– Kiedy mnie poznałeś, byłam zakonnicą!

– Grałaś zakonnicę z *Dźwięków muzyki* w teatrze objazdowym. To nie to samo!

Zapadła grobowa cisza. Wreszcie ruda odzyskała głos.

– Jak śmiesz! To była produkcja Związku Artystów Scenicznych.

KOBIETA Z LAZANIĄ

Tym razem drzwi otwiera Eleanor. Jestem w kuchni i na nic nie zwracam uwagi. Nie podnoszę głowy znad arkuszy kalkulacyjnych, które Lindsay przefaksowała mi do domu. Później się dowiaduję, co działo się pod moją nieobecność. A było tak:

Przybyła miała zaróżowione policzki, lecz jej twarz była zatroskana stosownie do okoliczności nieuchronnego odejścia. Wręczyła Eleanor owiniętą w folię lazanię.

– Nie szalałam z przyprawami. Nie do końca wiem, jaki mają skutek, rozumiecie – powiedziała, rozglądając się po salonie pełnym pań wertujących czasopisma.

– Niepotrzebnie się pani fatygowała – stwierdziła Eleanor.

– Mogłam się przydać choć na tyle. Chciałam jakoś pomóc.

– Rozumiem. Jak się pani nazywa?

– Jamie Petrie. Mieszkam na tej samej ulicy.

– Cały Artie – zasyczała pod nosem Eleanor. – Nie sądziłam, że jest do tego zdolny. No, ale można się było tego spodziewać.

– Słucham?

– Nie przypominam sobie pani nazwiska na liście – powiedziała Eleanor.

– Jakiej liście?

– Proszę, niech pani usiądzie.

– Lucy jest w domu? Chciałabym się z nią zobaczyć.

Eleanor taksowała ją wzrokiem przez chwilę.

– Lucy? Zaraz zobaczę. Proszę usiąść.

Kobieta podeszła do Eleanor.

– Kim są te kobiety? – spytała konspiracyjnie.

– Innymi kochanicami Artiego. Myśli pani, że jest jedyną?

– Nie rozumiem. – Kobieta zesztywniała. – Przyszłam, żeby opowiedzieć paniom o nowej partii świec – oznajmiła, jakby to wyjaśniało wszystko.

– Proszę chwilkę zaczekać – poprosiła Eleanor i wymaszerowała z salonu.

– Jakaś baba próbuje przekupić nas lazanią i wśliznąć się bez kolejki. Chyba też chce rozmawiać z tobą – głos Eleanor odrywa mnie od obliczeń.

– Ze mną?

– Tak.

– Nie chcę rozmawiać z żadną z nich. Nadmiar informacji. Rozumiesz?

– Cóż, ta może być interesująca. Mówi, że jest sąsiadką. Werbuje do Partii Świec. W życiu o takiej partii nie słyszałam.

Siedzę lekko otumaniona rewelacjami Eleanor. Potrzebuję czasu na zastanowienie. Najpierw pojawia się myśl, że Artie Shoreman to podlec. Budzi się we mnie gwałtowna, niekłamana nienawiść. Coś mi jednak nie pasuje w słowie „sąsiadka". Niemożliwe. Artie wyznał mi wszystko, wyznał aż za wiele. Sąsiadka z lazanią? Werbuje do Partii Świec?

– Rany! – mówię. – Co jej powiedziałaś? O nie, o nie, o nie. – Rzucam się do salonu, gdzie zastaję Jamie Petrie, sąsiadkę, zagorzałą akwizytorkę zapachowych świec okolicznościowych. Właśnie korzysta z okazji, żeby wręczyć swoje wizytówki wszystkim zebranym w salonie. Szczerze mówiąc, nigdy nie lubiłam Jamie Petrie. Jest nachalna. Zachłystuje się szczęściem z powodu Nowej Linii Jesiennych Zapachów – Wszystko Od Amaretto Do Jabłecznika! Ilekroć ją spotykam, zawsze mnie prosi, żebym nie wahała się zgłaszać jej moich oczekiwań dotyczących świec zapachowych. W życiu nie miałam oczekiwań wobec świec zapachowych.

– Czekam na telefon, jeśli interesuje panie nasza nowa partia świec! – zwraca się do kobiet, które patrzą na nią ze zdziwieniem.

– Jamie! Miło cię widzieć! – mówię. – Nie wiem, jak ci dziękować, że wpadłaś!

– Nie ma za co. Bardzo to przeżywam. Masz – mówi, wyciągając z torebki białe pudełeczko obwiązane szkarłatną wstążką. – Aromat lawendowy, silne właściwości lecznicze.

– Dziękuję.

– No i jest to dowód, że świece zapachowe nadają się na k a ż d ą okazję.

– Nawet śmierci.

– Dokładnie! – Niezrażona niestosownością sytuacji korzysta z szansy zareklamowania towaru. Wodzi wzrokiem po salonie wypełnionym klientkami *in spe.* – Tak się cieszę, że wpadłam właśnie w tej chwili. Nie pomijam żadnej okazji spotkania z kobietami. Powinnyśmy zawsze dbać o czas dla siebie i czas dla siebie nawzajem!

– Święta prawda – mówię. – Może ciastko?

FAZA ZAPRZECZANIA I FAZA PERTRAKTACJI –
ELEANOR CZUWA NAD PRZEBIEGIEM PROCESU

Kolejna kobieta spływa z wdziękiem po schodach, zmierzając w stronę wyjścia. Nagle jednak zatrzymuje się i odwraca do pozostałych pań.

– Zaprzecza, że mnie zdradzał. Nie do wiary! Twierdzi, że jego wspomnienia różnią się od moich. – Patrzy na oczekujące, mówi „powodzenia" i wychodzi.

Inna kobieta tego samego dnia na odchodnym donosi, że Artie próbował z nią pertraktować.

– „Co ci szkodzi zapomnieć, jakim byłem dupkiem? Co mógłbym zrobić dla ciebie, żebyś to wyrzuciła z pamięci?" – Kobieta chwyta Eleanor za łokieć. – Ale miałam ubaw. „Nie licz na to", mówię mu. Koniec, kropka.

Eleanor wydaje się delektować tymi rewelacjami. Odprowadzając kobietę do wyjścia, bazgrze jak szalona w swoim notatniku. Zatrzymuję ją, kiedy idzie w stronę schodów.

– Co piszesz? – pytam.

– Nic takiego – mówi wstydliwie.

– Tulisz notatnik do piersi – mówię. – Wypadałoby się chyba podzielić informacjami. Co tam ciągle ścibisz?

– Takie tam... luźne inspiracje.

– Na przykład?

Waha się przez chwilę, czy mnie wtajemniczyć.

– No dobra – ustępuje. – Artie przechodzi przez siedem stadiów żałoby.

– Tak sądzisz? W drodze do zaakceptowania swojej śmierci?

Patrzy na mnie wybałuszonymi oczyma, wstrząśnięta moją naiwnością.

– W drodze do zaakceptowania swojej niewierności! Zaakceptowania sukinsyna w sobie!

– O! A ja myślałam, że on godzi się ze swoją śmiercią.

– To też. Jednak nie mam tego jak rejestrować. Wiem tylko, że zaprzeczał, jakoby zdradzał jedną z tych kobiet, a następnie próbował pertraktować z drugą. Obudził się w nim gniew, silny zwłaszcza przy tej aktorce. Pamiętasz. Na koniec będzie rozpaczać, potem nastąpi akceptacja.

– Czy naprawdę chcemy, żeby się zaakceptował? – Wcale mi nie zależy, żeby Artie zaakceptował swojego wewnętrznego zdrajcę. Wiem o nim i bez tego.

– Nie chodzi o to, żeby akceptował, jaki jest, tylko by zaakceptował to, co robił, po to żeby się zmienić.

– A ty to wszystko rejestrujesz? – pytam sceptycznie. Jak można rejestrować proces transformacji sumienia Artiego?

Patrzy na notatnik, po czym znów przyciska go do piersi.

– Tak – mówi. – To właśnie robię.

ROZDZIAŁ 21

Nie podsłuchuj, uczy mama.
Ale to do wiedzy brama!

John Bessom staje się częstym gościem, niemal domownikiem. Wciąż jeszcze zachowuje się trochę nerwowo. Ma w sobie jakąś, zapewne wyniesioną z dzieciństwa, potrzebę przypodobania się. Ojcu? Chodzi z rękami w kieszeniach, ale widać, że jest to wymuszona swoboda. Kiedy siedzi, czekając, aż któraś z ukochanych wyjdzie, uderza kolanem o kolano. Wzrusza mnie tym, rozczula wręcz. Po tylu latach wciąż mu zależy i, na przekór jego zaprzeczeniom, wciąż między nim a Artiem jest coś niedokończonego, coś, co próbuje wyjaśnić, dokończyć...

Zaszyci w sypialni przegadali z Artiem całe popołudnie. Kiedy przyszedł na pierwsze spotkanie, wisiałam na telefonie, rozmawiając z Lindsay. Lindsay wciąż dzwoni, ale już bez paniki, tylko po radę. Drobny awans i miła podwyżka dodały jej pewności siebie. Nie pociągają jej projekty na wariata. Jej głos już nie brzmi, jak gdyby rozmawiała w biegu.

Słyszałam, jak John rozmawia na korytarzu z Eleanor, która – jak za życia małżonka – roztacza służbową aurę i dyryguje wszystkim z niewiarygodną precyzją.

Lindsay plotła piąte przez dziesiąte.

– Jesteś profesjonalistką – pochwaliłam ją, żeby uciąć paplaninę. – Trafiasz w dziesiątkę. – Ze schodów dobiegały głosy Johna i Eleanor, więc musiałam kończyć rozmowę, ponieważ zamierzałam podsłuchiwać. Taka jest prawda.

Ale Lindsay właśnie profesjonalnie relacjonowała zarządzenia Komisji Papierów Wartościowych i Giełdy.

– Wspaniale – wyraziłam podziw. – Czy mogłabyś to spisać? Muszę rozesłać sprawozdanie naszym klientom.

W końcu udało mi się oderwać od telefonu i wyminąwszy kobietę, która w salonie zawijała ciastka w serwetkę, wejść bezszelestnie na górę, gdzie zastałam Eleanor ścierającą kurz z framugi drzwi naprzeciwko sypialni i siedzącą po turecku Elspę, która nawet nie próbowała udawać, że ma cokolwiek do roboty pod drzwiami. Tego ranka mama pojechała na rozmowę z przedsiębiorcą pogrzebowym – stara się nie zawracać mi głowy smutnymi detalami. Gdyby nie obowiązki, na pewno by jej tutaj nie zabrakło. Eleanor i Elspa, przyłapane na gorącym uczynku, odważnie wytrzymały moje spojrzenie.

– Za dużo nas tutaj – szepnęłam, kręcąc głową. – Za bardzo rzucamy się w oczy. Idźcie na dół. Potem wam opowiem.

Obie były wyraźnie zawiedzione. Elspa zebrała się z podłogi i powlokła niechętnie w stronę schodów. Eleanor wręczyła mi notatnik z ołówkiem.

– Notuj – poleciła.

Ledwie odeszły, przyłożyłam ucho do drzwi. Już i tak przez Lindsay straciłam kawałek rozmowy. Zza drzwi dobiegały ciche, stłumione głosy przerywane wybuchami śmiechu. Dopiero po chwili zaczęłam rozróżniać słowa.

– Mieszka teraz na Zachodzie – mówił John.

– Z kowbojem?

– Z bogatym kowbojem.

– Więc nie miałeś trudnego dzieciństwa?

– Roznosiłem gazety i miałem psa. Ona czasem robiła mi kanapki. Nauczyła mnie skutecznie przeklinać i paru innych zakazanych umiejętności.

– Przydatnych umiejętności.

– Można to streścić w paru słowach: trochę serca, wiele hałasu...

– Ja też nauczyłem się przeklinać od matki – stwierdził Artie. – Mamy coś wspólnego.

Zapadła cisza.

– Chciałem być z tobą – podjął Artie. – Mówiła ci o tym? Chciałem być obecny w twoim życiu, ale ona na to nie pozwoliła.

Byłam ciekawa, czy John zacznie teraz znaną śpiewkę o tym, że nic go nie łączy z Artiem. Miałam wrażenie, że wmówił sobie tę dziwną mantrę, żeby przeżyć. Zamknęłam oczy, wstrzymując oddech. Wiedziałam, że Artie chce usłyszeć coś innego, potrzebuje jakiejś deklaracji.

– P r ó b o w a ł e ś, naprawdę? – spytał John.

– Powiedziała mi, że mnie nienawidzisz. Mówiła, że tylko namieszam i poprzestawiam ci w głowie.

– Miałem i tak nieźle namieszane w głowie, ale teraz to i tak nie ma znaczenia.

– I tak byłem przy tobie.

– Jak to? – zdumiał się John.

– Widziałem cię w sztuce o jakichś tam księżniczkach na materacach.

– W ósmej klasie?

– Obejrzałem wiele twoich meczów baseballowych. Widziałem ten, który przegraliście z powodu błędu rozgrywającego. Byłem na tamtych rozgrywkach.

– Byłeś tam?

– Na maturze też byłem. Wybierałem miejsca na obrzeżach: ostatni rząd na trybunach, ostatni rząd krzeseł w teatrze. Raz twoja matka chyba mnie zobaczyła, ale udała, że mnie nie widzi. Pozwoliła mi zostać. – Kolejne sekrety Artiego, tym razem jednak pełne czułości i pokory.

– Cóż, ja też chciałem, żebyś był przy mnie. Kolejna wspólna rzecz – powiedział John.

Nie wiem, kiedy w życiu słyszałam coś równie wzruszającego. Mogła to być prawda lub nie, ale brzmiało jak prawda.

To właśnie chciałam usłyszeć. Dotarło do mnie, że nie do końca byłam pewna, czy John będzie dość delikatny wobec Artiego. Jednak nie zawiódł. Przez te wszystkie lata istniała między nimi więź, chociaż John o tym nie wiedział. Wydawał się rozumieć, jak to spotkanie jest dla Artiego niesamowicie ważne. Teraz dotarło do mnie, że John również mógł wiele zyskać pod warunkiem, iż nie do końca wierzył w swoją starą śpiewkę o tym, że nic go nie łączy z Artiem, a to, co powiedział Artiemu, było prawdą. Tak czy owak ogarnęły mnie nagle wyrzuty sumienia. To była relacja, którą sami musieli zbudować. Odeszłam, by uszanować ich prywatność.

Problem z podsłuchiwaniem polega między innymi na tym, że trudno wymazać to, co się usłyszało. Uświadamiam sobie, że mam ochotę wypytać Johna o jego dzieciństwo. Dowiedzieć się, czy czuł gniew do Artiego przez te wszystkie lata. Wypytać go o matkę i dowiedzieć się, dlaczego mu się głos załamywał. Spytać, czy świadomość, że Artie był przy nim, przemykając się po obrzeżach jego dzieciństwa, coś zmienia. Jak się z tym czuje? Zastanawiam się, czy to by coś zmieniło, gdybym czegoś podobnego dowiedziała się o swoim ojcu? Zazdroszczę trochę Johnowi, że miał szansę zobaczyć ojca w innym świetle. Ja nigdy takiej szansy nie dostanę.

Tymczasem nie rozmawiamy na żaden z tych tematów podczas naszej – żeby użyć słów Johna – Wyprawy Artiestycznej. Jeździmy we dwoje po Filadelfii. Teraz, kiedy Artie opowiedział mu trochę o swoim dzieciństwie, John prosi mnie, żebyśmy przystanęli w paru miejscach. Podjechaliśmy pod dom, w którym Artie mieszkał w dzieciństwie, pod jego szkoły, a któregoś dnia wylądowaliśmy przed hotelem, w którym pracował jako boy. Hotel nie zmienił się od tamtych czasów, ma w sobie staroświecki urok, złocenia, ciężkie ozdobne drzwi obrotowe i odźwiernego w nieznośnie eleganckim uniformie.

– Poznał tutaj smak bogactwa – mówię Johnowi. – Dorabiał w hotelu po to, żeby być bliżej możnych tego świata, poznać smak ich życia. I nie tylko. Chciał poznać ich gestykulację, akcent, sposób, w jaki zwijają banknot, zanim wsuną mu go do ręki. Miał odkładać pieniądze na studia, ale wydał je na lekcje golfa i tenisa. Sporty zamożnych ludzi.

– I opłaciło się – mówi John, zmieniając bieg swoją wielką dłonią.

– Owszem – mówię.

– Na kortach zresztą, jak wiesz, poznał moją matkę.

Po raz pierwszy John mówi coś o sobie.

– Nie, nie wiedziałam.

– Myślałem, że wiesz.

– Jaka wtedy była? – pytam.

– Nie wiem. Taka jak teraz, może nie aż taka chytra, ale nie dałbym głowy. Ona też uczyła się udawania. – John wrzuca luz. – Podobało ci się to w Artiem?

– Co?

– To, że był bogaty. – John patrzy mi prosto w oczy. Ze ściągniętymi, melancholijnie opadającymi na końcach brwiami wygląda czasem, jakby świat go ranił.

– Nie – odpowiadam. – Szczerze mówiąc, podobało mi się, że zaczynał od zera. Pieniądze skomplikowały wiele spraw.

– Na przykład? – pyta.

Sama nie wiem. Trudno mi to ująć w słowa. Sądzę, że to właśnie pieniądze były przyczyną rozpadu naszego małżeństwa. Nie chciałam, żeby myślał, że na nie lecę. Sama zarabiałam nieźle, więc zachowaliśmy rozdzielność majątkową. Dawało to Artiemu swobodę, której nie potrafił unieść. Gdybyśmy mieli wspólne konto, na pewno bym zauważyła wydatki na jego ukochane. Pokoje hotelowe? Kolacje w restauracjach, w których nigdy nie byłam? To jednak sprawy uboczne. Sedno tkwi gdzie indziej.

– Rzecz w tym, że nauczył się udawać zamożnego. Wtedy nauczył się oszukiwać. – Czuję, jak łzy napływają mi do oczu. Uciekam wzrokiem za okno. Próbuję wyjaśnić Johnowi potencjalne źródło niewierności Artiego. Gdyby się nie nauczył udawać, że ma pieniądze, nie potrafiłby z taką wprawą odgrywać wiernego małżonka.

– Hm – mówi John. Chyba zaczyna się domyślać, że między mną a Artiem nie wszystko układa się gładko. – Wiesz, czego nam trzeba?

– Czego? – pytam, dyskretnie wycierając łzy.

– Przerwy na big maca. Ten starożytny specyfik posiada nadprzyrodzoną moc. Budda koncentrował się na nim, siedząc w lotosie. Egipcjanom dodawał sił do budowy piramid. Co ty na to?

– Dwie przecznice stąd w lewo. Znakomite miejsce. Dają podwójny keczup.

– Strudzonym wędrowcom?

– Nie, spragnionym keczupu pielgrzymom...

– Zatem do świątyni podwójnego keczupu!?

– A jakże – mówię i zauważam, że kiedy John się wygłupia, jedna noga mu podryguje jak u dziecka.

– Czy patronem jest święty Donald?

– Chodziłeś do katolickich szkół czy jak?

– Trudno o lepsze miejsce do podrywania katolickich dziewcząt.

Przez moment, kiedy skręca, a jego ręce krzyżują się nad kierownicą, zastanawiam się, jak by to było, gdybym była jedną z tych dziewcząt – prawdziwych lub zmyślonych. Wyobrażam sobie, że całuję się z nim na tylnym siedzeniu auta albo wśród wrzawy szkolnego meczu piłki nożnej. Próbuję zgadnąć, jaki był w tamtych czasach. Czy był wysokim chudzielcem złożonym z samych rąk i nóg? Czy nosił modne fryzury? Dżinsowe kurtki? Wiem, że nie powinnam tego robić. Nie wypada snuć takich fantazji o odnalezionym synu własnego męża. Co by na to powiedział Freud?

John zatrzymuje samochód przed McDonaldem.

– Dotarliśmy do ziemi świętej. Czy musimy się najpierw wyspowiadać?

Strach pomyśleć, z czego musiałabym się wyspowiadać.

– Opuszczamy ten punkt programu – oświadczam.

ROZDZIAŁ 22

**Zagubiony mężczyzna –
pewna na twym sercu blizna**

Część każdego wieczoru spędzam z Elspą. Próbujemy stworzyć plan odzyskania Rose. Uważam Elspę za osobę wygadaną, pełną ciekawych, zaskakujących spostrzeżeń. Kiedy jednak pojawia się temat rodziców, Elspa zamyka się w sobie. Wygłasza mgliste frazesy o trudnej miłości.

Siedzi teraz na łóżku w gościnnym pokoju, bawiąc się na przemian suwakiem bluzy lub spiralą notesu, ja zaś przechadzam się, zadając pytania najłagodniej, jak potrafię – co jednak prowadzi donikąd.

Wiem, że jej rodzice mieszkają w Baltimore. Recenzuje ich surowo – jej matka jest „chłodna i nieprzystępna", ojciec „zazwyczaj nieobecny". W zwięzłych słowach opisała mi też meliny narkotykowe w śródmieściu i swoje kontakty. Często coś pisze w pamiętniku, ale nie chce mi go dać do czytania.

– Jestem beznadziejną pisarką. To takie nieporadne, aż mi wstyd. – Nie zgadza się też opowiedzieć o tym, co zawiera pamiętnik.

Popołudnie, kiedy po raz ostatni bawię się w pracownika opieki społecznej, przebiega następująco.

– Mówiłaś, że nie podpisywałaś żadnych dokumentów. Jak wygląda kwestia praw rodzicielskich?

– Wszystko jest nieformalne. Nigdy nie było żadnych adwokatów. To byłoby zbyt żenujące dla moich rodziców.

– To dobrze – mówię. – Żadnych adwokatów. Bardzo dobrze. – Zastanawiam się przez chwilę. – Chyba byłoby lepiej, gdybym poznała ich trochę, zanim będziemy prosić o oddanie dziecka.

Kiwa głowa, ale nic nie mówi.

– Nie masz żadnych konkretnych wspomnień? W ogóle? Co się z tobą dzieje? – niecierpliwię się. Przez te dni, kiedy służyłam za przewodniczkę Wypraw Artiestycznych, tak bardzo nurzałam się w przeszłości, że wierzyć mi się nie chce, że ona nie może wygrzebać dla mnie chociaż jednego, jedynego wspomnienia. Zawsze uważałam, że mam talent do ciągnięcia ludzi za język, ale Elspa najwyraźniej nie ma na to ochoty.

Długo patrzy w milczeniu przez okno, a kiedy odwraca się do mnie, widzę, że płacze. To oczywiste, że ma wspomnienia. Tonie w nich, osaczają ją ze wszystkich stron. Siadam obok niej.

– Pojedźmy tam po prostu – mówię. – Zadzwoń do nich i powiedz, że chcesz ich odwiedzić. Może dzięki takiej wizycie pozwolisz mi sobie pomóc. Jedźmy tam! Możesz do nich zadzwonić?

Kiwa głową.

– Zrobimy, co się tylko da.

Kiwa głową.

– W porządku – mówię. – Wobec tego mamy już plan. Nie jest to wielki plan, ale zawsze jakiś. – Wstaję i ruszam do drzwi. Trzymam rękę na klamce, kiedy Elspa odzywa się.

– Lucy... – mówi.

– O co chodzi?

– Czy mogłybyśmy to zrobić niedługo? To znaczy prędzej niż później? Czekanie mnie wykańcza. Co będzie, jeśli się nie uda? Chcę jak najszybciej wiedzieć...

– W porządku – mówię. – Zadzwoń do rodziców. Niech powiedzą, kiedy możemy przyjechać.

Wzdycha i pociera oczy palcami, a nos grzbietem dłoni.

– Tak zrobię. Myślę, że już jestem gotowa. – Patrzy na mnie. – Jestem gotowa.

Po wyjściu z jej pokoju idę do zatopionej w półmroku kuchni. Nie zapalam światła. Czy j a jestem gotowa, zastanawiam się. Czy jestem gotowa na to wszystko? Czuję, że mam tego wszystkiego powyżej uszu, że to mnie przytłacza. Potrzebuję czegoś słodkiego na pocieszenie. Zaglądam do lodówki. Czy pomogę Elspie odzyskać córeczkę? Kim jest Elspa? Czy zorganizowałam dla syna mojego męża „wyprawy poznawcze" po życiu jego ojca po to, żeby John zbliżył się do niego przed śmiercią? Czy może robię to dla siebie? Czyż nie fantazjowałam o Johnie w dżinsowej kurtce na szkolnym meczu?

W lodówce jest tylko kilka niskokalorycznych jogurtów. To nie wystarczy. Otwieram zamrażalnik i wytaczam ciężką artylerię – kilka litrowych pojemników lodów Häagen-Dazs. Stawiam pojemniki na kuchennej ladzie.

Odwracam się i widzę matkę siedzącą w mroku nad miseczką lodów.

– Ty też? – pyta. Ma lekko rozmazany makijaż i wygląda, jakby jej przybyło lat.

– Ja też. Ostatnio nie jest mi łatwo.

– To się zdarza – mówi, elegancko jedząc lody. Zawsze je wytwornie. Nigdy nie nabiera za dużo na łyżkę. – Życie ma swoje cykle. Co u Elspy?

– Jest gotowa. Chyba – zbywam ją. Zaczynam nakładać łyżką lody, po kilka gałek każdego smaku. – Czy ty mnie tego nauczyłaś?

– Wszystkiego cię nauczyłam.

– Z niektórych nauk zrezygnowałam – mówię.

– Tak uważasz?

– Nie uważam. Wiem – odpowiadam.

– Jesteśmy bardziej podobne, niż ci się wydaje.

Siadam naprzeciwko niej i wzdycham.

– Nie zaczynajmy tego od nowa.

– Dobrze – mówi. – Jest jedna duża różnica.

– A to niby jaka?

– Jesteś bardziej wielkoduszna ode mnie.

– Nie sądzę. Ty byś już dawno wybaczyła Artiemu. Nadal nie stać mnie na taką wielkoduszność.

– Tak, ale mój sekret polega na tym, że ja bym wybaczyła Artiemu, bo tak jest łatwiej.

– Łatwiej? Żartujesz chyba.

– Łatwiej na dłuższą metę – mówi. – To pewien rodzaj rezygnacji. Poza tym mam nad tobą sporą przewagę. W m o - i c h czasach po mężczyźnie spodziewano się, że będzie słabeuszem i zdrajcą. Byłyśmy nastawione na to, że będziemy musiały im wybaczać. Miałyśmy szczęście.

– Nie wydaje mi się to szczególnym szczęściem.

– Dzisiejsze kobiety mają duże wymagania – mówi mama. – Chcą mieć partnerów równych sobie. Moje pokolenie... No cóż, myśmy wiedziały, że mężczyźni nigdy nam nie dorównają. W najistotniejszych sprawach my jesteśmy silniejsze. Zajrzyj do jakiegokolwiek domu starców. Kogo tam znajdziesz? Kobiety. Prawie same kobiety. Dlaczego?

– No, choćby z powodu wojny.

– Zgoda, niech będzie, że przez wojnę. Ale prawda jest przede wszystkim taka, że kobiety mają umiejętność przetrwania. To nasza rola. Jesteśmy silniejsze psychicznie i przez te wszystkie wieki, kiedy mężczyźni uważali się za lepszych od nas, byli w błędzie. Myśmy tylko pozwalały im w to wierzyć, ponieważ są słabi. A potem pojawiły się femi-

nistki (nie zrozum mnie źle, uwielbiam feministki) i wywró-
ciły cały porządek.

– To nie był dobry porządek – mówię.

– Miał słabe strony, fakt. A Artie należy do pokolenia w połowie drogi między tobą a mną. Pokolenia Zagubionych Mężczyzn,
dla których wszystko, czego się nauczyli w dzieciństwie, stało
się bezużyteczne. Nagle okazało się, że muszą opanować umiejętności, o których nie mieli pojęcia. Słuchanie. Intuicję. Czułość.
Cierpliwość podczas zakupów, zainteresowanie wystrojem
wnętrz. Żal patrzeć, jak utknęli na przecięciu dwu światów,
przyznasz sama.

– Wcale ich nie żałuję.

– To, co chcę powiedzieć, jest proste: nie spodziewałyśmy się
wiele po mężczyznach, więc było nam łatwiej, kiedy nas zawied-
li. Było nam też łatwiej im wybaczać.

– Ale oni bynajmniej nie zasługują na przebaczenie. Nie
wszyscy. Na przykład mój ojciec.

– Twój ojciec – mówi, unosząc znacząco łyżeczkę, jakby zaraz miał paść kluczowy argument – był taki, jaki był. Trudno go
o to winić.

– Ja go winię – mówię. – Nie miał prawa nas porzucić.

Myśli przez chwilę.

– Czy jesteś pewna – pyta, nachylając się do mnie – czy jesteś
całkiem pewna, że masz o to pretensję do tego, do kogo trzeba?

– Co chcesz powiedzieć?

– Dobrze wiesz, co chcę powiedzieć.

– Nie.

– Winy nie można przerzucić. Jeden człowiek nie może odpowiadać za występki całej zbiorowości – mówi, wyskrobując
lody z dna. – Słyszałam, że tak robią w Chinach, ale my żyjemy
w Ameryce.

– W Chinach?

– Tak, w Chinach. – Wstaje, żeby wstawić miseczkę do
zlewu. – W Chinach wina ojca przechodzi na syna. Naprawdę!

Również z tego powodu się cieszę, że jestem Amerykanką. Każdemu według jego zasług – mówi, płucząc miseczkę. – Powinnaś się uczyć od mojego pokolenia. Nie należy mylić ojców z synami. Jadę na noc do domu. – Przystaje w drzwiach i klaszcze w dłonie. Bobuś wyskakuje z jakiegoś kąta na rozjeżdżających się łapach. Mama bierze go na ręce. – Zapalić? – pyta, wskazując na kontakt.

W głowie dźwięczy mi jedno zdanie: „Nie należy mylić ojców z synami". Co chciała przez to powiedzieć? To kolejna cecha kobiet z jej pokolenia – mówią pewne rzeczy, choć wcale ich nie mówią. Mówią między wierszami. Ich język zawiera pewien szyfr. Czy zastanawia się nad tym, jak spędzam popołudnia z Johnem Bessomem? Czy coś podejrzewa? Moja matka zawsze podejrzliwie się odnosiła do męsko-damskich sam na sam. Jej nieufność może być też pokoleniowa.

– Nie – odpowiadam. – Zostaw światło zgaszone. Lubię czasem posiedzieć w ciemnościach.

– Ja też! Widzisz, jakie jesteśmy podobne.

ROZDZIAŁ 23

Zagubione kobiety
chodzą po świecie, niestety

Parę dni później zabieram Johna nad brzeg Schuylkill, gdzie Artie mi się oświadczył. To kolejny punkt programu Wypraw Artiestycznych, mimo to czuję się trochę nieswojo. Nadal dręczą mnie słowa matki: „nie należy mylić ojców z synami", ale jeszcze bardziej jej uwaga, że winy nie można przerzucić. Co miała na myśli? Mogłabym ją, naturalnie, zapytać, nie mam jednak ochoty na kolejną rozmowę w jej stylu. Nie jestem też wcale pewna, czy umiałaby wytłumaczyć, o co jej szło.

Patrzymy z Johnem na śmigające w obie strony łodzie, rytmiczne ruchy wioślarzy. Jest ciepło. Od wody wieje lekka bryza.

Mam opowiedzieć, jak Artie mi się oświadczył. Jakoś nie mogę zacząć i boję się, że wygląda to tak, jakbym milczała dla większego efektu.

– Nie wiem, od czego zacząć – przyznaję się.

– Jaka była pora roku? – podsuwa John.

– Zima – mówię. – Brzegi rzeki były skute lodem.

Wyczuwa w moim głosie lekkie napięcie.

– Nie musimy tego koniecznie teraz robić – mówi.

– Jak sądzisz, która płeć jest silniejsza psychicznie? Mężczyźni czy kobiety?

– Kobiety – mówi bez wahania.

– Mówisz tak, bo uważasz, że tak wypada?

– Nie.

Myślę o tym, jak łatwo było pokoleniu mojej matki uważać, że mężczyźni są silniejsi od kobiet.

– Czy aby nie jesteś protekcjonalny?

– Czy nie zadajesz podchwytliwych pytań? Co mam niby powiedzieć?

– Czy należysz do Pokolenia Zagubionych Mężczyzn?

– Chyba każde pokolenie mężczyzn jest zagubione. Czyż to nie jest nasz znak rozpoznawczy?

– Znowu to samo – zżymam się.

– Co takiego? – pyta.

– Mówisz to, co uważasz, że chcę usłyszeć, lub, co gorsza, że p o w i n n a m usłyszeć.

Zastanawia się przez chwilę.

– Prawdę mówiąc, nie wiedziałem o tym, że istnieje coś takiego jak Pokolenie Zagubionych Mężczyzn. Pisali o tym w „New York Timesie" czy coś w tym stylu?

– Moja mama to wymyśliła.

– Skoro tak, to spokojnie mogę należeć do Pokolenia Zagubionych Mężczyzn. Przez większość czasu czuję się zagubiony, w dodatku kobiety wcale nie pomagają mi się odnaleźć. Czy jest to wystarczająco uczciwa odpowiedź?

Kiwam głową.

– To rzeczywiście było podstępne pytanie.

– Wiesz co, twoja mama powinna pisywać artykuły do „New York Timesa". Ma ucho do chwytliwych sloganów. Może daleko zajść w tej branży.

– Nie omieszkam jej tego powiedzieć. – Przenoszę wzrok z rzeki na Johna. – Ale jesteśmy tutaj. W kolejnym punkcie naszej wyprawy. Zadajesz następne pytanie.

– O to, kto jest silniejszy, mężczyźni czy kobiety? Mam cię prosić o kolejną bajeczkę o odwiecznej walce płci?

– Nie, nic z tych rzeczy.

– W porządku – mówi. – Czy oświadczyny Artiego były spontaniczne, czy wcześniej je przećwiczył?

Wiem, że to wspomnienie powinno obudzić we mnie wiele emocji. Tak też jest, ale inaczej, niż przypuszczałam. Opowiadanie Johnowi o Artiem przynosi mi ulgę, nie da się ukryć. Poza tym wydaje się ważne dla Johna. Chłonie najdrobniejsze szczegóły z życia ojca. Patrzy na mnie z głęboką uwagą i czuję, że naprawdę poznaje swojego ojca, że to, co mówię, zapada mu w serce, zakorzenia się i zaczyna żyć własnym życiem. Z drugiej strony mam wrażenie, jakbym przerzucała na niego przeszłość – nie tak, jak się przerzuca obowiązki czy przekazuje pamięć o kimś, ale po każdym spotkaniu jest mi lżej na sercu. Chodzi tu raczej o uczucie, że ktoś to wszystko ze mną dzieli.

– Wypadło spontanicznie, ale Artie lubi ćwiczyć ważne wystąpienia. Wydobył się z mało atrakcyjnego świata dzieciństwa dzięki zdobyciu pewnej ogłady. Czasem udawało mi się przeniknąć przez te pozory, ale nie zawsze.

– Kiedy nadejdzie dla mnie taka chwila, mam nadzieję, że nie będę wyznawał miłości mojego życia na zimno – mówi John. – Chciałbym to zrobić w porywie serca, w uniesieniu. – Wędruje wzrokiem w stronę Schuylkill, wiatr marszczy na nim koszulę.

– Masz rację. Najlepiej odłożyć dyplomację na bok. Tylko czysta prawda. Kalkulacje Artiego napytały mu zresztą kłopotów. Umiał wyreżyserować chwilę i robił to nieustannie, ale te chwile zsumowały się na życie złożone z drobnych występków.

John patrzy na mnie pytająco.

– Drobnych wykroczeń przeciwko sercu. – Wzruszam ramionami. – Kto wie, czy w sumie nie złożyły się na poważną zbrodnię.

– Co masz na myśli? – pyta John, ale ja udaję, że nie słyszę, i ruszam do samochodu.

Zmierzamy do Manilli, ulubionego lokalu Artiego – trzeciorzędnej knajpy w St. David. Siadamy w narożnym boksie.

– Artie lubił to miejsce. Tutaj przychodził rozmyślać – mówię Johnowi.

W pierwszej chwili jest zaskoczony.

– Miał tyle kasy i tu przychodził rozmyślać?

– W takich miejscach czuł się swobodnie – wyjaśniam.

Zamawiamy specjalności zakładu – lepkie od tłuszczu, śmietany, cukru. Nasze palce i wargi zaczynają błyszczeć.

Maczam frytki w koktajlu czekoladowym

– Opowiedz mi coś o swoim życiu – proszę.

– Moje dzieciństwo nie różniło się od dzieciństwa innych chłopców – harcerstwo, porażki mojej drużyny w rugby, ludzie, którzy skąpili mi napiwków za roznoszenie gazet. Z braku męskich wzorców do naśladowania wszelkie informacje o kobietach, miłości i seksie czerpałem z niewłaściwych źródeł. Wiodłem przeciętne życie.

Dociera do mnie, jak niewiele odsłonił ze swojego życia – przeszłego i obecnego. Przy niezliczonych okazjach, kiedy aż się prosiło, żeby wspomnieć o tym czy owym, nigdy o sobie nie mówił. Zamiast wtrącić jakąś anegdotę, wypytywał mnie o Artiego, o mnie i o nasz związek.

Ponawiam prośbę. Może jest po prostu skromny?

– Opowiedz mi jakąś historię ze swojego dzieciństwa.

– Co na przykład?

– Coś – mówię. – Cokolwiek.

Przez chwilę się zastanawia.

– Historię z mojego dzieciństwa. Cokolwiek. Coś... A może jednak ty opowiesz mi więcej o sobie i Artiem.

Jestem rozczarowana, że John nie zamierza odwzajemnić szczerości, ale dochodzę do wniosku, że najważniejsze teraz to trzymać się planu. Jest tutaj po to, żeby poznać życie swojego ojca. Czemu niby miałby mi się zwierzać? Nie było takiej umowy. Postanawiam nie naciskać.

Zresztą trudno mi go winić. W końcu sama zataiłam najintymniejsze szczegóły, na przykład nasz pierwszy pocałunek w Wielkim Sercu. Sama nie wiem dlaczego. Czy bałam się, że jeśli powiem za dużo, dopuszczę się zdrady wobec Artiego lub, co gorsza, John zorientuje się, jakim jestem mięczakiem? Co w tym strasznego? Czyżbym, okazując słabość, mogła utracić dotychczasową nieustępliwość? A może nie chcę, żeby John się dowiedział, jak bardzo nadal kocham Artiego i jak bardzo się boję, że nigdy nie przeboleję jego straty? Wiem, że nie ma nic złego w tym, że uważam Johna za przystojnego, wręcz czarującego. Jest taki, nie da się ukryć. Czy jednak to, że nie zdradzam mu głębi swoich uczuć do Artiego, nie jest (choćby nieświadomym) flirtem?

Wiem, że opowiadam mu o Artiem prawdę i tylko prawdę. Wie już o zdradach Artiego – był świadkiem parady ukochanych – ale nie zna mojej historii. Popełniłam tu grzech zaniechania.

Decyduję się wywalić kawę na ławę.

– Artie mnie zdradzał – mówię – więc porzuciłam go. A kiedy się dowiedziałam, że jest ciężko chory, nie zawróciłam z trasy. Nie było mnie przez sześć miesięcy.

– Zauważyłem, że urzędujesz w pokoju gościnnym – mówi wprost. – Domyślałem się, że coś się między wami popsuło.

– To dodatkowo komplikuje sytuację – mówię.

Opiera łokcie na stole i nachyla się do mnie bliżej, niż wypada.

– Ludzkie istoty są skomplikowane – mówi łagodnie, jak gdyby przyznawał się do własnych błędów.

Znów próbuję go sobie wyobrazić w czasach, gdy wszystko jeszcze nie było tak skomplikowane. Próbuję go sobie wyobrazić jako licealistę w dżinsowej kurtce i siebie w tamtych czasach. Co by było, gdybyśmy się wtedy poznali? Czy przypadlibyśmy sobie do gustu? Odchylam się do tyłu, usiłując odzyskać dystans. Jestem zaniepokojona sobą. Tym, że znów fantazjuję o nim – jakbym kolejny raz ulegała grzesznej słabości.

– Myślę, że powinieneś znać pewne fakty. Wiedzieć więcej o Artiem – mówię. – Jeszcze się nie ustatkowałeś. Masz ile? Trzydzieści lat? W tym wieku mógłbyś już dawno być związany z jakąś dziewczyną. Oczywiście domyślam się, że miałeś jakieś kobiety... – Trochę się jąkam. To wszystko wypadło ostrzej, niż planowałam, mimo to kontynuuję. – Masz w sobie coś z uwodziciela, podobnie jak Artie, więc...

– Więc co? Jabłko nie padło daleko od jabłoni? Do czego zmierzasz? Może jeszcze nie znalazłem odpowiedniej osoby? To chyba nie jest temat związany z Wyprawą Artiestyczną. – Jest wkurzony.

– Po prostu chciałam, żebyś poznał jego błędy.

– Żeby ich nie powtórzyć.

Kiwam głową.

– Ponieważ „mam w sobie coś z uwodziciela..."

To są moje słowa, więc znów niechętnie potakuję. Jako rewident podejrzewałabym Johna o fałszowanie rachunków lub żonglerkę finansami za pomocą czeków bez pokrycia zwanych w naszym rewidenckim slangu latawcami. Nie jest zwykłym złodziejem – na to mu chyba brak odwagi. Jest jednak zdolny do kantów, przynajmniej takich, które łatwo usprawiedliwić przed własnym sumieniem.

– Nie przypominam w niczym Artiego Shoremana – mówi. – Uważam, że zbyt mało mnie znasz, żeby dokonywać takich uogólnień. – Obraziłam go. Ewidentnie. Przez parę minut siedzimy w milczeniu. Odgryza parę kęsów sandwicza i odpycha talerz. – Chcesz porozmawiać o tym, co się teraz dzieje? Z Artiem?

– Proszę?

– Ugrzęźliśmy w przeszłości. Nie zbaczaliśmy dotąd z trasy Wyprawy Artiestycznej. Ale jest ci teraz ciężko i jeśli chcesz o tym porozmawiać, to nie ma sprawy. Możemy zboczyć z oficjalnej trasy. Możesz na chwilę odpiąć identyfikator służbowy. Nie musisz mnie cały czas oprowadzać po pomnikach przeszłości.

– Nie mam służbowego identyfikatora – wykręcam się od tematu.

– W porządku – mówi. – Jak nie, to nie. Możemy trzymać się nadal planu.

Rozgląda się po restauracji, potem wzdycha i patrzy na mnie. Naprawdę patrzy na mnie. Patrzy, jakby próbował zapisać w pamięci moją twarz, właśnie w tej knajpce, tu i teraz. Nie mam pojęcia, jak wyglądam. Pewnie wyglądam na zagubioną. Czy istnieje również Pokolenie Zagubionych Kobiet? Czy się do niego zaliczam?

– Wiem, czemu Artie lubił to miejsce – mówi, podnosząc serwetkę, żeby zetrzeć coś z mojego policzka. Keczup? Koktajl? Od jak dawna mam to na twarzy? – Ta knajpa sama w sobie jest dziełem sztuki, sztuki intuicyjnej.

– To najlepszy gatunek sztuki – stwierdzam.

John przytakuje.

ROZDZIAŁ 24

**Mężczyźni to dranie
i ciężko o nich zmienić zdanie**

Każdej nocy siedzę na fotelu przy Artiem, patrząc, jak śpi. To już rutyna. Dzisiejsza noc nie różni się od innych. Kolejny raz wchodzę na piętro uśpionego domu.

Chciałabym móc przyjść tutaj w dzień wystrojona jak jego byłe ukochane, by go wielbić lub się na niego wydzierać. Boję się jednak swojego gniewu, tak jak boję się nagłych napadów miłości do Artiego (i napadów słabości do Johna). Przez to wszystko rozpaczliwie tracę kontrolę. Kiedy jednak Artie śpi, mogę czuć, co mi się żywnie podoba. Pozwalam emocjom płynąć przeze mnie. Nie muszę d e c y d o w a ć, co mam czuć. Nie muszę d e c y d o w a ć, czy Artie zasługuje na gniew czy na pobłażanie. Nie muszę d e c y d o w a ć o niczym.

Jednak dzisiejszej nocy, po dniu spędzonym z Johnem Bessomem i konstatacji, że należę do Pokolenia Zagubionych Kobiet, kiedy nachylam się nad śpiącym Artiem, widzę, że w jego wyglądzie zaszła zmiana. Za uszami, jak gumki od sztucznej brody Świętego Mikołaja, biegną przewody tleno-

186

we, pod nosem ma przyklejone dwie rurki sondy. Przewody podłączone są do respiratora, który buczy w rogu pokoju. Głowa Artiego, siwa i bezwładna, zwrócona jest w stronę drzwi. Rzucam się do przodu, jakbym chciała ratować Artiego przed kolejnym stadium – stadium utraty sił cielesnych. Potykam się i wpadam na bok łóżka.

Budzi się, obraca głowę i odnajduje mnie w ciemnościach tak szybko, że chyba wyczuwał moją obecność przez sen.

– To ty – mówi.

– O, Lucy, to ty – rozlega się głos zza moich pleców. To Elspa. Siedzi w fotelu.

– Co się stało?

– To było straszne – mówi. Wygląda na wykończoną. Wstaje i drżącą ręką łapie mnie za ramię.

– Nic strasznego – odzywa się Artie. – Już wszystko dobrze.

– Twoja matka zostawiła ci wiadomości na komórce i kartkę na drzwiach – mówi Elspa. – Zauważyłaś ją?

Kręcę głową.

– Co tu się działo? Co się stało? – Mam ochotę dodać: kiedy mnie nie było, kiedy was zostawiłam samych.

– Od dawna się już na to zanosiło – mówi Artie. – To nie była niespodzianka. Kolejny element procesu.

Procesu, mruczę pod nosem.

– Czułem się jak Michael Jackson z jego obsesją świeżego powietrza, lecz bez jego talentu i paru innych perwersji.

– To nie jest śmieszne – mówię. – Nie ma w tym nic śmiesznego.

– Albo jak podczas tlenoterapii. – Uśmiecha się. – Udawajmy, że jesteśmy w barze tlenowym

– W barze tlenowym – potakuję. Podnoszę wzrok na Elspę.

– Zostawię was teraz samych – mówi.

– Czy już wszystko w porządku?

– Tak, już się uspokoiło. Na dole jest pielęgniarz. Artie ma dzwonek. – Pokazuje na przymocowany do poduszki gadżet z czerwonym guzikiem.

– Dzięki.

Elspa uśmiecha się i wychodzi z pokoju.

– Czemu do mnie nie przyjdziesz w dzień? – pyta Artie. – Powinniśmy więcej rozmawiać.

Siadam w fotelu, kryjąc zaskoczenie.

– Jesteś zajętym człowiekiem. W poczekalni stale pełno gości.

– Tylko dlatego, że tak to obmyśliłaś – mówi. – Starasz się mnie unikać? – W jego głosie słychać dawnego Artiego. Nie ma w nim cienia słabości.

Próbuję nie wypaść z roli.

– Pewnie tak – mówię.

Zapada cisza.

– Słyszałem, że chcesz pomóc Elspie odzyskać Rose. To bardzo ładnie z twojej strony.

– Powiedziała ci?

– Przychodzi do mnie, kiedy n i e ś p i ę.

Nie podejmuję tematu.

– Jest taka delikatna – dodaje. – Mam nadzieję, że to się uda.

– Jest silniejsza, niż myślisz. – Z ulgą przyjmuję nawrót rozdrażnienia w miejsce poczucia winy. Mam już dosyć Artiego w roli opiekuna Elspy. Może był nim kiedyś, ale to się skończyło. Elspa musi dorosnąć, jeśli ma być dobrą matką, zwłaszcza samotną matką.

W pokoju jest cicho, ale mam wrażenie, że słyszę szepty ukochanych, które przez cały dzień przewijały się przez sypialnię.

– O czym chcą z tobą rozmawiać? – pytam, podciągając kolana pod brodę.

– Dziwna sprawa – mówi.

– Tak?

– Jest jeden motyw, który wypływa ciągle w różnych odmianach, ale w gruncie rzeczy cały czas chodzi o to samo. – Szuka w myślach. – Jak się to mówi? Wariacje na temat?

– A temat jest jaki?

– Cóż, te, które mnie nie znienawidziły całkiem, twierdzą, że próbowałem je uratować, uleczyć z czegoś. Z jakiegoś cierpienia. I chociaż je zdradziłem, pomogłem im. Ich życie stało się lepsze, odkąd mnie poznały, nawet jeśli po naszym rozstaniu przejściowo się pogorszyło.

– A te, które cię całkiem znienawidziły?

– One mówią, że próbowałem je uleczyć albo zmienić i obiecałem im coś, od czego ich życie stało się lepsze. Na przykład poczuły się bezpiecznie. A kiedy je zawiodłem albo zdradziłem, kończyły z dwoma problemami zamiast jednego. Oskarżały mnie też o pogłębienie ich wyjściowego problemu. To strasznie zawikłane.

– Pogłębienie? W jaki sposób?

– Wiesz dobrze.

– Nie, nie wiem. Jak to robiłeś?

– Cóż, nie udało mi się żadnej uleczyć z przeświadczenia, że mężczyznom nie można ufać. To były wariacje na temat: wszyscy mężczyźni to świnie. Gdyby je nagrać, wyszedłby z tego chór.

Zrywam się z miejsca, sama nie wiem kiedy. Sztywnieję z urażonej dumy. Żądam wyjaśnień. Moje uczucia są dodatkowo podbarwione gniewem i poczuciem winy. Czy Artie próbował mnie uratować? Czy byłam jakimś workiem łez, który dopraszał się ratunku?

– Tak właśnie o mnie myślałeś, kiedy się ze mną żeniłeś? Że coś jest ze mną nie tak? Że mam być dla ciebie kolejną pacjentką, tym razem dozgonną? Że będziesz moim zbawcą?

W pokoju zapada całkowita cisza przerywana tylko pomrukiem respiratora. Żadne z nas się nie porusza. W półmroku rysy Artiego są ledwie widoczne.

– Nie – mówi ochryple, jakby krzyczał, choć z jego ust wydobywa się słaby szept. – Liczyłem na to, że ty mnie uratujesz.

Nie wiem, co mam powiedzieć. Serce mi pęka, a jednocześnie czuję w nim lód. Nigdy nie deklarowałam, że będę bronić Artiego Shoremana przed nim samym. Nigdy nie wspomniał, że potrzebuje ratunku. To nieuczciwe, że wyrzuca mi to teraz, kiedy jest już po wszystkim.

– Jak mogłam cię ratować, kiedy robiłeś szopkę z naszego małżeństwa? Dałeś mi chyba dość powodów, żeby wierzyć, że wszyscy mężczyźni to świnie.

– To prawda. Wiem. Przepraszam... Po prostu chciałem...

Unoszę dłoń.

– Lepiej milcz.

Zapadam się w fotel, chowam twarz w dłoniach i próbuję odzyskać równowagę.

– Kiedy sprowadzisz córeczkę Elspy? Słyszałem, że niedługo.

– Nie mogę teraz wyjechać.

– Musisz.

– Nie, nie muszę. Nie było mnie tutaj, kiedy byłam potrzebna. Powinnam być przy tobie.

– Znam cię lepiej, niż sądzisz – szepce.

– Co chcesz przez to powiedzieć?

– Wiem, jak funkcjonuje twój umysł. Zawsze próbujesz wyciągnąć jakąś korzyść z kiepskich sytuacji. Dlatego chcesz pomóc Elspie. Dobrze mówię? – Urywa, ale zaraz wraca do tematu. – Nic nie mów. Wiem, że mam rację. Właśnie tej twojej skłonności zawdzięczam odwiedziny syna. – Uśmiecha się. – Mam rację. Stuprocentową.

– Elspa czeka od dawna. Może jeszcze trochę poczekać – mówię, odmawiając mu satysfakcji z tego, że mnie tak celnie rozszyfrował. Zastanawiam się, co jeszcze o mnie wie. Czy wie o mnie więcej niż ja sama?

Nagle jego głos poważnieje.

– Nie – mówi, prawie jakby się czegoś bał. – Nie.

– Co? Co nie?

Odwraca twarz w moją stronę.

– To dla niej zbyt ważna sprawa. Dla ciebie też. Twoje rozumowanie jest słuszne. Dobre rzeczy wynikają ze złych rzeczy. Ktoś się wykańcza, za to ktoś zaczyna nowe życie.

– Skoro tego chcesz...

Wygląda, jakby się miał rozpłakać.

– Obiecaj – prosi.

– Obiecuję.

– Idź i wyśpij się porządnie – mówi.

– Chyba nie powinnam...

– Nie wolno lekceważyć słów umierającego. Idź. Wyśpij się. Jesteś zmęczona.

Jestem zmęczona.

Wstaję i na chwiejnych nogach ruszam do drzwi.

– Następnym razem, kiedy przyjdziesz w nocy, zbudź mnie. Od razu... proszę.

– Postaram się.

– Dzięki za sprowadzenie mojego syna. Nigdy już ci się za to nie odwdzięczę.

Kolejny dramatyczny zwrot w naszym spotkaniu. Artie coś mi zawdzięcza? Artie coś mi z a w d z i ę c z a. Nie potrafię powiedzieć: nie ma za co. Boję się, że się rozpłaczę, a jak raz zacznę, nie będę mogła przestać. Wymykam się z sypialni, idę na palcach korytarzem, schodzę po schodach na dół. Przystaję w hallu i nagle dostrzegam, że to nie jest mój hall. To nie jest mój dom. Chwytam kluczyki do wozu i wychodzę frontowymi drzwiami. Odwracam się i widzę przyklejoną do drzwi wiadomość od mamy. Nie czytam jej ani nie zrywam kartki. Ruszam szybko do samochodu. Noc jest chłodna. Już wycofując się z podjazdu, zaczynam płakać i, jak się słusznie obawiałam, nie mogę przestać.

ROZDZIAŁ 25

Kobieta zagubiona
rzuca się w męskie ramiona

Zatrzymuję się przy drzwiach frontowych Studia Stylowych Sypialni. Przez witrynę sklepową widzę Johna, a właściwie kontur jego pleców. John śpi w jednym z łóżek. Stukam do drzwi i patrzę, jak się zaczyna kokosić, siada, czochra się po głowie. Na widok sylwetki za szybą sztywnieje. Przestraszyłam go. Po chwili jednak poznaje mnie. Zrywa się i rusza w moją stronę. Otwiera kolejne zamki i uchyla drzwi.

– Napędziłaś mi stracha. Myślałem, że to jakiś dżentelmen-włamywacz – mówi żartobliwie, ale zaraz zauważa, że moja twarz jest zaczerwieniona i mokra od łez. – Co się stało? – pyta. – Coś nie tak?

– Wszystko jest nie tak – mówię urywanym głosem. – Artie umiera. J u ż umiera.

Przytula mnie do siebie. Nie mówi nic. Pachnie świeżą pościelą i snem. Prowadzi mnie w głąb sklepu i sadza na łóżku piętrowym z pościelą w motywy baseballowe.

– Mogę ci opowiadać o przeszłości godzinami, to jednak nie ma sensu – mówię. – Nie ma sensu, bo on umiera, a kiedy umrze, to wszystko zniknie. Nie chcę, żeby tak było.

Nadal mnie trzyma w objęciach. Kołysze mną leciutko, delikatnie.

– Mimo to opowiadaj – mówi. – Mów mi o przeszłości.

Podnoszę wzrok.

– Ale to nie ma sensu.

– A jeśli ma?

Wzdycham, patrząc w sufit.

– Jeszcze jedną historię.

Dumam przez chwilę. Widzę Artiego w smokingu, jak śle mi promienny uśmiech spod ołtarza.

– O naszym ślubie?

– Świetnie. Nigdy mi nie opowiadałaś o waszym ślubie.

– Artie się rozpłakał pierwszy i mi się to też udzieliło, ale po chwili zaczęłam się śmiać przez łzy, więc on też się roześmiał. – Znowu nabieram tchu. – To było zaraźliwe i w końcu cały kościół śmiał się i płakał. To dziwne uczucie, kiedy człowiekowi jednocześnie chce się śmiać i płakać – mówię.

– Takie jest życie. Radość i smutek idą zawsze w parze – mówi. – Prawdziwy smutek zawsze ma w sobie odrobinę radości. Zgodzisz się? Ktoś sławny powiedział kiedyś, że czujemy smutek tylko wtedy, jeżeli przedtem przeżyliśmy radość.

Słowa Johna powalają mnie. Podnoszę oczy. John ma zdecydowany profil, ale oczy łagodne, i takie gęste rzęsy.

– Nie martw się, Lucy. – Tuli mnie mocno. To cudowne znaleźć się w czułych, męskich objęciach. Od tak dawna żaden mężczyzna nie obejmował mnie w ten sposób. Całuje mnie w czoło, a jego twarz znajduje się niebezpiecznie blisko mojej, mokrej od łez. I nagle – nie wiem, co mnie napadło – przysuwam się jeszcze bardziej i całuję go w usta. To nie jest długi pocałunek. Ani namiętny. Ani zaborczy. Ale John ma cudowne usta i nie ucieka przede mną. I choć mój pocałunek bardziej przypomina całusa – z gatunku powitalnych cmoknięć składanych na policzku pani domu – trwa na tyle długo, że można się w nim doszukać czegoś więcej. Ale, wierzcie mi lub nie, nie ma w nim nic niestosownego.

Potem jednak odsuwam się. Otwieram oczy. Jestem spokojna. Wiem, że to nie potrwa długo i będę musiała ponieść konsekwencje: pojawi się nieuchronne poczucie winy. Teraz jednak odczuwam spokój.

– Powinniśmy udawać, że tego nie było – mówię.

– Nie lubię udawania.

– Ale zrobisz to dla mnie. Chcę, żebyśmy już teraz udawali.

– Zgoda – mówi. – Ale to nie będzie łatwe.

– To nie był prawdziwy pocałunek – mówię i prawie w to wierzę.

– Jaki pocałunek? – pyta John zgodnie z umową.

– Racja – mówię. – Wracam do domu.

– Jesteś w stanie prowadzić?

– Czuję się już dobrze. – To prawda. Jestem dziwnie spokojna. Odwracam się i ruszam w stronę drzwi. Wiem, że po powrocie do domu zasiądę w fotelu i będę patrzeć, jak Artie śpi. Może znów zacznę płakać, a może nie. Prawdziwy smutek musi zawierać w sobie okruch radości. To jest transakcja wiązana.

– Miałeś dżinsową kurtkę w liceum? – pytam na odchodnym.

– Chodziłem w niej na okrągło. Była cała powycierana.

– Tak myślałam – mówię. – Tak właśnie myślałam.

ROZDZIAŁ 26

**Jakże okrutny jest los –
ktoś cierpi, by kochać mógł ktoś**

Nadciąga poczucie winy. Wspomnienie pocałunku przesuwa się w moich myślach niczym film z romantycznymi scenami. Najpierw czuję jego usta na moich, a potem gorąco w piersiach. Policzki zaczynają mi płonąć. Kiedy zmywam naczynia, czyszczę zęby, wyjmuję listy ze skrzynki, ni stąd, ni zowąd, z tylko mi znanych powodów, rumienię się. Rumienię się też dlatego, że John jest synem Artiego. Rodzonym synem. Od świadomości tego też mnie pali w piersiach i twarz mi płonie. Węszę w moim zachowaniu próbę ukarania Artiego – nawet jeśli o tym nie wie i się nie dowie. Kiedy jestem z Artiem – gdy śpi, a ja poprawiam na nim kołdrę – czuję się jak zdrajca. Ale w końcu jestem zdrajcą w jaskini zdrajcy, próbuję się natychmiast usprawiedliwić. Wyobrażam sobie, że Artie się dowiaduje i jest wściekły, a ja mu mówię spokojnym (znużonym) głosem: wiem, jak się czujesz.

Oczywiście poczucie winy to tylko jedna z gamy skomplikowanych i zagmatwanych emocji. Ściślej rzecz biorąc, mam sporo wątpliwości. Co znaczył nasz pocałunek? Czy doszło do niego tylko dlatego, że John próbował mnie pocieszyć? Czy należy kojarzyć z tym pocałunkiem to wszystko, co zwykle się z pocałunkiem wiąże? Czy pocałowaliśmy się naprawdę czy nie? Generalnie jednak spycham pocałunek w zakamarki umysłu, tam gdzie przechowuję sprawy, nad którymi nie chcę się zastanawiać.

Wymyślam parę wymówek i dzwonię rano do Johna, żeby wykręcić się od Wyprawy Artiestycznej. Wygłaszam je po kolei, jedna brzmi mniej przekonująco od drugiej. Trzecia wymówka: muszę sobie kupić buty. John usiłuje mnie przywołać do rozsądku.

– Zmyślasz. Próbujesz się wycofać – mówi. – Nie chcesz już mnie oprowadzać po życiu Artiego.

Czyżby nie miał wyrzutów sumienia? Czy mężczyznom brak jakiegoś genu?

– Czemu stale mówisz o nim „Artie"? – pytam. – Kiedy zaczniesz mówić o nim „tato"?

– Nie odpowiadasz na moje pytanie. Wykręcasz się.

– To ty nie odpowiadasz na moje pytanie. Ty się wykręcasz.

Wykręcamy się oboje.

– Możesz zrezygnować z wypraw, kiedy ci się tylko spodoba. Chcę tylko, żebyś wiedziała, że ja wiem, co się za tym kryje.

– W porządku – mówię. – Już wiem, że ty wiesz.

– To dobrze.

– No to dobrze.

John przychodził odwiedzać Artiego popołudniami i to się po naszej sprzeczce nie zmieniło, więc robię zakupy tak długo, żeby po powrocie do domu go nie spotkać. Kiedy jednak wracam obładowana torbami ze spożywczego, w drodze do kuchni wbijam się niemal nosem w pierś Johna.

– O, to ty – mówię.

– Przegapiłaś kolację. Twoja mama mnie zaprosiła, żebym został. – Wyrywa mi jedną z toreb. – Pozwól, że ja zaniosę. – Wyjmuje kolejne torby z moich rąk, aż zostaję z pustymi rękami. Przez ramię Johna widzę kuchnię pełną ożywionych kobiet: jest Elspa, Eleanor i moja matka.

Chwytam Johna za rękę.

– Wcale nie próbuję cię unikać – mówię szeptem. – Naprawdę się cieszę, że cię widzę. Przyszłam dopiero teraz, bo...

– ... próbuję cię unikać – kończy za mnie. – Nie ma sprawy. Przyjmuję do wiadomości. Dużo się u was dzieje.

Wchodzi do kuchni, a ja za nim. Panie zakrywają folią salaterki z resztkami, zmywają naczynia, paplają wszystkie naraz. John z torbami wtapia się w tę gromadkę. Stojąc w progu, obserwuję ich wszystkich, jak krzątają się swobodnie po kuchni – Elspa, Eleanor, moja matka i John. I, oczywiście, Bobuś. Znalazł sobie cichy kącik i rozpłaszczony na podłodze mocno śpi. Nie wiem, kiedy zapanowała ta swoboda. Nawet między mną a Johnem, choć przyłapał mnie już dwukrotnie na wykrętach, również panuje pewien rodzaj swobody – takiej, na jaką pozwala nasz pocałunek zamieciony w kąt mojego umysłu.

Decyduję się dołączyć do nich. Wyjmuję kieliszek z kredensu i nalewam do niego wino z otwartej butelki.

Eleanor pragnie omówić zmiany w zachowaniu Artiego.

– To chyba zaczyna działać – mówi. – Te wszystkie kobiety niosą pewne przesłanie, rozumiecie? Był seryjnym zdrajcą. Jak długo jeszcze będzie w stanie temu zaprzeczać?

– A tak właściwie co było między tobą a Artiem? – pyta John. – Nie bardzo się orientuję.

Eleanor macha ręką, chcąc tym gestem zbagatelizować sprawę.

– Byłam po prostu jedną z wielu kobiet Artiego, i tyle.

Lekarz był wcześniej. Orzekł, że schody w dół już się zaczęły, ale Artie jest silny. Mama wciąż jest rozdygotana po

rozmowie z doktorem, podczas której nagle, ni stąd, ni zowąd, dotknęła jego dłoni. Resztki swojej niespożytej energii
zużywa, obsługując nas. Widząc, że John sięga po kieliszek
do zmywarki, zrywa się i zaczyna ją opróżniać z naczyń.

– Uważam, że doktor ma wspaniałe podejście do chorych.
I niezwykle kojący wpływ na ich rodziny.

Cały ten pakiet – skakanie wokół nas, zauroczenie doktor-
kiem – jest sprzeczny z moim planem dla matki.

– O ile mnie pamięć nie myli, miałaś się stać a u t o n o -
m i c z n ą   j e d n o s t k ą. Przypominasz sobie?

– Mów po ludzku, kochanie – odpowiada. – Nikt cię nie
zrozumie, jak będziesz używać takiego języka.

– Ja ją rozumiem – wtrąca Elspa.

– To musi być pokoleniowe – wzdycha matka.

– Towarzyszyłeś dziś Artiemu, kiedy zasypiał – mówi
Eleanor do Johna. – Jakie to było uczucie, kłaść do snu swojego ojca?

Nie wydaje się zaskoczony tym pytaniem.

– Dziwne – mówi. – Kiedy byłem dzieckiem, często zasy-
piając, wyobrażałem sobie, że ojciec jest przy mnie.

– Niesamowite, jak życie zatacza koło – mówi moja matka,
zerkając na mnie spod oka. – Dzieci, nie wiedzieć kiedy, sta-
ją się rodzicami.

– A kochankowie wrogami – mruczy pod nosem Eleanor.

– Wciąż czegoś nie rozumiem – odzywa się John. Nalewa
sobie szkockiej i siada. – Kiedy byłaś z Artiem? – zwraca się
do Eleanor. – Sto lat temu czy później?

– No cóż, nie była to sytuacja taka jak Elspy – mówi,
przez co chyba daje do zrozumienia, że nie należała do kobiet, z którymi Artie romansował w trakcie naszego małżeństwa. – Bez obrazy, Elspo, Lucy.

Dociera do mnie, że nigdy nie brałam pod uwagę
Eleanor jako jednej z ukochanych, z którymi Artie mnie
zdradzał, co, w pewnym sensie, jest niesprawiedliwością. Nie

podejrzewałam jej, bo wydaje się na to zbyt uczciwa. A może dlatego, że jest za stara albo – o, hańbo – z powodu jej nogi?

– Nie ma sprawy! – mówi Elspa całkowicie szczerze. Siedzi po turecku przy barku, pałaszując lody.

– Nie ma sprawy – mówię z nieco mniejszym przekonaniem.

Podchodzę do zlewu, przy którym stoi moja matka. Ja również decyduję się na miseczkę lodów.

– Nie udawaj głupiej – mówię cicho, mając na myśli stawanie się autonomiczną jednostką. – Dobrze wiesz, o co mi chodzi.

Patrzy na mnie zaskoczona, potem z uśmiechem wzrusza ramionami.

– Ja nie mówić wasz język. – Składa palce w kwaczący dziób.

– Czy miałaś już rozmowę w cztery oczy z Artiem jak inne kobiety? – John pyta Eleanor.

– Nie zamierzam mu dawać tej satysfakcji – odburkuje, splatając ręce na piersi.

– A gdyby do niej doszło, co byś mu powiedziała?

Cała kuchnia zamiera. Zastygam z miseczką w jednej ręce i kubełkiem lodów Häagen-Dazs w drugiej. Oczy wszystkich zwracają się na Eleanor. Uświadamiam sobie, że nie znam odpowiedzi na żadne z pytań Johna – może dlatego, że nigdy nie uważałam Eleanor za prawdziwą rywalkę. Jest mi wstyd, taka jest jednak prawda. Artie wyraźnie jej nie znosi. Ale teraz zaczynam się zastanawiać, dlaczego Eleanor tak bardzo się w to wszystko angażuje? Kiedy właściwie umarł jej mąż ortodonta? Kiedy Artie zdołał aż tak zaleźć jej za skórę? W gruncie rzeczy podziwiam jej nienawiść do niego – szczerą i nieprzejednaną – przy której moja nienawiść wydaje się zawiła i splątana jak labirynt z ciernistych krzewów.

Eleanor milczy przez chwilę. Patrzy na nas przepraszająco, jakbyśmy ją o coś oskarżali. Wreszcie mówi:

– Ja jestem tą kobietą, tą wdową, którą Artie zostawił dla Lucy. – Patrzy na mnie krótko, szybko ucieka wzrokiem. Przysiada w narożniku kuchni. – Teraz już wiecie.

Zapada cisza. Nie wiem, co powiedzieć. Nie miałam pojęcia, że Artie z kimś był, kiedy mnie spotkał. Nie miałam pojęcia, że kogoś dla mnie rzucił.

– Strasznie mi przykro, Eleanor – mówię w końcu.

– Wybacz – mamrocze John. – Nie miałem zamiaru... – Patrzy na mnie przepraszająco i czuję, że jest mu w równym stopniu żal mnie, co Eleanor. Nasze spojrzenia spotykają się na ułamek sekundy. Ale nawet tak krótki kontakt budzi niepokój. Pocałunek wciąż się między nami unosi i ani myśli zniknąć. A obok niego unosi się wizja Eleanor i Artiego – pary kochanków. O dziwo, mogę to sobie wyobrazić bez trudu. Łatwość, z jaką wciąż iskrzy między nimi – co prawda w gniewie – świadczy o tym, że kiedyś między nimi też mogło iskrzyć, choć na innym tle.

– Nic się nie stało. Nie mam żalu – mówi Eleanor, wycierając ścierką blat kuchenny.

A ja kolejny raz nie wiem, kto kogo za co powinien przepraszać. Nie ma żalu do Johna Bessoma za to, że poruszył ten temat, czy nie ma żalu do mnie, że jej odbiłam Artiego? Stare dzieje, nie powinnam się już tym przejmować.

– To chyba było coś poważnego – mówi moja matka.

– Zaczęliśmy rozmawiać o ślubie – wyjaśnia Eleanor. – Nazywał mnie swoją złośnicą. Twierdził, że pasujemy do siebie. Jestem w jego wieku, dobrze się rozumieliśmy... Potem się rozmyślił. – Wzrusza ramionami.

Jestem w szoku. Czuję się koszmarnie. Wiem, że to nie moja wina. Ale jestem złodziejką, młódką, dla której Artie odstawił ją na bok.

– Eleanor – mówię. Na nic więcej mnie nie stać.

Do głosu dochodzi Elspa.

– Jakie to szczęście – mówi.

Nasze głowy, jak na rozkaz, odwracają się w jej stronę. Odbiło jej?

– Mamy szczęście, że jesteśmy ze sobą powiązani w taki czy inny sposób. Jak prawdziwa rodzina. Zawsze chciałam mieć taką rodzinę. Właśnie taką pokręconą rodzinę – mówi, jakby wygłaszała największy komplement. Patrzy na nas z powagą. – Moim zdaniem każdy z nas tęskni od lat za prawdziwą rodziną. Artie też.

Ma rację. Każdy z nas na swój sposób pragnie rodziny. Nie da się ukryć. W kuchni zapada pełna napięcia cisza.

– Chcę, żebyście wszyscy pojechali ze mną i z Lucy pomóc mi odzyskać Rose. Proszę, żebyście wszyscy pojechali. Po to żeby moja rodzina zobaczyła, że mam swoją rodzinę.

– Jesteś pewna? – pytam lekko spanikowana.

– Wiem, że Artie nie może pojechać. Ale cała reszta może jechać ze mną. To mi doda odwagi. Pojedziecie?

– Oczywiście – mówi Eleanor. – Będę musiała poprzenosić wizyty ukochanych Artiego, ale ukochane Artiego przywykły do takiego traktowania.

– Jesteś pewna? – mówię. – Masz wszystko tak dobrze zaplanowane...

Nie zwraca na mnie uwagi.

– Jesteś pewna, że mnie też masz na myśli? – pyta John, patrząc na mnie spod oka.

– Jasne, że tak – mówi Elspa.

– Posłuchaj... – próbuję się wtrącić.

Moja matka uśmiecha się.

– Przydam ci się, kochanie. Oczywiście, że pojadę. – Podchodzi do Elspy i ściska ją. – Nigdy bym cię nie puściła samej.

– Wszyscy? Nie boisz się, że to będzie za dużo? Jesteś pewna, że tego chcesz? – pytam Elspę z nadzieją, że się rozmyśli.

– Chcę – mówi. Z uśmiechem wkłada do ust łyżeczkę lodów. – Od razu czuję się lepiej. O wiele lepiej.

ROZDZIAŁ 27

Marzenia są cacy,
ale czas się wziąć do pracy

Lecz ja nie czuję się lepiej. Trudno mi sobie wyobrazić, że wyprawa naszej rodzinki odniesie skutek. Jednak kogo obchodzą moje uczucia? Elspa, tryskając nowo nabytą wiarą w siebie, którą nie do końca podzielam, dzwoni do rodziców i załatwia zaproszenie dla nas na niedzielny rodzinny lunch w Baltimore. Wyjazd za dwa dni.

W moim umyśle panuje chaos, jakiego jeszcze nie było, od chwili gdy wszystko się zaczęło. Nie licząc dreszczy – echa podniecającego pocałunku – które przeszywają mnie, ilekroć John jest w pobliżu, mój umysł to zdziczały ogród porośnięty głównie chwastami smutku. Część mnie przez cały czas przygotowuje się na śmierć Artiego, część próbuje się uporać z żywym Artiem. Odkąd wybiegłam z jego sypialni i zalana łzami ruszyłam przez miasto, aby skończyć, całując się z jego synem, boję się z nim rozmawiać. Przesiaduję w fotelu, kiedy śpi. Strzegę go. Ale to też jest bolesne. Czuję ostry, fizyczny ból w klatce piersiowej i w głowie wypełnionej gęstymi oparami nieuchronnej śmierci. Czasami w nocy myślę o swoim ojcu – mgliście, bo mam tylko niejasne wspomnienia, zero konkretów. Mimo że ledwie go znałam i zmarł wiele lat temu, jego strata wciąż jest bolesna. Była i jest. Strata przywołuje stratę.

Ale na przekór wszystkiemu dociera do mnie, że słońce rzuca na ziemię świetliste cętki, że jest przy mnie tylu nowych znajomych, którzy wypełniają moje życie, że jestem żywa, chodzę po ziemi i nie powinnam zmarnować żadnej szansy, żadnej możliwości, jaką ofiaruje mi los.

Wiem, że to, co mówię, nie trzyma się kupy. Czuję się jednocześnie zrozpaczona i pełna nadziei, rozbita i zarazem dziwnie spokojna. Zaczynam też zauważać, jak wiele nadziei wiążę z Elspą, z powodzeniem naszej wyprawy. Naprawdę szczerze życzę Elspie, żeby odzyskała córeczkę, choć podejrzewam, że pomagam jej, ponieważ chwilowo moje wyśnione dzidziusie nie mogą się zmaterializować. Mój zapał trochę mnie przeraża. Za bardzo się w to angażuję.

Niemniej życie toczy się dalej – nie zważając na stan mojego ducha. Wczesnym rankiem w niedzielę wkraczam zatem do kuchni z lekką torbą podróżną. Na szczęście czeka nas tylko jeden nocleg. Ciekawe, jak się to wszystko ułoży? Czy będę spać ze wszystkimi paniami? Czy tylko z mamą i Bobusiem, bo uparła się go zabrać. Czy zmieścimy się wszyscy do samochodu? Niepokoję się o to, odkąd moja matka wyszła z łazienki w monstrualnym kapeluszu, jakby się wybierała na wyścigi konne. Eleanor sączy kawę w narożniku kuchni, obok niej olbrzymia walizka i wypchana torba podróżna.

Do kuchni wchodzi John. Nalewa sobie kawy.

– Jak tam panie? Gotowe do drogi? – zagaduje.

Mama poprawia kapelusz.

– Jak najbardziej.

Pojawia się Elspa. Jest ubrana jak zwykle – dżinsy i czarna koszulka, spod której wystają tatuaże. Kolczyk w nosie jest większy niż zwykle, a tusz do rzęs ciemniejszy – widać, że wystroiła się na specjalną okazję. Patrzę na Johna. John patrzy na mnie, potem znów na Elspę. Moja matka wzdycha, Eleanor pokasłuje – znaczy to, że m a m y p r o b l e m. Nikt nie wspomniał Elspie, że wyprawiając się po córkę, powinna wyglądać bardziej konwencjonalnie. Wszyscy uznali to za oczywiste – wszyscy z wyjątkiem samej zainteresowanej.

– Co jest? – zwraca się do mnie.

– Musisz wyglądać odpowiednio. – Biorę ją za rękę i wyprowadzam do sypialni dla gości.

Wyciągam z szafy proste w kroju ciuchy, które noszę do pracy. Bluzka koszulowa, zapinany sweterek, beżowe spodnie.

– Beżowe spodnie? Czy to nie przesada? – pyta Elspa.

– Co masz przeciwko beżowym spodniom?

– Połapie się. Mojej mamy nie da się nabrać.

Ścieram lekko kredkę z jej powiek, przygładzam szczotką nastroszone włosy i wręczam prostokątne okulary słoneczne. Każę Elspie wyjąć z nosa to coś. Wkurza się, ale posłusznie chowa kolczyk do kieszeni.

Cofam się, aby popatrzeć na swoje dzieło.

– Nieźle.

Elspa przegląda się w lustrze bez zachwytu.

– Wyglądam sztucznie.

– Wyglądasz na osobę godną zaufania, a o to nam przecież chodzi.

Chwilę później prezentujemy się w kuchni Johnowi, Eleanor i mamie. Daremnie czekam na zachwyty nad metamorfozą Elspy. Mama i Eleanor wyglądają na uspokojone, ale John jest chyba lekko zszokowany.

– Gdzie się podziała Elspa? – pyta.

– Schowana w środku – mówię. – Musimy jechać, żeby się nie spóźnić.

Ruszamy w stronę drzwi frontowych. Eleanor szamoce się z wypchanymi torbami.

– Musiała nieźle poszaleć na wyprzedażach – chichoce Elspa.

– To wcale nie jest śmieszne.

– Jesteś pewna, że nie wyglądam sztucznie?

Idziemy szybko do samochodu. Elspa siada na środku tylnego siedzenia, trochę bez ikry, ale gotowa do drogi. Bobuś jakimś cudem wylądował na jej kolanach. Dziś ma zielone suspensorium obrębione szydełkiem. Głaskanie Bobusia pozwala Elspie czymś się zająć. John wkłada nasze torby i walizki do bagażnika. Kiedy wyznałam mu, że łatwo mylę drogę, zaproponował, że poprowadzi; przekazałam mu już kluczyki.

Eleanor spiera się z moją matką, która z nich ma zająć miejsce na przednim siedzeniu. W tej zagorzałej dyskusji moja matka, typ pasywno-agresywny, ani razu nie wspomina o miejscu obok kierowcy, ciągle jednak robi aluzje do jakiejś przypadłości swojego pęcherza.

Tylko ja stoję bezczynnie na podwórku. Tylko ja nie pożegnałam się z Artiem. Wiem, że został poinformowany o naszym wyjeździe. Wiem, że popiera mój wyjazd, że obiecałam się z nim pożegnać, ale wciąż nie jestem w stanie osobiście powiedzieć mu „do widzenia".

Jeden z pielęgniarzy będzie z nim cały czas, na wszelki wypadek. (Prawdę mówiąc, Artie nigdy nie lubił samotności). Podnoszę głowę i w oknie pokoju Artiego widzę pielęgniarza. Wiem, że powinnam choć wsunąć głowę w drzwi sypialni i krótko się pożegnać, ale coś mi nie pozwala. Ile razy widzę męża, zaczynam się dusić. Wypada jednak zamienić z nim parę słów przed wyjazdem. Otwieram komórkę i wybieram numer domowy.

– Rezydencja państwa Shoremanów – odbiera pielęgniarz.

– Mówi Lucy. Czy mogę rozmawiać z Artiem?

– Pani chyba jeszcze nie wyjechała? – Pielęgniarz podchodzi do okna i macha do mnie ręką.

Odmachuję.

– Mógłby pan poprosić Artiego?

Słyszę, jak tłumaczy Artiemu, kto dzwoni.

Artie przejmuje słuchawkę.

– Nie umiesz wyjechać bez pożegnania.

– Nie umieraj w ciągu najbliższych dwu dni.

– Nie umrę. Na przekór mojemu zdradzieckiemu sercu. – Też stoi teraz w oknie, jedną ręką odchylając zasłonę. Nie wiem, kiedy ostatnio widziałam go poza łóżkiem. – Jestem zbyt wielkim łajdakiem, żeby spokojnie wyzionąć ducha.

– Łajdakiem?

– Nie było cię ostatnio w domu? Nie widziałaś zbiorowych seansów nienawiści pod moim adresem?

– Rzuciłeś Eleanor, kiedy mnie poznałeś?

– Zupełnie straciłem głowę dla ciebie! – broni się. – To było słuszne posunięcie. Lepsze chyba niż gdybym nadal się z nią spotykał?

Czuję się w obowiązku bronić Eleanor, mimo że t ą i n n ą byłam ja. Oburza mnie, że ją zranił. Oburza mnie, bo to, że ją zranił, znaczy, że był, że jest zdolny zranić również mnie.

– Mówmy lepiej o tym, jak ci teraz głupio. Ten temat bardziej mnie interesuje.

– Masz rację. Ale nie chce mi się o tym mówić. Jestem nędznikiem, prawdziwym draniem – odzywa się po przerwie.

Przypominam sobie notatnik Eleanor z wykresem Siedmiu Stadiów Opłakiwania Własnej Niewierności.

– Czujesz rozpacz?

W słuchawce zapada cisza. Przyglądam się Artiemu w oknie. Zakrywa oczy dłonią. Czyżby płakał? – zastanawiam się. Rzeczywiście, dobiega mnie najprawdziwszy szloch.

– Rozpaczam – mówi. – Źle mi to idzie. Rozpacz jest sprzeczna z moją naturą.

Nie mogę znieść tego widoku. Odwracam się i patrzę na starannie utrzymany żywopłot sąsiadów.

– Chyba dobrze ci to zrobi.

– Jasne, jasne. – Odkasłuje, żeby się pozbyć chrypki. – Pewnie masz rację.

– Uważam, że tak jest lepiej.

– Jak?

– Przez telefon. Źle znoszę osobisty kontakt z tobą. Może tak pójdzie nam lepiej. Musimy porozmawiać.

– Będę z tobą rozmawiał tak, jak zechcesz.

– Zadzwonię do ciebie.

– Grzeczna dziewczynka.

Uświadamiam sobie, że znowu zostawiam Artiego. Tym razem jest inaczej, ale prawdą jest, że odjeżdżam i sprawia mi to dziwną przyjemność, jakbym miała genetycznie zakodowaną potrzebę ucieczki. Jasne, że mam. Mój ojciec nas porzucił.

– Może jestem moim ojcem – szepczę do słuchawki.

– Nie sądzę, żebym się ożenił z twoim ojcem – mówi Artie przywykły do nagłych zmian tematu w rozmowach ze mną.

– Znów cię zostawiam. – Nawet jeśli Artie nie jest freudowskim odpowiednikiem mojego ojca, ja nim jestem. Może moja podświadomość wcale mnie nie oszukała. – Odjeżdżam. Jak mój ojciec.

– Nie – mówi Artie. – Nie jak twój ojciec. Bo przecież wrócisz. Prawda? – W jego głosie pobrzmiewa bezradność. Kolejny raz wychwytuję ten ton. To jakiś nowy lęk, trawi go równolegle z chorobą.

– Prawda – mówię. – Wrócę. Niedługo.

Zapada cisza.

– Kocham cię – mówi.

– Nie wiem dlaczego, ja też cię wciąż kocham. Może mam nie po kolei w głowie – mówię, nie czekając na jego odpowiedź. Jestem zaszokowana, że tak się przed nim odsłoniłam. Rozłączam się. Wsiadam do samochodu, trzaskając drzwiami. Eleanor, mama i John ruszają za mną, zajmują miejsca i zamykają drzwi.

– Gotowa? – pyta John.

Nie wiem, co ma na myśli.

– Gotowa na co?

– Do drogi.

– Nie musimy tam jechać – mówi cicho Elspa. Chyba opadły ją wątpliwości.

– Jedźmy – mówię. – Musimy jechać.

ROZDZIAŁ 28

**Jedna krew, te same zwyczaje –
i matka, i córka chętnie w łapę daje**

Podróż z przedmieść Filadelfii do Bostonu nie powinna trwać dłużej niż dwie godziny, ale trafiamy na korek. Stoimy w miejscu i robi się duszno. John włącza klimatyzację. Przyglądam mu się ukradkiem. Czy myśli o naszym pocałunku? Czy zastanawia się, co mógł oznaczać? Czy też próbował zepchnąć go w zakamarki umysłu i zapomnieć o nim?

To John przerywa milczenie.

– Samochód jest pełen „artielożek" – mówi. – Mogłybyście mi zafundować kurs dla początkujących.

Eleanor pokasłuje, jednak nie zgłasza sprzeciwu. Wywalczyła przednie siedzenie, co świadczy o tym, że jest zawzięta i umie się targować jak przekupka. (Używam języka pasywnej agresji, w którym celuje moja matka). Siedzę z tyłu z Elspą i nadąsaną matką.

Aby rozładować atmosferę, postanawiam obudzić ducha rywalizacji.

– Zgoda – mówię. – Zobaczmy, kto potrafi opowiedzieć najlepszą historię o Artiem. John będzie sędzią.

– Świetnie – przyklaskuje Elspa.

– Podkręć klimatyzację – mówi mama, zdejmując kapelusz i wachlując wypacykowaną twarz.

Zaczynam zawody opowieścią o tym, że prapraprapradziadek Artiego, przyłapany na kradzieży baryłek whisky, przybył do Stanów w kajdankach – co wolał od szubienicy, która groziła mu w ojczystej Anglii.

– Masz w sobie krew złodziejaszków – mówię Johnowi.

– Na szczęście moja matka pochodzi z purytańskiej rodziny – odpowiada z przekąsem.

– Jaka ona jest? – pyta moja matka, wychylając się przez szczelinę między siedzeniami.

– Ma charakterek – mówi John z westchnieniem rezygnacji.

– A to, jak pies ugryzł go w tyłek, kiedy Artie był mały? – podrzuca Elspa. – Znasz tę historię?

– Znam – mówię.

Powinnam przejść do porządku nad tym, że Artie opowiadał Elspie anegdoty, byli sobie bliscy i ze sobą sypiali. Jedynym powodem opowiedzenia tej historii Elspie była blizna. Elspa zapewne zareagowała dokładnie tak jak ja: „Skąd to masz?". Wciąż nie potrafię się z ich zażyłością pogodzić. Elspa się mityguje.

– Ty to opowiedz.

– Nie, teraz jest twoja kolej.

– To najprawdziwsza prawda. Pies, terier, ugryzł go w pośladek i nie chciał puścić. Artie kręcił się w kółko ze zwierzakiem uczepionym pośladka. Odtąd boi się psów.

– Rozumiem, że pochodzę od złodziei, którzy kręcą psami – mówi John. – Postaram się wszystko spamiętać, co do joty.

– Eleanor? – mówię, zaintrygowana, choć trochę boję się jej historii. – Opowiesz coś?

– Nie wiem, czy będziecie chcieli tego słuchać – mówi, bawiąc się srebrną klamrą do włosów.

– John powinien poznawać ojca od dobrej i od złej strony.

Eleanor milczy przez chwilę.

– Zabrał mnie na dancing.

Milczymy. Nie ma w tym nic nadzwyczajnego ani na plus, ani na minus. Patrzę na nią wyczekująco.

– Nie tańczę. Nigdy nie tańczyłam. – Czekamy w napięciu na ciąg dalszy. Rozpina klamrę, jakby ją uwierała, masuje się po karku. – Rozumiecie? Moja noga. Mam to od urodzenia. W dzieciństwie nie było mowy o balecie. Na potańcówkach i szkolnych zabawach wysiadywałam pod ścianami. Oczywiście potrafiłam tańczyć, ale matka mi nie pozwalała. Artie wziął mnie na dancing. – Patrzy w okno. Bujne, rozpuszczone włosy okalają jej twarz. – Było cudownie.

– Piękna historia – mówi Elspa, wyręczając mnie.

Ja nie mogę wykrztusić słowa. Historia jest tak prosta i wzruszająca, że ściska za gardło.

– Piękna. Ale piękne chwile są później źródłem bólu – mówi Eleanor i wraca do oficjalnej pozy. – Twoja kolej, Joan.

– Próbowałam przekupić Artiego, żeby zrezygnował z małżeństwa z Lucy – mówi moja matka beznamiętnie.

– Co? – krzyczę, gwałtownie odwracając się w jej stronę.

John, który wlecze się w korku jak żółw, nagle hamuje gwałtownie – trudno powiedzieć, czy zszokowany wiadomością, czy moim wybuchem, czy dlatego, że coś się dzieje na szosie. Lecimy w przód, potem w tył.

– Przepraszam, to moja wina – mówi John.

– Nie przyjął łapówki – mówi matka, jakby obwieszczała radosną nowinę.

– Trudno mi sobie wyobrazić Artiego biorącego łapówkę za cokolwiek – wtrąca Elspa.

– Miałam akurat bardzo zamożnego męża – wyjaśnia matka – i była to całkiem zgrabna sumka jak na łapówkę. –

Wlepiamy w nią wszyscy oczy, nawet John przez lusterko wsteczne. – To przecież ładna historia – broni się moja matka. – Czemu się tak na mnie gapicie?

– To ładna historia w kategorii anegdotek o Artiem, ale nie jest to ładna historia o matce – wyjaśniam, siląc się na cierpliwość.

– Cóż – obrusza się mama – starałam się trzymać reguł gry. Nie wiedziałam, że są aż tak skomplikowane!

Eleanor zaczyna się cicho śmiać.

– ... całkiem zgrabna sumka jak na łapówkę – mruczy.

Nagle chwyta ją atak histerycznego śmiechu, a jej ciałem wstrząsają konwulsyjne drgawki. Elspa też wybucha śmiechem, po niej John. I moja matka się uśmiecha, jakbyśmy wreszcie zrozumieli jej dowcip. Próbowała przekupić Artiego „całkiem zgrabną sumką, jak na łapówkę". Wreszcie ja też wybucham śmiechem. Samochód trzęsie się od śmiechu.

Po drugiej stronie mostu Delaware Memorial ruch słabnie i udaje się nam częściowo nadrobić stracony czas. Moja matka oznajmia, że musi skorzystać z toalety. Zjeżdżamy do stacji benzynowej. Sunąc żwawo do ubikacji z Bobusiem pod pachą, mama wyjmuje komórkę.

– Zadzwonię tylko do pielęgniarza sprawdzić, czy nic się nie dzieje.

Chcę jej powiedzieć, że sama zadzwonię, ale ona już wybiera numer. Czuję zresztą, że tak jest lepiej. Obiecałam Artiemu prawdziwą rozmowę. Kiedy moja matka z Eleanor udają się do toalet, ja z przyzwyczajenia kupuję prowiant – chipsy, gumę do żucia i napój energetyczny. Kiedy wracam do samochodu, John nalewa paliwo. Jest spocony, mruży oczy. Czapkę baseballową Red Soksów nasunął na czoło. Szukam w nim jakiegoś podobieństwa do Artiego w sylwetce, twarzy czy spojrzeniu, ale widzę Johna i tylko Johna – z jedną ręką w kieszeni lekko wymiętych spodni i pogodnym wyrazem twarzy. Delikatnie skrzywiony nos dodaje mu tylko urody.

Elspa wyrasta u mojego boku.

– Pamiętaj, że on nie jest Artiem – mówi.

Zaskakuje mnie jej uwaga, chociaż nie ma w niej złośliwości. Zastanawiam się, co Elspa ma na myśli.

– Nie zrobisz z niego Artiego.

– Nie mam takiego zamiaru. Co ci w ogóle każe tak mówić?

– Sama nie wiem. Myślałam o tym. Artie był dla mnie substytutem ojca, dla ciebie może zresztą też.

– Dla mnie był szkodliwym substytutem ojca. Nie dość, że zdradził mnie prawdziwy ojciec, zdradził mnie również substytut ojca, który sama sobie wybrałam. – Po raz pierwszy udaje mi się wyrazić słowami uczucia. Powiedzieć, dlaczego zdrady Artiego trafiły w bolesny punkt, dotkliwie mnie raniąc. – Mój ojciec wybrał inną rodzinę. Jak w grze Sims: wziął swojego awatara z niebieskiego domku i przełożył do innego wirtualnego domku. – Staram się mówić żartobliwym tonem, ale w moim głosie wciąż słychać ukryte emocje, zwłaszcza podskórny gniew, który mnie samą zaskakuje. Milknę. Czasem boję się Elspy i jej umiejętności rozdrapywania niezagojonych ran.

– Jak zareagowała Joan? – pyta Elspa.

– Zastąpiła go kolejnym pionkiem. A potem jeszcze innym. Nie zamierzam powtarzać jej błędów.

Elspa patrzy na Johna, który czyści przednią szybę wycieraczką.

– Artie był dla mnie dobrym substytutem ojca. John jest bardziej... Ma chyba w sobie jakąś dziecięcą otwartość.

– To dobrze czy źle? – naciskam.

– Pewnie i tak, i tak. Nasze zalety to tylko odwrotna strona naszych wad. U ciebie też tak jest.

– U mnie? – dziwię się.

– Jesteś bardzo wrażliwa. Czujesz za dużo. To twoja siła i słabość. Kochałaś tego ptaszka.

– Jakiego ptaszka? – pytam zirytowana.

– Tego, którego wypuściłaś przez okno. Kochałaś go i kochałaś Artiego, bo się go bał. Był przez to sobą.

– Jakie są wady Artiego?

– Za dużo kocha. Nie umie powiedzieć „nie" – wsiada na tylne siedzenie samochodu.

Wciąż tkwię w miejscu. Miotają mną sprzeczne uczucia. Z jednej strony mam ochotę jej przypomnieć, że Artie jeszcze żyje, a ja jestem jego żoną. Ale bardziej niż Elspę siebie powinnam o tym przekonywać.

Nadciąga Eleanor z moją matką. Uszy Bobusia powiewają na wietrze.

– Artie czuje się dobrze – melduje matka.

– Wsiadasz? – pyta Eleanor.

– Co się stało? – niepokoi się mama.

– Nic – mówię.

Sama nie wiem, czy powinnam być zła na Elspę, czy nie.

John kończy tankowanie. Stoimy wokół auta, ale nie wsiadamy do środka, bo na tylnym siedzeniu Elspa przy otwartych drzwiach rozmawia przez komórkę z rodzicami.

– Dobrze. Bardzo miło z waszej strony – mówi. – Nie wiem. Trochę. Tak. Zatrzymamy się w Radissonie. Zadzwonię, kiedy będziemy dojeżdżać. – Siedzi skulona z komórką w ręku, potem odchyla się do tyłu. Wierci się, jakby nie mogła sobie znaleźć miejsca. – Mówiłam wam już: nie piją i nie ćpają. – Wywraca znacząco oczami, potem jednak uśmiecha się łagodnie. W jej oczach pojawiają się łzy. Kiedy rozmawia przez telefon z rodziną, jej głos się zmienia. Jest słabszy, bardziej dziecinny, mniej pewny siebie. – To dobrzy ludzie. Dawno takich nie spotkałam – mówi na tyle głośno, że ją słyszymy.

Oczywiście nikt z nas nie komentuje tekstu o dobrych ludziach, ale kiedy Elspa chowa telefon, ogarnia nas nastrój braterstwa broni. Wszystkie okna są lekko uchylone. Bobuś, tym razem na kolanach mojej matki, wystawia pysk przez okno. Podmuch powietrza rozwiewa nam włosy. Możliwe, że ja też dawno nie spotkałam równie dobrych ludzi jak moi towarzysze podróży! Czuję, że ja też się zmieniam na lepsze. Chcę, by to trwało.

ROZDZIAŁ 29

**W podmiejskich ogrodach
niejedna żmija się chowa**

Do rodziców Elspy jedziemy przez ponury fragment Baltimore. Domy stoją jeden przy drugim, wiele z nich ma na drzwiach przybitą tabliczkę: *Wstęp wzbroniony.* Szare ganki. Grupka dzieci biegnie chodnikiem i znika w wąskim przejściu między domami. Trzech młodych mężczyzn sterczy na rogu przed sklepem monopolowym. Stara kobieta stoi jedną nogą na jezdni, gniewnie grzebiąc w kieszeniach fartucha.

Moja matka blokuje drzwi po swojej stronie. John i Eleanor biorą z niej przykład, tylko Elspa wychyla się z tylnego siedzenia, chłonąc widok.

– Często bywałam w tej okolicy – mówi z nagłym podnieceniem. – Zwolnij.

Eleanor chyba odruchowo podnosi torebkę z podłogi i kładzie ją na kolana. Moja matka zasłania kapeluszem twarz niczym gwiazda filmowa.

Po prawej pojawia się ruina spalonego domu z zabitymi okiennicami. Elspa wychyla się przez okno i studiuje ten widok w skupieniu, jak gdyby mijała zabytkową budowlę. Sprawia wrażenie nieobecnej duchem.

– Czy twoi rodzice wiedzą, o co masz zamiar ich prosić? – pyta rzeczowo Eleanor.

– O Rose? Nie. Pewnie wyobrażają sobie najgorsze, że chcę od nich pieniądze na narkotyki.

– Będziemy przy tobie, kochanie, mam nadzieję, że to ci pomoże – mówi moja matka.

– No właśnie – mówię. – Może pozwolą sobie wcisnąć zgrabną sumkę jak na łapówkę.

Elspa kiwa głową.

– Jedźmy.

Dzielnice Baltimore są pełne kontrastów niespotykanych w innych wielkich miastach. Uboga zabudowa graniczy tu, czasem dosłownie przez płot, z budynkami wartymi miliony dolarów.

– O, tutaj – kieruje Elspa. – W lewo na najbliższych światłach. To już blisko.

Zbliżamy się do ogrodzonej posesji. Mama chwali czyjś ogród. Eleanor potakuje. Zachowują się, jakby były na wycieczce krajoznawczej.

– To właśnie tu – mówi Elspa. Pokazuje niezwykle wystawny dom po drugiej stronie ulicy: biały, z wielkim zielonym trawnikiem. Luksusowy, kosztowny. Na podjeździe widać dwa volva. Na ulicy stoi furgonetka, obok saab z otwieranym dachem.

– Przyjęcie? – dziwi się John.

– Rodzinny lunch w niedzielę – mówi Elspa. – Mam nadzieję, że lubisz naleśniki z krabami.

– Któż nie lubi naleśników z krabami? – podnieca się moja mama. – Bobuś uwielbia naleśniki z krabami! – dodaje i klepie psa po szczupłym łbie.

– Mnie się po nich robi niedobrze – wyznaje Elspa.

John parkuje za saabem. Nic mi nie przychodzi do głowy, więc milczę. Wysiadamy z samochodu i doprowadzamy się do porządku – wygładzamy ubrania, poprawiamy paski. Jednak brakuje wśród nas Elspy.

Nachylam się i zaglądam do wozu. Elspa nabiera tchu. Kładzie rękę na klamce. Otwiera drzwi, stawia jedną nogę na ziemi, zadziera głowę i patrzy na dom.

– To tylko ludzie. Twoi starzy – uspokaja ją John.

– Ze znakomitym gustem – wtrąca moja matka ni w pięć, ni w dziewięć.

Chwytam Elspę za poły sweterka, porządkuję jej strój i poprawiam na nosie okulary słoneczne.

– A oto tajemnica moich sukcesów handlowych. Po odejściu od Artiego doprowadziłam ją do perfekcji. Musisz się zdystansować emocjonalnie. Choćby troszkę. Choćby na chwilę. Żeby to wszystko wytrzymać. Kiedy tobie na nich nie zależy, im zaczyna zależeć na tobie. – Uderzam ją pięścią w ramię.

– Au – mówi Elspa.

– Odpowiedź nieprawidłowa – mówię i uderzam znowu.

Krzywi się.

– Też nie tak – mówię. – Prawidłowa odpowiedź to zero reakcji.

Uderzam jeszcze raz.

– Kiedy to naprawdę boli. – Elspa pociera ramię.

– Hm – mówi John – może mogłabyś już przestać.

– Dobra, zapomnijmy o tym. Staraj się trzymać.

Ruszamy do drzwi frontowych. Elspa przesuwa okulary na czubek głowy, odgarniając część włosów do tyłu. John naciska dzwonek.

– To tylko twoi starzy – powtarza.

Otwiera nam wysoka, szykowna kobieta z siwą grzywką. Matka Elspy. Patrzy na naszą piątkę, taksując ostro zwłaszcza Bobusia w jego odświętnej kreacji. Wraca wzrokiem do córki.

– Naleśniki wystygły, z toniku uciekł gaz. Niemniej zapraszam. Proszę bardzo. – Nie cofa się jednak, żeby nas wpuścić, tylko patrzy na Elspę i łapie ją za ramię. Obrzuca nas jeszcze jednym uważnym spojrzeniem.

– Od niej pożyczyłaś ubrania – mówi, wskazując głową na mnie. – Sprytne posunięcie. – Wpuszcza nas do środka. – Kim są twoi przyjaciele? Przedstaw nas sobie.

– To jest Lucy, to John, Eleanor i Joan. A to moja mama, Gail.

– Witam. – Zaprasza nas gestem do hallu. – Naleśniki wystygły, z toniku uciekł gaz – powtarza.

– Osobiście lubię zimne naleśniki – mówi John.

Supernowoczesna kuchnia z niklowanymi urządzeniami wygląda jak zaplecze luksusowej restauracji. W kącie rozłożył się stary, ogromny bernardyn, pies rasy, w jakich gustują bogacze. Śpi rozciągnięty jak niedźwiedzia skóra. Przypominam sobie jedną z sentencji mojej matki, która szczególnie urzekła Artiego: „Pies nie powinien być większy od damskiej torebki".

Gail napełnia kieliszki. Patrzymy z Elspą przez okno. Na trawniku na tyłach domu widać jej brata i siostrę z rodzinami. Jakiś mężczyzna, sądząc z wieku ojciec Elspy, siedzi w ogrodowym fotelu. W głębi, w narożniku posesji stoi altana. Trawnik jest obsadzony kwiatami. Dzieci biegają. Jest wśród nich trzyletnia dziewczynka. Widzę, jak Elspa patrzy na nią. Rose jest śliczna. Czuję ten specyficzny ból, który nawiedza mnie na widok pięknych dzieci. Od tak dawna pragnę własnego dziecka. Ale widok Elspy też budzi we mnie ból – pożera swoją córkę wygłodniałymi oczami.

Gail podaje nam na talerzach udekorowane naleśniki.

– Proszę bardzo i przepraszam. Prawdę mówiąc, przepraszam za w a s z e spóźnienie. Całkiem bez sensu.

– Były straszne korki – mówi moja matka. – A ja muszę co jakiś czas wysiadać, wie pani, z jakiego powodu.

Gail nie podchwytuje okazji do spoufalenia się z moją matką. Uśmiecha się uprzejmie.

– Chodźmy na zewnątrz – mówi i gestem wskazuje drogę.

Prowadzi nas na trawnik za domem. Podbiega do nas młody mężczyzna. Ściska serdecznie Elspę, która odwzajemnia jego uścisk.

– Wyglądasz wspaniale! – mówi, po czym odwraca się do nas. – Czy powinienem już was przeprosić za coś, co powiedziała Gail? Przyjmijcie przeprosiny *in blanco*.

– Dzięki, Billy – mówi Elspa, a potem przedstawia nas, nie spuszczając przy tym oczu z Rose, która z bliska okazuje się jeszcze ładniejsza. Ma jasne oczy, jest ubrana w kosztowny komplecik w kwiatki.

– Świetnie się rozwija – mówi Billy. – Nieźle się zna na żartach i ma poczucie sprawiedliwości. Jak jej mama.

Mówię Elspie, że ma przepiękną córkę. Wszyscy potakują.

– Zgadzam się z Lucy. Pomyśl tylko: to ty ją wyprodukowałaś – żartuje John.

– Na pewno nie w tym ubranku – śmieje się Elspa.

Nieco później leniuchuję w altanie na uboczu. Elspa bawi się z Rose, podnosząc małą, kiedy ta spada z piłki. Mama poszła się przejść po bocznych ogródkach, zapewne bacznie zapamiętując szczegóły. Spuściła ze smyczy Bobusia, który teraz obwąchuje trawę.

Obok John rozmawia z Rudym, ojcem Elspy, który w cytrynowej koszulce wygląda jak golfista.

– Czym się pan zajmuje, John?

– Handlem. Jestem przedsiębiorcą.

– Aha. Ostatni chłopak Elspy też się zajmował handlem. Znaczy się, znów poderwała dealera. Mało brakowało, a byłbym zastrzelił ćpuna! – Trochę jestem zaszokowana słowem „ćpun". John pewnie też, ale nie daje nic po sobie poznać. – Wiem, jak się teraz mówi – oznajmia Rudy.

– Nie jestem chłopakiem Elspy. Prowadzę sklep z łóżkami i wyposażeniem sypialni.

– Taa – mówi Rudy. – Taa. Jasne.

Wracam do kuchni. Nie ma nikogo, co mi bardzo odpowiada. Zaczynam wkładać talerze do zlewu. Nadciąga Gail z kolejną stertą naczyń. Korzystając z tego, że jesteśmy same, postanawia odrzeć mnie ze złudzeń.

– Chciałam tylko pani powiedzieć, że lepiej pani zrobi, kierując swoje wysiłki w inną stronę. Rose jest u nas od półtora roku, a powinna być od urodzenia. – Pokazuje wzrokiem Elspę bawiącą się w ogrodzie z Rose. – Niemowlęta zwykle szybko uczą się trzymać główkę prosto, jednak Rose zajęło to długie miesiące. No, ale ona miała przyjemność zakosztować heroiny.

– Elspa jest teraz inną osobą.

– Mało nie spłonęła żywcem w melinie. W siódmym miesiącu ciąży.

Z ogrodu na tyłach dobiegają głosy Elspy i reszty rodziny. Słychać wiwaty. Ktoś musiał strzelić gola. Zostawiam Gail przy zlewie szorującą gary.

Niedzielny lunch dosyć szybko dobiega końca. Rodzeństwo Elspy odjeżdża z rodzinami. Billy ściska Elspę serdecznie, choć ze smutkiem. Bierze synka na ręce. Jego żona ogranicza się do pomachania nam ręką.

Gail zwraca się do mojej matki.

– Uszyła pani to wdzianko dla pieska własnoręcznie? Jest bardzo, bardzo… niecodzienne.

– Owszem, uszyłam własnoręcznie – mówi matka. Mam ochotę zapaść się pod ziemię, kiedy zaczyna opowiadać o tym, jak hojnie Bobuś został wyposażony przez naturę, raz po raz teatralnym szeptem wymawiając słowo „prącie". Odsuwam się, udając, że podziwiam wysokie drzewa.

John wyrasta u mojego boku. Jego nagła bliskość zaskakuje mnie. Pachnie ładnie – koktajlem i czymś jeszcze, chyba cynamonem.

– Chcesz mi coś powiedzieć? – pyta.

– Coś ci powiedzieć?

– Mam wrażenie, że chcesz mi coś powiedzieć, ale nie mówisz, więc chcę ci dać szansę, żebyś mi powiedziała, jeżeli chcesz. Ale jeżeli nie chcesz...

– Albo jeśli nie mam nic do powiedzenia...

– O, właśnie! Dokładnie to chciałem powiedzieć. Wtedy nie ma sprawy.

– Nie ma sprawy.

– Nie ma sprawy, że chcesz mi coś powiedzieć? Czy nie ma sprawy, że nie chcesz? A może nie ma sprawy, bo nie masz mi nic do powiedzenia?

– Tak – mówię kompletnie zdezorientowana.

– Co: tak?

– Nie wiem co.

– Moglibyśmy tak konwersować bez końca – proponuje. – Ja coś mówię. Ty coś mówisz. I tak w kółko.

– Pocałunek wylądował w śmieciach – szepcę. – Tyle z niego zostało. Szczerze mówiąc, nic dla mnie nie znaczy. Wcale się tym nie przejmuję, a ty?

– W śmieciach?

– Tak.

Nie reaguje w żaden sposób, patrzy tylko na mnie w osłupieniu.

– To jest konwersacja. Ja coś mówię, ty coś mówisz.

– W ś m i e c i a c h? – powtarza.

– W kółko, bez końca – przypominam mu.

– Cóż, umówiliśmy się, że tego pocałunku w ogóle nie było. Obiecałem.

– Ale myślisz o tym, czego w ogóle nie było?

– Tak – mówi, a ja czuję, że chcę, żeby o tym myślał. Chcę, żeby, jak ja, zastanawiał się, co mnie wtedy napadło. Kiedy jednak zaczyna mnie ogarniać radość, że też o tym myśli, uprzytamniam sobie, że nie powinnam się cieszyć. Nie powinnam w ogóle o tym myśleć.

– W porządku – mówię. – To chciałam wiedzieć.

– Pozwól sobie powiedzieć właśnie teraz, kiedy pocałunek, którego nie było, prawie jest, że nie uważam go za śmiecia.

– W porządku – mówię. – Ja próbowałam ukryć ten pocałunek w zakamarkach umysłu, ale mi nie wyszło. – Obracam się do matki, która nadal peroruje o Bobusiu i jego ciężkim losie.

Gail wygląda na skonfundowaną. Jej twarz wykrzywia dziwny grymas, na szczęście podbiega Rose – nie może sięgnąć do talerza z ciastem.

– Mamusiu! Mamusiu! – woła.

Elspa wstaje, żeby jej pomóc, ale Gail pierwsza dopada małej. Rose, prawdę mówiąc, wzywała Gail.

– Mogę jej dać ciasto – mówi Elspa.

Gail podnosi Rose do góry.

– Rose idzie teraz spać.

Rose odrzuca główkę do tyłu.

– Nie chcę spać!

– Wezmę ją na górę – proponuje Elspa.

– Lepiej nie zmieniać przyzwyczajeń – mówi Gail i odchodzi z dziewczynką.

Elspa jest zawiedziona, roztrzęsiona. Próbuje się opanować.

– Chyba już też powinniśmy sobie pójść – mówi.

Rudy idzie przodem, prowadząc nas do wyjścia.

Maszerując przez wspaniale urządzony dom, nachylam się do ucha Elspy:

– Załatw drugie spotkanie, żeby porozmawiać. W jakimś neutralnym miejscu.

Słyszę, jak John mówi do Elspy:

– Na pewno ci się uda.

Elspa patrzy na nas nerwowo, kiwa głową.

Ojciec Elspy wyprowadza nas przez dom. Na frontowych schodkach żegna się z nami uściskiem dłoni.

– Przyjedziesz jutro? – pyta Elspę. – Bardzo byśmy chcieli znowu cię zobaczyć.

– Chciałam z wami o czymś porozmawiać.

– Zdajesz sobie sprawę, że nie możemy ci już dawać pieniędzy, i wiesz dobrze, że oboje ukończyliśmy kurs opieki nad dzieckiem uzależnionym. Dla twojej matki to było cholernie upokarzające.

– Nie chcę pieniędzy. Nie o tym chcę rozmawiać – zaczyna się wycofywać Elspa. Daję jej znaki głową. Niech mówi dalej! Milknie i patrzy w stronę domu. Krzyżuje ręce na piersi, palce wbija w ramiona. Widzę, że trafia na miejsce, w które tłukłam, żeby ją zmobilizować. – Lepiej spotkajmy się w restauracji. Poza tym chciałabym jutro pobyć trochę z Rose.

Patrzy w stronę schodów na górę, gdzie Gail układa Rose do poobiedniej drzemki.

– Myślę, że da się to zrobić.

– Chciałabym ją zabrać do parku albo do zoo, coś z tych rzeczy.

– Nie próbowaliśmy tego jeszcze. Jesteś pewna? Chcesz iść sama?

– Mogę wziąć moich przyjaciół.

– Krótka wyprawa do zoo?

– Od dawna nie biorę narkotyków. Chcę zabrać własne dziecko do zoo. Chyba mi wolno?

– Tak. – Rudy schodzi po schodkach. Trudno powiedzieć w jakim celu, może chce pocałować córkę?

Elspa odwraca się i szybko rusza do samochodu.

W samochodzie przez dłuższą chwilę staramy się odzyskać oddech.

– W tym ogrodzie mieszka jadowita żmija – mówi wreszcie John.

– Ze znakomitym gustem – moja matka znów swoje.

– Ale czeka nas drugie spotkanie, w innym miejscu – przypominam.

– Byłaś niesamowita! – mówi Eleanor. – Twarda jak skała. – Taka pochwała z ust Eleanor to największy komplement.

– Naprawdę? – pyta Elspa.

– Naprawdę – upewnia ją Eleanor.

ROZDZIAŁ 30

Szczerość cię wyzwoli,

lecz... policzek zaboli

Stoimy w recepcji hotelu Radisson w śródmieściu Baltimore, w szpanerskim hallu z obowiązkowymi posągami lwów, i nie możemy się zdecydować, kto z kim będzie spał. Ku głębokiej irytacji młodej, wypindrzonej recepcjonistki – moja matka powiedziałaby: zrobionej na wysoki połysk – roztrząsamy pod jej nosem możliwe scenariusze.

– Matka z córką – mówi moja mama.

Jest zdenerwowana, oczy latają jej na boki. Radisson nie przyjmuje zwierząt. Bobuś został w samochodzie i trzeba go będzie przemycić. Próbuje się rozeznać w sytuacji.

– Ale ja chcę pomóc Elspie opracować strategię, więc może... – mówię.

– Wezmę osobny pokój, jeśli to coś zmienia – proponuje Eleanor.

– Nie wygłupiaj się – mówi mama, spotniała z nerwów.

– Wezmę pokój dla siebie – oznajmia John.

– Ale nie będziesz za niego płacił – mówię. Nie wiem, jak się zachować w tej sytuacji, ale to ja wplątałam go w to wszystko. I wiem, że nie śmierdzi groszem.

– Nie, nie – protestuje.

Staje na tym, że zamieszkam z Elspą. Eleanor z matką wezmą drugi pokój, a John jedynkę. Po chwili debaty nad tym, czyjej karty kredytowej użyć – John nie pozwala zapłacić za siebie – wsiadamy do windy.

Winda z lekkim szarpnięciem rusza do góry.

– Od dziecka uwielbiam windy – mówi Eleanor.

Odwracam się i przeszywam ją morderczym spojrzeniem. Więc to z nią pomylił mnie Artie w jednym ze swoich numerowanych bilecików miłosnych.

– O co chodzi? – Patrzy zdziwiona.

– O nic – mówię. To wszystko już nie ma znaczenia. Nie powinnam reagować, lecz to silniejsze ode mnie. Złoszczą mnie najdrobniejsze ślady niewierności Artiego.

Wysiadamy na tym samym piętrze – moja matka nalegała na to ze względów bezpieczeństwa – i rozchodzimy się po pokojach.

Rozpakowuję się i zaczynam spisywać na papierze firmowym Radissona listę argumentów przydatnych w jutrzejszej rozmowie. Elspa z rękami złożonymi na piersi leży na swoim łóżku, patrząc w sufit.

– Musisz pamiętać, że nie utraciłaś ani nie zrzekłaś się praw rodzicielskich. Dziecko jest twoje. Oczywiście będziemy unikać rozmów w tym tonie. Musimy ich przekonać do ciebie w roli matki Rose. Słuchasz mnie?

– Modlę się.

– Nie wiedziałam, że jesteś wierząca.

– Nie jestem. – Zaciska powieki i dłonie.

– Chyba zostawię cię samą. Pójdę coś zjeść ze wszystkimi. – Biorę torebkę i wstaję. – Idziesz? – pytam.

Kręci głową.

– Chcesz, żebym ci coś przyniosła?

– Sałatkę.

Stukam do drzwi Eleanor i mojej mamy. Nikt nie odpowiada. Zastanawiam się, dokąd poszły. Idę pod drzwi Johna, może on coś będzie wiedział. Stukam. Zza drzwi dobiega stłumiony szelest. Przede mną stoi John, senny i rozmemłany. Jest bez koszuli, ma na sobie tylko luźne dżinsy, w które, jak się domyślam, wskoczył przed chwilą.

– Spałeś?

– Nie do końca – mówi, siląc się na rześki ton.

– Drzemałeś czy pozowałeś?

– Bardzo śmieszne.

– Stukałam do drzwi mamy i Eleanor, żeby spytać, czy pójdą na kolację, ale nikogo nie było.

– Poszły już. Próbowały mnie namówić, a tobie z Elspą nie chciały przeszkadzać. Teraz wreszcie zgłodniałem dostatecznie.

– Rozumiem – mówię i dociera do mnie, że wprawdzie nie zaprosiłam go na kolację, ale nic straconego. – Właśnie szłam zjeść jakieś małe co nieco. Równie dobrze możemy zamówić kolację do pokoju.

– Nie, nie – prosi. – Daj mi tylko chwilkę. Chodźmy gdzieś. Zjedzmy coś dobrego. Nie stój tak na progu, wejdź. Włożę tylko koszulę.

Wchodzę do środka, drzwi zatrzaskują się za mną. John wkłada podkoszulek, potem zapina koszulę. Normalna rzecz. Ubiera się, a nie rozbiera. Jednak jesteśmy we dwoje w pokoju hotelowym, i do tego te ciuchy. Plotę, co mi ślina na język przyniesie:

– Będziemy sami. Elspa się modli. Prosiła, żeby jej przynieść sałatkę.

– Nie wiedziałem, że jest wierząca – mówi John, wsuwając portfel do kieszeni.

– Bo nie jest.

Restauracja serwuje owoce morza. Pod sufitem wiszą stare sieci, wiosła i harpuny. Zamiast obrusów – gruby papier. Studiujemy menu. Jest drogo. Nadciąga kelner. Wyciąga długopis.

– Jestem Jim, wasz kelner – oznajmia. Pochyla się nad stołem i dużymi literami pisze J-I-M.

John wyciąga rękę i Jim bezwiednie wręcza mu długopis.

– Jestem John. – Pisze swoje imię i przekazuje mi długopis.

– A ja jestem Lucy – mówię i również się podpisuję. Oddaję długopis lekko zszokowanemu kelnerowi.

– Czym mogę państwu służyć?

Zamawiamy potrawy sezonowe i wino. I nagle okazuje się, że siedzimy w milczeniu. Robi się trochę nieswojo.

– Masz coś do pisania? – pyta John.

– Jasne. – Grzebię w torebce i wyciągam pióro. – Po co?

– Chcę ci opowiedzieć historię z mojego dzieciństwa.

– O sobie?

– O sobie. Będę rysować i opowiadać.

– Nie wiedziałam, że masz zdolności plastyczne.

– W trzeciej klasie byłem najlepszym rysownikiem, ale straciłem motywację, ponieważ zostałem olany przez nowojorską bohemę.

– Są bardzo wybredni.

John rysuje postać kobiety z szopą włosów na głowie.

– Oskarżam panią McMurray, która była moją nauczycielką w trzeciej klasie, że nie pchnęła mnie w odpowiednim kierunku – mówi.

– To jest pani McMurray? – pytam.

– Nie. To jest Rita Bessom, moja matka.

– Ma dużo włosów.

– Jest fanką wielkich fryzur. Możliwe, że w środku trzyma kosztowności. Wciąż nosi wielkie fryzury, choć zaczynają trochę prześwitywać. To są jednak jej włosy w młodości. Kiedy się urodziłem, była młodziutką dziewczyną.

Zaczyna rysować mężczyznę.

– Czy to historia miłosna?

– Nie do końca. Moja matka nie jest kochliwa. Może jednym z jej skarbów jest jej serce, które skrywa w gąszczu włosów.

– To niepokojący rysunek.

– Tak mi wyszło – mówi. – Jestem niespokojnym artystą.

– A to jest młody Artie Shoreman? – pytam, upijając łyk wina, które nie wiedzieć kiedy pojawiło się na stole.

– Nie. To jest Richard Dent.

– Kto to jest Richard Dent?

Rysuje kolejnego mężczyznę obok Richarda Denta. Tym razem z walizką i epoletami.

– A to jest Artie Shoreman w stroju boya hotelowego.

– Rozumiem – mówię, choć wcale nie rozumiem. – Kim jest Richard Dent?

John dorysowuje Dentowi worek żeglarski i czapkę wojskową.

– Jest żołnierzem.

– Jakim żołnierzem? – pytam.

Kelner Jim nadciąga z naszymi sałatkami.

– Życzą sobie państwo świeżo zmielonego pieprzu?

– Nie – mówi John.

Wpatruje się we mnie intensywnie.

Potrząsam głową.

Kelner znika.

Pytam ponownie, bo mam wrażenie, że zastygliśmy w tamtej chwili.

– Jakim żołnierzem jest Richard Dent? Żołnierzem piechoty? Marynarki? Straży przybrzeżnej?

– Żołnierzem, który ginie – odpowiada John. – Bez względu na to, czy ktoś czeka na niego i go kocha, czy nie. –

Dorysowuje brzuszek swojej matce. Przekreśla postać Richarda Denta. – Jest żołnierzem, który zapładnia, a potem ginie. – Rysuje kółko wokół swojej matki i kółko wokół Artiego, potem łączy oba kółka ze sobą.

– Richard Dent był twoim ojcem? – pytam. – To właśnie chcesz powiedzieć?

– Tak.

– Nie Artie Shoreman.

– Nie Artie Shoreman.

– Czy twoja matka oszukiwała Artiego? Żeby jej płacił na dziecko? To znaczy na c i e b i e?

– Tak. Numer stary jak świat.

– I dlatego nigdy nie nazywałeś Artiego ojcem? – Odpycham krzesło i wstaję na chwiejnych nogach. Serweta spada na podłogę. – Więc to taki przekręt? Przez te wszystkie lata robiliście w konia Artiego, który harował na was jak wół, a teraz... a teraz znowu próbujecie zbić na nim kasę, najpierw twoja matka, teraz ty?

– Nie – mówi. – Ja nie. Nigdy.

Ale ja już wybiegam, roztrzęsiona. Jest mi niedobrze. Nie wiem, czy John idzie za mną, czy nie. Nie jestem w stanie spojrzeć za siebie. Na oczach zdumionych hostess przepycham się między stolikami. John chwyta mnie za łokieć już przy tabliczce z napisem: „Proszę zaczekać, aż obsługa wskaże stolik".

– Lucy, zaczekaj – prosi.

Wzburzona, daję mu w twarz. Nigdy jeszcze nikogo nie spoliczkowałam i zaskakuje mnie dźwięk uderzenia. Czuję w ręce piekący ból. Łzy oślepiają mnie. John puszcza moją rękę. Wybiegam w ciemność.

ROZDZIAŁ 31

Prawda dobija,
ale ból przemija

Stoję przed drzwiami pokoju. Nie chcę się pokazywać Elspie wściekła i sfrustrowana. Usiłuję się doprowadzić do porządku. Wyciągam owalną puderniczkę. Makijaż mi spłynął, całą twarz mam w plamach. Ścieram mokry tusz wydobytą z torebki chustką do nosa, co tylko pogarsza sprawę. Próbuję coś zrobić z oczami. Ręka mi drży – ta ręka, którą walnęłam Johna w twarz. Wiem, że to brzydko, ale żałuję, że nie spoliczkowała w moim życiu paru osób. Przypominam sobie twarz ojca, kiedy wparował do nas miesiąc po moich urodzinach, niosąc prezent w zwykłej reklamówce. I Artiego, który owinięty w ręcznik siedzi na brzegu naszego łóżka, wyznając mi więcej, niż chciałam słyszeć. Wyobrażam sobie, jak daję im w pysk – niemal czuję satysfakcję i piekący ból.

Jak John Bessom śmiał mnie okłamywać przez cały ten czas? Jak mógł okłamywać Artiego? Eleanor i moją matkę? Elspę?

Elspę. Przypominam sobie, że to nie ja jestem bohaterką tej wyprawy. Fakt, że Artie został wrobiony, kiedy był młodym chłopakiem, a następnie dojony z pieniędzy przez trzydzieści lat, nie ma żadnego związku z naszą eskapadą. Cel naszej podróży dotyczy wyłącznie Elspy i Rose. Moje myśli powinny się ogniskować wyłącznie na nich.

Wsuwam kartę do czytnika. Słyszę szczęk zamka, zapala się zielone światło. Wchodzę do środka, drzwi zamykają się za mną.

Elspy nie ma w łóżku. Nie ma jej w łazience.

– Elspa? – wołam bez sensu.

Worek żeglarski stoi, jak stał, przy łóżku, ale Elspy nie ma.

Ktoś stuka do drzwi.

– Elspa? – rzucam się do drzwi, ale z drugiej strony dobiega głos Johna.

– Lucy, tu John. Pozwól mi wytłumaczyć. – On też oddycha ciężko.

Otwieram drzwi. John ma jeden policzek czerwony. Pod okiem krwawiący ślad po moim paznokciu. Jestem najdalsza od skruchy.

Przez twarz Johna przemyka wyraz ulgi, że otworzyłam mu drzwi.

– Nie ma Elspy – mówię.

– Jak to?

– Zniknęła.

Odpycham go i biegnę do pokoju mamy, cztery numery dalej. Stukam. Otwiera Eleanor, potem wyłania się moja matka, trzymając w ręce spłaszczony kłąb mokrego, zażółconego papieru toaletowego.

– Bobuś się zsiusiał – wyjaśnia. – Jest w nowym miejscu. Wszystko mu się poplątało. Biedne maleństwo.

– Jest z wami Elspa? – pytam.

– Nie – odpowiadają chórem.

– Może poszła po lody – mówi mama.

W tym momencie obie kobiety jednocześnie zauważają czerwony policzek i zadrapanie pod okiem Johna.

– Co się stało? – Mama spanikowana rzuca się w stronę Johna.

Eleanor zerka na mnie podejrzliwie. Nadal nie jestem w stanie wykrzesać z siebie skruchy.

– Walnąłem się drzwiami. Nic mi nie jest. – Macha ręką. – Oddałem ci w hallu kluczyki od samochodu – zwraca się do mnie. – Są u ciebie?

Pędem zawracam do mojego pokoju. Kluczyków nie ma.

– Elspa zginęła – mówię.

Moja matka i Eleanor są już gotowe do wymarszu. Obsiusiany papier zniknął w koszu. Bobuś zostaje pod kluczem. Torebki w rękach. Gnamy do windy.

Mama postanawia czatować z Eleanor w hallu hotelowym.

– W tego rodzaju sytuacjach ktoś zawsze powinien zostać na miejscu.

– Poproszę recepcjonistę, żeby wezwał taksówkę – mówię, chociaż nie mam pojęcia, dokąd jechać.

– Na wszelki wypadek przeszukam parking – mówi John.

Wysiadamy pośpiesznie z windy. John dochodzi do końca hotelowej markizy i rozgląda się za samochodem. Kręci przecząco głową.

Jest też dobra nowina – właśnie nadjechała taksówka, której pasażerowie wyglądają, jakby wracali z wesela.

John rozmawia z taksówkarzem. Eleanor i mama stoją na podjeździe przed rozsuwanymi, szklanymi drzwiami.

– Myślisz, że powinnyśmy gdzieś zadzwonić? – pyta matka.

– Do kogo na przykład? – pyta John.

– Dokąd chcecie jechać? – niepokoi się Eleanor. – Baltimore to duże miasto. Uważajcie na siebie!

– Musimy jej zaufać – mówi mama. – Jestem pewna, że wie, co robi.

Siadamy z Johnem na tylnym siedzeniu. John każe taksiarzowi ruszyć do Charles Village, dzielnicy, w której widzieliśmy wypalone ruiny. Taksówkarz dodaje gazu i włącza się w sznur samochodów.

– Nie wiedziałem, jak ci to powiedzieć, ale jeśli pozwolisz mi wyjaśnić, zrozumiesz wszystko. – John próbuje uchwycić moje spojrzenie.

– Nie teraz – mówię. – Nie mam do tego głowy.

O czym tu gadać? Przez całe życie udawał, że jest synem Artiego, okłamał Elspę, Eleanor, moją matkę i mnie, żeby żerować na nas. Nie chcę tego słuchać. Wyznania Artiego nauczyły mnie, że nie należy zadawać zbędnych pytań. Oszustwo to oszustwo. Po co komu szczegóły.

– Właściwie kiedy odnajdziemy Elspę, możesz wracać do siebie.

– Wracać do siebie?

– Koniec pieniędzy. Nie jesteś synem Artiego. Koniec, kropka.

– Nie chodzi mi o pieniądze – mówi.

– Czy zechciałbyś mi zrobić przyjemność?

– Tak?

– Będzie mi miło, jeśli jutro rano nie będę musiała cię oglądać.

– Nie mam wyboru?

Kręcę głową.

– Chwilowo chcę się skoncentrować na Elspie. Rozpraszasz mnie i tyle. Czy byłbyś tak uprzejmy i wyjechał?

Wzdycha. Z rękami na kolanach odchyla się do tyłu.

– Dobrze, jeżeli nie ma innej możliwości – mówi.

– Dzięki.

Pochyla się do przodu i zaczyna dyktować taksiarzowi, gdzie ma jechać.

– Proszę po prostu krążyć po tej okolicy – wyjaśnia.

– Nie wpuszczam do wozu naćpanych prostytutek – oznajmia rzeczowo taksówkarz.

– Nie, nie! Szukamy tylko kogoś, kto się zgubił.

Zgubił? Elspa się nie zgubiła. Nie jest dzieckiem. Czyżby nas porzuciła? Rzuciła to wszystko w diabły? Porzuciła swoją córeczkę, tym razem dobrowolnie?

W milczeniu okrążamy kilka przecznic. Prześlizguję się wzrokiem po samochodach i niewyraźnych postaciach ludzkich.

– Czy to aby nie twoje auto? – odzywa się nagle John.

Owszem. Patrzę, jak auto znika za rogiem, w głównej ulicy prowadzącej do autostrady. Widzę jeżyka na głowie Elspy. John każe taksiarzowi jechać za nią. W ten sposób zajeżdżamy pod hotel. Elspa skręca na parking.

Taksówka zatrzymuje się. Wyskakuję z wozu, po chwili jednak mityguję się. Jak mam zareagować? Powinnam być zła na Elspę? Zachować spokój? Kiedy Elspa rusza w stronę drzwi do hotelu, jak spod ziemi wyrastają Eleanor i moja matka, które warowały przy wejściu.

Elspa oddaje mi kluczyki.

– Przepraszam, że pożyczyłam twój wóz bez pytania – mówi, jakby nic więcej nie miała na sumieniu. Przechodzi przez kolejne rozsuwane drzwi.

Wymieniamy między sobą zdezorientowane spojrzenia i ruszamy za nią do windy. Wciska guzik. Czekamy.

– Gdzie byłaś, kochanie? – pyta moja matka.

– Musiałam jeszcze raz skonfrontować się z tamtym światem.

Wiem, że chodzi jej o konfrontację ze swoją narkomanią, przetestowanie siebie, upewnienie się, czy ma dość siły. Czasem mam podobne obawy w związku z Artiem – wiem, że łatwo mogę mu ulec, wobec czego wolę się trzymać z daleka. Każdy rozwiązuje problemy po swojemu. Milczymy. Drzwi windy się otwierają. Wchodzimy do środka.

– Martwiliśmy się – mówię i jest mi głupio, bo to brzmi tak, jakbym była matką, a ona dzieckiem.

– Ja też się martwiłam.

Wysiadamy z windy i idziemy wszyscy pod nasze drzwi. Elspa nie może znaleźć klucza, więc czekamy przez chwilę. Nie chcę, żeby cała sprawa rozeszła się po kościach.

Wreszcie Elspa się odzywa.

– Jak mogę przekonywać swoich rodziców, że jestem dobrą matką, jeśli sama nie jestem tego pewna? Nie wiem, jak z nimi o tym rozmawiać. Nie jestem wystarczająco silna.

Zaczyna płakać, więc moja matka ją przytula. Wkładam kartę do czytnika i wchodzimy wszyscy do pokoju. John stoi niepewny, czy ma zostać, czy wyjść.

A ja się zastanawiam, dokąd doprowadzi mnie uleganie słabości. Donikąd. Tylko odcięłam się od świata i zamknęłam w sobie. Elspa jest najsilniejsza z nas wszystkich.

– Zapomnij o moich strategicznych wskazówkach – mówię, czując bolesny ucisk w gardle. – Zapomnij o wszystkim, co ci radziłam. Mów prosto z serca. Powiedz im, czego pragniesz. Czego się boisz. Powiedz im wszystko. Uczciwie. Nie zamykaj się w sobie. Zanurz się w emocjach. Poczuj wszystko, co jest w tobie... – Nagle ogarnia mnie wściekłość. Mam ochotę wyrzucić telewizor przez okno, powywracać meble. – Nie ma sensu wypierać się uczuć. Ludzie cię oszukują i sprawiają zawód – wrzeszczę z zamkniętymi oczami. – Najpierw dowiadujesz się, że twój cholerny mąż notorycznie cię zdradza, potem, że cię wkrótce opuści: umrze i cześć. Jeżeli nie poczujesz tego wszystkiego, nigdy nie będziesz zdolna do uczuć, ani złych, ani dobrych. Więc pieprz to! Poczuj to, od a do zet!

Otwieram oczy i widzę, że musiałam się zsunąć po ścianie pokoju, bo siedzę na dywanie. Wszyscy gapią się na mnie w osłupieniu. Przez chwilę nikt się nie odzywa.

– W porządku – mówi John. – Mamy nowy plan: poczuć to wszystko.

To przełamuje napięcie. Wycieram nos i zdobywam się na nikły uśmiech. Elspa chichoce nerwowo.

– Pójdziesz tam jutro i stawisz im czoło? – pytam.

Kiwa głową.

– W porządku – mówi moja matka.

– To dobrze – uśmiecha się Eleanor.

– Nowy plan – szepczę. Ja, która poczułam wszystko naraz, przeżyłam pucz we własnym sercu: przemarsz miłości, nienawiści i zdrady.

Elspa śpi. Podchodzę do okna, patrzę na migotliwe światła portu. Byłam tu wiele razy w sprawach służbowych, ale tylko raz z Artiem – na jednodniowej wycieczce, ze dwa lata temu. Sporą część dnia spędziliśmy w zoo, przyglądając się niebieskim trującym żabom i lękliwym szkarłatnym ibisom. Artie wiódł polityczne dysputy z żółtogłową papugą amazońską, która, mimo zaangażowania w sprawy środowiska, była zażartą republikanką – przynajmniej według Artiego. Małpka pigmejka, zdaniem Artiego do złudzenia podobna do jego wujka Wiktora, przypatrywała się nam, przekrzywiając małą główkę, jakbyśmy to my byli w klatce, a ona nas oglądała. Potem wynajęliśmy łódkę i wiosłowaliśmy po zatoce przytuleni. Kochaliśmy się jak para nastolatków, a łódka podskakiwała na falach.

Dzwonię do Artiego. Spodziewam się nocnego pielęgniarza, ale słyszę głos męża.

– Lucy? – mówi.

– Czekałeś na mnie? – pytam cicho.

– Tak.

– Dzisiaj przeżyłam uczuciowy przełom – mówię, nie wiedząc, jak to inaczej określić.

– To znaczy?

– Nie miałam racji. – Mam ochotę dodać: w wielu kwestiach. Myślę o spoliczkowaniu Johna, ale nie mogę powiedzieć Artiemu o kłamstwach Bessoma. Wyciągnięcie tej tajemnicy na światło dzienne nie należy do mnie.

– W jakiej sprawie nie miałaś racji? Co się dzieje?

– Ostatnimi czasy starałam się panować nad uczuciami, żeby się im nie poddać. Ale to nie działa. Nie dam rady przejść przez to wszystko zimna jak głaz. To mnie wykończy. Muszę to wszystko poczuć.

– Racja – mówi. – Ale zaczekaj: skoro teraz czujesz głębiej, czy to znaczy, że będziesz mnie jeszcze bardziej nienawidzić?

– Możliwe, ale mogę cię też bardziej kochać.

Zapada cisza. Artie zastanawia się nad moimi słowami.

– Kiedy powiedziałem ci, że jestem zrozpaczony, miałem na myśli to, że jestem zrozpaczony przede wszystkim z twojego powodu. Reszta to przy tym pestka – mówi. – Powiedz, czy mam choć najmniejszą szansę odzyskać twoją miłość.

– Czy dotarło do ciebie, że zraniłeś w życiu wiele kobiet? Muszę to wiedzieć.

– Nie jestem w stanie pogodzić się z tym, że zraniłem ciebie, że byłem zdolny do tego, żeby cię zranić. Nigdy się z tym nie pogodzę.

Ja jednak wiem, że mężczyźni to łgarze. Na wypadek, gdybym się miała choć na chwilę zapomnieć – na wypadek, gdybym miała w chwilowej zaćmie zaufać któremuś – John Bessom sprowadził mnie na właściwą drogę. A mimo to chcę wierzyć Artiemu. Zaczynam płakać. Bezgłośnie. Łzy po prostu same płyną mi po policzkach. I, niestety, do pewnego stopnia wierzę Artiemu. Wiem, że mnie kocha i zawsze mnie kochał. Czuję pewną ulgę, jakbym po długich pertraktacjach zawarła rozejm z Artiem i z całym rodzajem męskim.

– Pamiętasz pigmejkę w terrarium?

– Jasne. Czemu pytasz?

– Chyba dlatego, że jestem w Baltimore. Myślę o naszej wspólnej wyprawie i o małpce, w której rozpoznałeś wujka.

– Postanowiłem uwierzyć w reinkarnację – mówi Artie. – Kiedy umierasz, zaczynasz o tym myśleć poważniej. Tamta małpka mogła być wujkiem Wiktorem. Chciałbym się odrodzić jako twój mały piesek.

– Małe pieski strasznie jazgoczą.

– Ja nie będę. Obiecuję. Będę jednym z nielicznych chihuahua, które złożyły śluby milczenia. Będę chihuahua zakonnikiem albo niemową. I nigdy nie będę naskakiwać na nogę gościom podczas niedzielnych obiadów.

Udało mu się trochę mnie rozbawić.

– Widzisz, znów składasz obietnice bez pokrycia.

– Powiedz mi coś jeszcze. Cokolwiek. Chcę po prostu jeszcze przez chwilkę słuchać twojego głosu.

– Muszę kończyć. Właściwie to wszystko, co ci chciałam powiedzieć: że zamierzam czuć więcej.

– Zostań jeszcze. Opowiedz mi coś. Jakąś historyjkę. Bajeczkę na dobranoc dla twojej psiny. Wymyśl coś.

Nagle dociera do mnie, jak wiele tracę, a to dopiero początek. Czuję ucisk w gardle.

– Albo kołysankę – prosi Artie. – Kołysanka też by mi dobrze zrobiła.

– Cały czas tęskniłam za tobą – mówię.

– Czy to fragment bajeczki?

– Nie. To prawda – mówię.

– Ja też cały czas tęskniłem.

– Dobranoc – mówię.

– Dobranoc.

ROZDZIAŁ 32

Niemożliwe ci się uda,
nawet gdy nie wierzysz w cuda

Stoimy z Elspą na bujnym trawniku. Rudy się krząta, mocując na tylnym siedzeniu fotelik dziecinny. Gail trzyma na rękach Rose i torbę z pieluchami.

Eleanor i moja matka odmówiły pójścia do zoo. Matka odciągnęła mnie na bok, żeby poinformować, że musi pobyć sam na sam z Eleanor i porozmawiać o tym, jak to jest być wdową.

– Wiem, jak to jest, kiedy się nadal kocha zmarłego – mówi. – A ona wciąż jest zakochana w Artiem. Kiedy umrze, będzie bardzo cierpieć.

W niektórych kwestiach ufam matce. Będzie podporą dla Eleanor.

John zniknął.

Kiedy spałam, wsunął liścik pod drzwi. Dopadły go kłopoty zawodowe, wraca pociągiem. Bardzo mu przykro.

W pierwszej chwili, czytając liścik, poczułam ulgę, ale potem wyobraziłam go sobie w pociągu, z podrapaną twarzą i zaczęłam się zastanawiać, czy znalazł coś na moje usprawiedliwienie. Ale szczerze mówiąc, nie chciało mi się o tym długo myśleć. Wiem, że powinnam poczuć wszystko, ale nie jestem w stanie przeżywać zbyt wielu emocji naraz. A poza wszystkim – mam już dość męskich łgarzy.

Zaczynam patrzeć na wszystko z innej perspektywy. Akurat w tym przypadku to nie Artie kłamał. Artie był okłamywany. Spędził te wszystkie lata, wykorzystując kobiety, a jednocześnie cierpiał nieustannie, bo nie wolno mu było widywać jedynego syna... który wcale nie był jego synem. Bulił na dziecko innego mężczyzny.

Po cóż więc John spędzał tyle czasu, poznając Artiego? Robił to z dobroci czy dla kasy? Kłamał, mówiąc, że zawsze tęsknił za Artiem? Czy należał do spisku i nadal w nim uczestniczy, usiłując wyłudzić forsę po raz ostatni?

– W torbie z pieluchami znajdziesz chrupki i obrane plasterki jabłka, kubek z dzióbkiem i ubrania na zmianę na wypadek, gdyby nasza duża dziewczynka zmoczyła majteczki.

W słowach „nasza duża dziewczynka" pobrzmiewają miłość i czułość, i po raz pierwszy zaczynam czuć do Gail coś na kształt sympatii. Zaraz jednak odsuwa się od samochodu, przejmuje Rose z rąk męża.

– Chcesz jechać do zoo z ciocią Elspą i jej znajomymi? Zobaczysz, wszystko będzie dobrze.

Jęczę w duchu. Czemu nazywa ją ciocią Elspą? Co za żałosna degradacja. I po co zapewnia małą, że wszystko będzie dobrze, jakby Rose od świtu płakała z niepokoju?

Rose jest słodziutka. Uśmiecha się nieśmiało i wierci na rękach, żeby ją odstawić na ziemię, bo chce już zasiąść w swoim foteliku.

– Proszę, jak się wyrywa – mówi Gail. – Próbuję uczyć ją ostrożności, ale ona gotowa jest uciec mi z rąk i ruszyć z byle kim w nieznane. Ma to chyba po matce.

Gail przygaduje Elspie, ale ta nie zwraca na to uwagi. Jest szczęśliwa, wręcz wniebowzięta perspektywą wyprawy z Rose.

– Widzimy się o szóstej na obiedzie w Chez Nous – mówi. – To nie będzie długa wyprawa.

Wsiadamy do samochodu, Elspa z Rose zajmują miejsce z tyłu. Ruszamy. Elspa chce pomachać matce, ale Gail zawróciła już i kroczy w stronę domu.

Dzień jest pogodny i jasny. Od dawna nie byłam w zoo. Elspa przywiązuje Rose do nadgarstka balonik. Drepczą z małą obok pingwinów. Przed klatką z lwami kucamy, żeby poglądać mrówki. Kupujemy fistaszki. Koło żyraf Rose robi siusiu w majtki. Elspa i Rose – już przebrana – spacerują, pokazując sobie ptaki.

Wlokę się z tyłu. Przez jakiś czas przyglądam się lamom, wreszcie dopada mnie poczucie winy wobec Johna – bynajmniej nie z powodu tamtego policzka. Mam wyrzuty sumienia, ponieważ stracił urocze chwile, a był bardzo zaangażowany w tę wyprawę. Chyba. W każdym razie na jakimś poziomie. A te wszystkie godziny spędzone z Artiem – cichy gwar ich głosów? Czy to było tylko na niby? To przecież on wyciągnął z Eleanor szczegóły jej romansu z Artiem. To, jak słuchał historii o Artiem i o mnie, chwila, kiedy pocieszał zgubionego chłopczyka w Wielkim Sercu – czy to była tylko komedia?

Rose truchta w moją stronę. Elspa ją goni, łapie, podnosi do góry. Rose się śmieje. Elspa odstawia małą na ziemię. Słońce zachodzi. Rose odchodzi od nas parę kroków, potem jej uwagę pochłania przywiązany do nadgarstka balonik.

– W ostateczności potrafię zadowolić się nawet tym – mówi Elspa. – Może to wszystko, co uda mi się osiągnąć? Pojedyncze chwile jak ta.

To mi przypomina o Artiem. Wszystko, co nam zostało, to pojedyncze chwile. Chcę już wracać.

Rose przydreptuje do Elspy.

– Chcę na rączki – mówi. Elspa bierze ją na ręce i przytula. Siada na pobliskiej ławce. Wyciąga paczkę chrupek. Elspa karmi Rose, a Rose karmi Elspę.

Kiedy wjeżdżam na parking przed Chez Nous, mercedes mruga do nas przednimi światłami.

– To oni – mówi półgłosem Elspa. Rose śpi mocno z główką odchyloną na boczne oparcie fotelika. Panuje nerwowa cisza.

Nagle opada mnie sfora lęków. Co będzie, jeśli nie pójdzie nam gładko? Jeśli Elspa niedostatecznie przygotowała się do spotkania? A co będzie, jeśli pójdzie nam gładko? Czy poświęciłam choćby jedną myśl wyobrażeniu sobie, jak będzie wyglądało nasze życie z Rose? Czy jestem na to gotowa? Czy Elspa naprawdę sprosta obowiązkom matki – nie w zoo, w pogodny dzień, tylko w szarej, uciążliwej codzienności macierzyństwa?

Mercedes podjeżdża. Szyba się odsuwa, odsłaniając Rudy'ego. Gail jest tylko niewyraźną postacią na tylnym siedzeniu. Siedzi bez ruchu.

– Dobry wieczór paniom! – wita nas Rudy. – Jak było?

– Co się stało? – pyta Elspa, wyczuwając coś, co uszło mojej uwadze.

– Musimy zmienić plany. Twoja mama ma jedną ze swoich migren.

Gail, patrząc w naszą stronę, przyciska palce do skroni, jakby na potwierdzenie słów męża.

Rudy wysiada z samochodu, nie gasząc silnika.

– Jak to? – mówi Elspa.

Otwiera tylne drzwi mojego samochodu.

– Śpi – mówi Elspa. – Nie mogłaby spędzić choć jednej nocy ze mną? Po co przenosić ją wte i wewte?

Kaszlę dyskretnie, by przypomnieć Elspie, że gra toczy się o więcej niż jedną noc z Rose.

– Rose śpi? – Zaalarmowana Gail wysiada z samochodu, żeby sprawdzić na własne oczy. – Całkiem wybije się z rytmu.

– Chcę z wami porozmawiać – mówi Elspa.

– Porozmawiamy jutro – mówi Rudy. – Teraz dzidzia pojedzie do domku spać. Moje biedactwo.

Elspa patrzy na mnie. Źrenice ma rozszerzone w panice. Chwytam ją za ramię, żeby dodać jej otuchy.

– Nie daj się – szepczę. – Cała naprzód.

Wlepia we mnie oczy, potem kiwa głową. Wysiada i staje między samochodami, wytyczając trzeci wierzchołek rodzinnego trójkąta, po Gail i Rudym.

– Chcę porozmawiać natychmiast.

Próbuję oglądać własne paznokcie, żeby uszanować prywatność Elspy, ale co chwilę popatruję w ich stronę. Muszę być przytomna, żeby w razie czego przyjść z pomocą Elspie.

– Bierzemy małą do domu – mówi Gail.

– Jestem matką Rose. Jej dom jest tam gdzie ja.

Gail odwraca się do Rudy'ego.

– Mówiłam ci, że będzie próbowała kombinować!

– Nie rób tego – mówi Rudy, podchodząc do córki.

Elspa prostuje się; jest wysoka, silna, prosta jak trzcina.

– Mam udawać, że nie jestem jej matką? Ciocia Elspa? Czyj to był pomysł?

– Ktoś tu jest niegrzeczny – mówi Gail.

– Wyjeżdżam jutro i zabieram Rose – oświadcza Elspa.

– Nie dasz sobie rady, dziecko – mówi spanikowana Gail. – Przerabialiśmy to już. To nie była łatwa lekcja.

– Ale teraz dam sobie radę. Zmieniłam się. Zaczęłam nowe życie.

– Chciałabym, żebyś mnie dobrze zrozumiała – mówi Gail, zbliżając się do Elspy. – Nie zamierzam powierzyć ci dziecka. Nie zamierzam zamienić jednej porażki na dwie.

– Ja jestem twoją porażką? – unosi się Elspa. – Takie masz o mnie zdanie?

– To oczywiste, że nie jesteś zdolna do wychowywania dziecka – mówi Gail. – Przeszliśmy kurs w poradni i wiemy, że narkomania to błędne koło w kolejnych tragicznych odsłonach.

Rudy dotyka ramienia Gail.

– Przestań, Gail – mówi.

– Nie dotykaj mnie, Rudy – krzyczy. – Wiem, co robię! Nie dostanie tego dziecka!

Elspa wyciąga rękę i kładzie na dachu samochodu, jakby szukała oparcia. Sama nie wiem, kiedy wyskakuję z wozu.

– Pani opinie o Elspie nie mają najmniejszego znaczenia – mówię. – Liczą się tylko prawa Elspy. Nie ma pani praw do opieki rodzicielskiej i jeśli wyciągnie pani Rose z samochodu i odjedzie, w świetle prawa będzie to porwanie.

– Myśli pani, że się pani boję? – mówi Gail.

– Opanujmy się troszkę – wtrąca się Rudy, siląc się na uśmiech. Zerka na nas nerwowo.

– Chcę być z moją córeczką – mówi Elspa i nagle mięknie, jakby przypomniała sobie nasz nowy plan: poczuć wszystko. – Potrzebuję jej, a ona potrzebuje mnie. Boję się. Pewnie, że się boję. Ale zmieniłam się na lepsze. I potrzebuję motywacji, żeby w tym wytrwać. Tą motywacją jest Rose, bo jestem lepszym człowiekiem jako matka Rose. Dzień po dniu. – Milknie na chwilę. Wszyscy milczą. – Na pewno nie będę taka jak ty. Idealna. Będę popełniać błędy. Ale to będą moje błędy. Nie możesz mi tego zabronić.

Gail zamiera. Robi się szara na twarzy. Chwyta Rudy'ego za ramię i błędnym wzrokiem omiata parking.

– Próbowałam zapewnić moim dzieciom idealne dzieciństwo – mówi. – Ale, koniec końców, zawiodłam was.

– Nieprawda – mówi Elspa.

– Dlaczego zawsze się ze mną sprzeczasz? Zawiodłam was. – Oczy Gail wypełniają się łzami.

Elspa robi krok do przodu, żeby uścisnąć matkę, ale Gail powstrzymuje ją gestem dłoni.

– Nie – mówi – tego już za wiele. – Odwraca się do Rudy'ego. – Stało się. Mówiłeś, że kiedyś do tego dojdzie. Mówiłeś, że będę musiała ją oddać. Wyszło na twoje. Zadowolony? – Rusza do samochodu. – Zróbmy to bezboleśnie.

– Nie musimy tego robić bezboleśnie – mówi Elspa. – Zróbmy to po prostu po naszemu. Wcale się nie spodziewam, że będzie bezboleśnie.

Gail się zatrzymuje.

– Wiecznie tylko poświęcam się dla ciebie.

Wsiada do auta i zatrzaskuje drzwi. Na placu boju zostaje Rudy. Patrzy na Elspę w osłupieniu. Nagle się rozkleja. Trze oczy, próbując się opanować. Bez skutku. Odwraca się. Jego plecami wstrząsa szloch. Potem podchodzi do Elspy, muska jej włosy, całuje policzek.

– Czekałem na tę chwilę tak długo. Wiedziałem, że wrócisz po nią, kiedy będziesz gotowa. Cały czas jej to mówiłem.

– Naprawdę? – pyta Elspa niepewnie.

Rudy potakuje.

– Pomogę twojej matce dojść do siebie. – Głos mu się łamie. Odchrząkuje. – Musimy się widywać z Rose. Często. Dla nas też jest naszą małą dziewczynką. Kochamy ją.

– Wiem – mówi Elspa. – Nie wiem, jak się wam odwdzięczę. Rose potrzebuje dziadków. Na pewno będziemy się często widywać. To nie jest koniec. Powiedz to mamie. Powiedz, że to może być początek nowych relacji. Dobrych relacji.

Rudy ma mokre oczy i kiedy się uśmiecha, dwie łzy spływają mu po policzkach. Odwraca się i wsiada do samochodu. Mercedes stoi w miejscu, jakby wrósł w ziemię, potem gwałtownie rusza.

Przez chwilę stoimy z Elspą tam, gdzie nas zostawił.

– Udało ci się – mówię. – Byłaś niesamowita.

– Chyba tak – mówi Elspa. Wciąż jeszcze nie doszła do siebie.

Odwracamy się jednocześnie, żeby spojrzeć na Rose, która śpi mocno.

Później, w hotelu, Elspa kładzie Rose na swoim łóżku i zdejmuje małej buciki, ostrożnie, żeby jej nie obudzić. Zapraszam panie – Eleanor i moja matka z Bobusiem na rękach przychodzą popatrzeć na Rose.

– Ciągle nie wierzę, że tu jest – mówię szeptem.

– Udało się wam – mówi Eleanor. – Naprawdę się wam udało.

– Jest zachwycająca. – Moja mama uśmiecha się czule.

Siadam na łóżku kompletnie wykończona. To był zwariowany dzień, pełen niespodzianek. I nagle, nie wiedzieć czemu, czy dlatego, że mój pancerz skruszał, czy dlatego, że tylko całkowita szczerość wydaje się teraz potrzebna, puszczam farbę. Choć wcale nie miałam zamiaru.

– John nie jest synem Artiego.

– To znaczy, że pojechał z nami, bo się w tobie kocha – mówi Elspa z błyskiem w oku.

Nie wiem, jak doszła do tej konkluzji.

– Okłamywał mnie. Wszystkich nas okłamywał.

– Tak, ale tylko dlatego, że się w tobie kocha.

– Nonsens – mówię.

Patrzę na Eleanor i moją matkę, czekając, że przyjdą mi w sukurs, ale one tylko kiwają głowami i uśmiechają się znacząco.

– To jakaś komedia. Nie chcecie chyba powiedzieć, że zgadzacie się z Elspą?

– N-no, owszem – potwierdza Eleanor.

– Ona ma rację, kochanie – mówi mama. – Wyjechał też z twojego powodu. Czy to ty go tak podrapałaś?

– Nie muszę odpowiadać na to pytanie – mówię. Nawet Bobuś patrzy na mnie podejrzliwie.

Elspa wzrusza ramionami.

– To by wszystko wyjaśniało. Wszystko. Czysta logika. – Odgarnia włoski ze spoconego czoła Rose. – Ty też go kochasz?

– Nie – odpowiadam. – Jest oszustem. I wcale mnie nie kocha.

Najgorsze, że wcale nie jestem pewna, czy mam rację. Czy to możliwe, że się we mnie zakochał? A ja w nim? Jasne, że nie. Mam ochotę powiedzieć: „Jak mogłabym się w nim zakochać, skoro jest synem Artiego?". Ale nim nie jest i nigdy nie był.

– Chciałabym się nacieszyć tą chwilą. – Wskazuję ręką na Rose. – Wygląda, jak aniołek. Spójrzcie tylko na nią.

Elspa otula Rose, sama kładzie się na narzucie, przytulając policzek do policzka dziewczynki.

– Nie mogę uwierzyć, że jest moja – mówi, patrząc na śpiącą córeczkę. Bada palcami rysy jej twarzy, jakby miała wyrzeźbić buzię Rose.

ROZDZIAŁ 33

Wreszcie nam się udało
wrócić do siebie cało

Ruszamy do domu po śniadaniu w bufecie hotelowym – śniadaniu bardziej lepkim i rozpaćkanym niż zwykle, gdyż jedliśmy je w towarzystwie Rose. Dziewczynka delektowała się swoim jedzeniem, nie tylko smakiem, ale również gąbczastością tosta, sprężystością jajek, tłustością bekonu. W samochodzie Elspa zabawia Rose. Czyta małej, śpiewa, pokazuje kocią kołyskę. Bobuś też pełni funkcje rozrywkowe. Rose chętnie naśladuje jego dyszenie, chyba wypracowali własny psio-dziecięcy język: tyle sapnięć na tak, tyle na nie. Wiem, że Rose wniesie do naszego życia wesołość i beztroskę, której będziemy potrzebować na kolejnym etapie pożegnania z Artiem. Rose pomoże nam przez to przejść.

Jazda powrotna zajmuje nam dwie godziny. Pędzimy przed siebie, żadnych korków. Wchodzę szybko do domu.

Jeden z pielęgniarzy Artiego macha do mnie z kuchni.

– Ma gościa – mówi.

Nie mam pojęcia, kto by to mógł być. Jedna z jego ukochanych? Postanawiam ją wyrzucić. Muszę z Artiem porozmawiać na osobności.

– Dzięki – mówię i ruszam od razu na górę. Wiem, że powinnam jakoś wytłumaczyć zniknięcie z jego życia Johna Bessoma. Postanawiam podzielić się z Artiem całą wiedzą. Artie wolałby wiedzieć, nawet jeśli sprawi mu to ból. Ciekawe, jak to przyjmie?

Sypialnia jest zamknięta. Stukam cicho i uchylam drzwi. Artie siedzi w łóżku. Wychudł. Dociera do mnie, że kiedy nie jestem przy nim, w moim umyśle jawi się w swojej dawnej postaci, której uporczywie nie aktualizuję – jako zdrowszy, silniejszy Artie, może nie do końca zdrowy, ale w znacznie lepszej formie. Powiedzmy, w postaci Artiego-rekonwalescenta. Dlatego przeżywam lekki szok, widząc, jak bardzo się postarzał, skurczył i pobladł. Nadal jest podłączony do respiratora. Mój umysł wymazał to z pamięci.

– Wiem już wszystko – mówi.

– Co wiesz? – pytam, zastanawiając się, jakim cudem się dowiedział, zanim ja mu powiedziałam.

– Musisz go wysłuchać – mówi.

– Kogo? – pytam.

Otwieram drzwi na oścież. Na krześle przy oknie siedzi John Bessom. Wygląda na zmęczonego, jakby nie spał. Oczy ma zaczerwienione. Na twarzy ciągle widać zadrapanie, wygląda teraz bardziej wojowniczo.

– Co tu robisz? – pytam.

– Przyszedłem się przyznać.

– Co?

– Pozwólcie, że ja zadecyduję, co teraz będzie. Lucy, siądziesz tu, w fotelu – mówi Artie – i wysłuchasz, co chłopak ma do opowiedzenia. Żadnych dyskusji. Zrozumiano?

– Ale...

– Żadnych „ale" – przerywa mi Artie. – Masz tu usiąść i go wysłuchać.

Niechętnie podchodzę do fotela i siadam.

– Opowiadaj – nakazuje Artie.

John kaszle. Nerwowo bawi się rąbkiem zasłony.

– W dzieciństwie byłem przekonany, że Artie jest moim ojcem – mówi. – Matka wmawiała mi, że ojciec mieszka daleko i nie może przyjechać, bo jest kimś bardzo ważnym i zapracowanym.

– J e s t e m kimś bardzo ważnym – przerywa żartobliwie Artie. – W tej kwestii cię nie oszukała.

Wciąż usiłuje rozładować sytuację. Czuję, że widać po mnie konsternację i szok.

– Kiedy miałem dwanaście lat w szufladzie natknąłem się na kasetkę z kopertami po comiesięcznych czekach i po adresie zwrotnym zorientowałem się, że mieszka niezbyt daleko. Całe wakacje spędziłem, podglądając go. Kiedy tylko mogłem, wsiadałem do autobusu i jechałem pod jego dom. Kryjąc się w ogródku sąsiada, przypatrywałem się, jak kosi trawnik, rozmawia z sąsiadami, urządza w ogrodzie grilla. Miałem nawet notes, w którym zapisywałem wszystko, co robi, i każde podsłuchane słowo. Po powrocie do domu ćwiczyłem jego chód i mowę.

Próbuję sobie wyobrazić dwunastoletniego Johna Bessoma, jak kuca w cudzym ogrodzie przez całe wakacje i trenuje podobieństwo do Artiego. Muszę przyznać, że to rozbrajające – choć ani myślę dać się Johnowi rozbroić.

John patrzy na Artiego.

– Nie wiedziałem wtedy, że Artie też mnie przez te wszystkie lata podglądał, gdzie tylko mógł.

– Tak było – potwierdza Artie.

– Bywały też trudne chwile – ciągnie John. – Widywałem go, jak wchodził do domu i wychodził z niego w towarzystwie kobiet. – Patrzę na Artiego. Zakłopotany wzrusza ramionami. –

Byłem zdruzgotany tym, że nie chciał być ze mną i z mamą. Wielbiłem go do szaleństwa. Wreszcie matka odkryła, dokąd jeżdżę, i powiedziała mi, bez ogródek, że nie jest moim ojcem i że mój ojciec nie żyje. „Przestań szpiegować Bogu ducha winnego faceta – powiedziała. – Nic go z nami nie łączy".

John wygląda, jak gdyby jeszcze raz przeżywał tę scenę, a we mnie lęgnie się coś na kształt nienawiści do Rity Bessom – nie za to, że wrabiała Artiego, co było podłością, choć w pewnym sensie na to zasłużył, ale za to, że odebrała synowi Artiego.

Patrzę na Artiego, potem na Johna. Nie wiem, jak mam zareagować. To wszystko nie poprawia sytuacji. John Bessom przez wiele lat uczestniczył w przekręcie, i, co gorsza, okłamywał Artiego na łożu śmierci. Dla pieniędzy?

– Bardzo współczuję – mówię. – Niemniej oszukiwałeś mnie. Oszukiwałeś Artiego, przychodząc na popołudniowe pogawędki. Robiłeś to dla pieniędzy.

– Nieprawda – broni się John. – Nie robiłem tego dla pieniędzy. Robiłem to chyba z dwu powodów. – Szuka wzrokiem Artiego, jakby chciał prosić o pozwolenie.

– Mów – kiwa głową Artie.

– Po pierwsze, nigdy nie miałem ojca. Czemu więc nie mógłby nim być Artie? Czemu nie miałbym w tak trudnym okresie mojego życia skorzystać z czyjejś rady? Nikt nigdy nie udzielał mi porad, ojcowskich porad. – Milknie.

– Jak się okazuje, nigdy nie miałem syna – Artie uśmiecha się do Johna. – Rodzonego. Więc czemu nie teraz, w tak trudnym okresie m o j e g o życia?

– Postanowiliśmy więc… – mówi John.

– Zawarliśmy pakt – dorzuca Artie. – John jest moim synem.

– A Artie jest moim ojcem.

Jest w tym coś smutnego, tak smutnego, że aż serce ściska. Dociera do mnie, że John wreszcie użył tego słowa – wreszcie nazwał Artiego swoim ojcem. Nie spodziewałam się takiego obrotu spraw: że okaże się, iż Artie nie jest ojcem Johna, choć zarazem w jakimś sensie nim jest. Potrzebuję chwili, żeby to przemyśleć. O tym właśnie marzyłam – o takiej chwili. Dla nich obu.

Rozglądam się po pokoju, omiatam wzrokiem flakoniki z lekarstwami Artiego, stłuczoną ramkę z naszą fotografią z Martha's Vineyard, buczący monotonnie respirator. Chcę się dowiedzieć, jaki był drugi powód. Chcę się przekonać, czy Elspa ma rację i czy John zdobędzie się na wyznanie w obecności Artiego.

– A jaki jest drugi powód? – pytam.

– To bardziej skomplikowana sprawa. Przyszedłem tutaj i opowiedziałem Artiemu wszystko, najprawdziwszą prawdę. – Jeszcze raz patrzy na mojego męża, szukając aprobaty. Słowa płyną z jego ust same, jakby bez udziału woli: – Zakochałem się w tobie.

Czuję nagły ucisk w piersiach. Zerkam na Artiego. Nie gniewa się, ale przez jego twarz przemyka grymas niepokoju. Najwyraźniej wkroczył w kolejny etap akceptacji swojej śmierci, zrozumiał, że moje życie będzie się toczyć nadal i musi się z tym pogodzić, choć ta świadomość niesie ból.

– Spodobałaś mi się już wtedy, kiedy nakryłaś mnie, jak spałem w sklepie, a potem, w czasie naszych wypraw, zakochałem się w tobie – wyznaje John.

– Nieprawda. – Zamykam oczy.

– Prawda.

Potrząsam głową.

– Straciłam umiejętność odróżniania, czy mężczyzna kłamie, czy nie.

– To częściowo moja zasługa – wtrąca Artie.

– Ja też się do tego przyczyniłem – John bierze na siebie część winy.

– No i chciałeś pieniędzy – naciskam.

– Nie chcę pieniędzy – mówi i natychmiast się krzywi. – Bardzo potrzebuję pieniędzy. Skłamałbym, gdybym zaprzeczył. Ale nie jestem tutaj dla pieniędzy.

– Nie musisz rezygnować z tych pieniędzy – mówię, sztywniejąc. – Dam ci całą kwotę z funduszu, który Artie miał dla ciebie. Nie musisz się martwić.

– Nie chcę się nie martwić. Chcę postępować zgodnie z nowym planem. Mam teraz za zadanie czuć wszystko.

– Artie – mówię. – Artie, co mam mu na to powiedzieć?

– Nic – odpowiada Artie. – On cię o nic nie prosi.

John wpatruje się we mnie intensywnie, w jego oczach dostrzegam znużenie.

– Nie proszę cię o nic. Nie wiem, jak to powiedzieć. Czuję się, jakbyś mnie zbudziła ze snu i okazało się, że jesteś snem, który śniłem.

Siedzę jak przyklejona do fotela. Nikt nie wykonuje najmniejszego ruchu. Staram się poczuć to wszystko – tę otaczającą mnie miłość i miłość, która jest we mnie. Najpierw próbuję ją zdusić, zaciskając węzeł w piersiach, ale węzeł rozplata się i miłość wraca do mnie, swobodna, wyzwolona. Czuję się, jakbym dotarła do jakiejś istotnej części siebie – do głęboko skrywanych pokładów uczucia. Być może kocham Johna Bessoma. Czy wolno mi sobie pozwolić na to, żeby znów czuć tak wiele?

– Artie – mówię. – A co mogę zrobić dla ciebie?

– Ja też cię o nic nie proszę.

Teraz, kiedy poczułam miłość – lub coś na kształt miłości – do Johna, czuję, że znów mogę oddychać. Wiem, że mogę tę miłość przekazać Artiemu. Musimy znów się pokochać i przyjąć wszystkie konsekwencje miłości, nawet trudne, jak akceptacja i wybaczenie. To chyba nie jest logiczne, że jedna miłość może przywrócić drugą miłość. Za to jest prawdziwe.

ROZDZIAŁ 34

**Więzy rodzinne
zawsze są splątane**

Trzylatka wprowadza niesamowity, fantastyczny chaos do naszego domu. Lodówkę zdobią obrazki rysowane pastelami, blaty lepią się od rozlanych soczków, sofa w maki przeobraziła się w łąkę dla stada koników pony o różowych grzywach. W łazience na dole stoi nocniczek, do umywalki sięga się ze stołeczka. Zabawki same z siebie śpiewają i zamykają oczy. Bobuś nauczył się wczołgiwać pod najdalszy narożnik sofy i żebrać u dołu schodów, żeby go wnieść na górę. Sypialnia gościnna zamieniła się w pokoik dziewczęcy z pełnym wyposażeniem, jest nawet baldachim nad łóżkiem ze Studia Stylowych Sypialni. Motyw przewodni – żaby – wybrała Rose. Jest pościel w żaby, nocna lampka w żaby i są pluszowe żaby, które, jak się okazuje, żyją w zgodzie z konikami pony o różowych grzywach. A w centrum wszystkiego jest Rose – rozćwierkana, rozśpiewana, roztańczona, tupiąca nóżką, nadąsana, roześmiana, wrzeszcząca. Jest w stu procentach sobą. Tryska życiem.

W tym samym czasie w sypialni na górze umiera inny człowiek.

Artie słabnie z dnia na dzień, więc siedzimy z nim wszyscy, starając się nieść mu ulgę, w czym się tylko da – schładzamy mu nadgarstki mokrymi ręcznikami, poprawiamy poduszki, wkładamy do ust kruszony lód. Aparatura tlenowa rozgrzewa pokój, więc włączamy wentylację.

Z Johnem działamy ramię w ramię. Nasza rozmowa we troje w tym pokoju nie skończyła się na samych słowach. To wszystko toczy się dalej. Ale każdy okruch naszej miłości należy do Artiego. Nie ma żadnych nadwyżek. Nie teraz. Jeszcze nie.

Mimo to łapię się czasem na rozmyślaniach, jakie mogłoby być życie z Johnem Bessomem – podobnie jak kiedyś zastanawiałam się, jakie będzie moje życie z Artiem. Nie jestem już tak naiwna, by wyobrażać sobie same dobre rzeczy: wakacje na plaży i kinderbale naszych pociech. Myślę o wielu różnych możliwościach. Myślę o naszym wspólnym początku, kiedy zbudziłam Johna śpiącego w sklepie, myślę o środku, w którym może się pojawić plaża i kinderbale, i myślę też o końcu. Ostatnie dni życia wyzwalają tyle dojmujących uczuć – w każdym razie ostatnie dni życia Artiego – że jest w tym wszystkim niesamowite piękno, pomimo smutku i poczucia straty. Kiedy rozmyślam o życiu z Johnem, Artie nadal jest pośród żywych. To on jest ukrytą sprężyną, która wyzwoliła mechanizm potencjalnej przyszłości. W jednej chwili czuję się, jakby mi ktoś wyrywał serce żywcem, a w następnej po brzegi wypełnia je miłość – takie oceany miłości, że tworzą się zawrotne wiry, porywiste prądy.

Nadal lubię nocne dyżury. Śpiewam Artiemu każdą kołysankę, jaką znam, a kiedy repertuar mi się wyczerpuje, nucę rockowe ballady Joan Jett.

Nasze dni upływają pośród wspomnień. W pewnym sensie jest to zasługa Johna. Opowiadam Artiemu historię o ptaku, który wpadł przez okno do pensjonatu naszego kolegi. Opowiadam, jak mi się oświadczył na tle łodzi ścigających się po Schuylkill i o pigmejce w zoo. Opowiadam mu, jak się modlił o naszą wspólną przyszłość w starym kościółku wielorybników w Edgartown. Czasami, kiedy jest zbyt słaby, żeby słuchać opowieści, trzymam go za rękę i modlę się. Modlę się o obfitość – nie pieniędzy, lecz jakiegoś nieokreślonego szczęścia.

Dość dawno przestałam się modlić o to, żeby zostało nam więcej czasu. Czas się już wyczerpał.

Artie pyta mnie, czy istnieją jakieś sentencje na temat duszy, których moja matka nie wyhaftowała jeszcze na poduszce.

Na dole Rose dialoguje z kotkiem z telewizyjnego programu dla dzieci.

– Chyba nie – odpowiadam.

Jest mu już trudno mówić. Nie ma siły mówić, więc szepce.

– Dusza nie powinna być większa od torebki? – proponuję, zerkając na Bobusia, który śpi u stóp jego łóżka. – Niech twa dusza porzuci ziemskie przyciąganie poprzez dietę, ćwiczenia i wszelkie umartwianie – dorzucam. – Nie chcesz chyba stawić się w niebie z tłustą, obwisłą duszą?

Tak naprawdę chcę wiedzieć, czy Artie nauczył się czegokolwiek o sobie albo o własnej duszy. Czuję, jakby mnie porwał wir przemian, choć to Artie przeszedł ostatnio najwięcej.

– Więc jak? Chcesz?

– Co chcę?

– Stawić się w niebie z tłustą, obwisłą duszą?

– Moja dusza nie wygląda chyba na zbyt tłustą? W tym ciele? – To ma być żart, ale Artie nie ma na sobie grama tłuszczu. Jest wychudzony, jego kości policzkowe są wyraźnie zarysowane. Z dołu słyszę, jak Rose klaszcze w ręce, a Elspa śpiewa do wtóru kotkom z ekranu.

– Chciałabym chyba wiedzieć... sama nie wiem. Chciałabym wiedzieć, czy nauczyłeś się czegokolwiek.

Wchodzi Eleanor. Niesie tacę z jedzeniem, które Artie będzie dziobał.

– Ja też bym się chciała tego dowiedzieć, jeśli można – mówi.

– A ty nauczyłaś się czegokolwiek? – przypiera ją do muru Artie.

Eleanor z brzękiem odstawia tacę na stolik nocny.

– Nie jestem tutaj po to, żeby się uczyć. Jestem tu po to, żeby ciebie czegoś nauczyć.

– Naprawdę? – ironizuje Artie. – To chyba tracisz czas.

– Posłuchaj, to przecież ty...

– Czego ode mnie chcesz, Eleanor?

Zrywam się.

– Zdaję się, że powinnam...

– Zostań, Lucy – zatrzymuje mnie Eleanor. – Ja wiem, czego chcę. Chcę, żeby świat był inny. Żeby mężczyźni byli milsi. Tęsknię za uczciwością i szczerością. Nie pogardziłabym też odrobiną zaufania.

– Rozumiem – mówi rzeczowo Artie. – Kocham cię, Eleanor.

– Nie zachowuj się jak dupek.

– Kocham cię, Eleanor – powtarza z wysiłkiem, starając się mówić głośno.

– Zamknij się.

– Kocham cię, Eleanor.

– Kocham cię, Eleanor – podchwytuję, ulegając nastrojowi chwili.

Patrzy na nas ze zgrozą.

– Co wam, u diabła, odbiło?

Nie bardzo wiem, co na to powiedzieć, na szczęście Artie mnie wyręcza.

– Dajemy ci szansę, żebyś mogła znów zaufać ludziom, czy ci się to podoba, czy nie – mówi.

Teraz już w pełni dociera do mnie jego rozumowanie.

– Nic nie poradzisz na to, jaki jest świat i mężczyźni, na brak szczerości i uczciwości. Ale to, co wymieniłaś na końcu...

– Oszaleliście – mówi.

Robi w tył zwrot sztywną nogą, rusza do wyjścia i nagle zatrzymuje się w drzwiach. Uderza pięścią we framugę.

– Do diabła, też was kocham. Zadowoleni?

Wychodzi.

– Była w tym bardzo prawdziwa – mówię.

Artie zgadza się ze mną.

I tak mijają dni. Nie zostało ich już wiele.

W środku jednej szczególnej nocy Artie nagle się budzi. Respirator w rogu pokoju wydziela ciepło, ale okno – na prośbę Artiego – jest uchylone i wilgoć snuje się po pokoju, kłębi jak mgła. Siedzę sama na brzegu łóżka. Nie mogę zasnąć. Siedzę na brzegu łóżka, tu, gdzie dawno temu owinięty ręcznikiem Artie z szamponem we włosach wyznawał swoje winy.

Pielęgniarze przyjeżdżają teraz z hospicjum. To chyba najwrażliwsze ludzkie istoty, jakie w życiu spotkałam. Mówią mi, że to nie potrwa już długo.

– Słuchaj – mówi Artie. Wyciąga rękę, którą biorę w dłonie. – Boję się, że... – Do oczu napływają mu łzy. – Obawiam się, że znowu złamałbym ci serce.

Uświadamiam sobie, że to wiem, i to już od dawna. Znów by mnie oszukał. Jakaś część jego duszy nie mogła żyć bez flirtów i romansów. Artie nie mógłby się nawrócić, pokajać i z czystym sumieniem powiedzieć, że nigdy więcej mnie nie zdradzi. I czy rzeczywiście pragnę jakiegoś głębokiego nawrócenia właśnie teraz, u schyłku jego życia? Nawrócenia, które nigdy nie zostanie poddane próbie pokus świata doczesnego? Czy na to naprawdę czekam?

Nie. Artie powierzył mi cenną prawdę o sobie, do której dotarł – że, gdyby żył, zapewne znów by mi złamał serce. Wolę prawdę.

– Wiem – mówię. – Nie szkodzi.

Wypowiada moje imię

– Lucy.

Ja wypowiadam jego imię.

Te słowa, ciche i proste, brzmią jak przysięga.

A potem mój mąż zamyka oczy. Odchodzi.

Pogrzeb powierzyłam całkowicie mojej matce, która, naturalnie, stanęła na wysokości zadania. Zna się na pogrzebach. Wybrała stosowne kwiaty, przepięknie ułożone, urnę (Artie prosił, żeby go spalić) i fotografię – Artie na plaży, ogorzały, z rozwianymi włosami. Rozumiem, co się stało i, do pewnego stopnia, zaakceptowałam to. Ale pogrzeb wydaje się nie na miejscu – jak gdyby był zarezerwowany dla tych, którzy naprawdę umarli. Artie nigdy naprawdę nie umrze – nie dla mnie.

A żywym dowodem tego, że Artie nadal żyje, są jego ukochane. Nadciągają – najpierw powoli, pojedynczo, wtapiają się w tłum współpracowników Artiego z sieci włoskich restauracji. Potem jest ich coraz więcej, tłum gęstnieje i sala jest tak nabita, że nie sposób wbić szpilki.

Jest Marzie w watowanej marynarce z hełmem motocyklowym pod pachą. Towarzyszy jej kobieta w podobnym wieku. Ma długie, potargane od wiatru włosy. Siedzą w jednej z ławek i trzymają się za ręce. Rudowłosa aktorka, niegdyś zakonnica w *Dźwiękach muzyki*, produkcji Związku Artystów Scenicznych, szlocha rozpaczliwie kurczowo wczepiona w poręcz krzesła. Nauczycielka matematyki Artiego, pani Dutton, wkracza z czarną krepą w klapie, pod rękę ze starszym, skwaszonym mężczyzną – zapewne panem Duttonem. Matka i córka, które zderzyły się nieoczekiwanie w moim salonie, przybyły osobno i siedzą teraz na dwóch końcach sali. Brunetka z ironicznym uśmieszkiem, ta z pierwszego dnia, siedzi obok nerwowego jak zawsze Billa Reyera i zerka na niego spod oka.

„Springbird" Melanowski. Czekam i czekam na nią, ale Wiosenny Ptak nie czai się nawet na tyłach sali. Jestem zawiedziona.

Jest również wiele kobiet, których nie znam – starych i młodych, wysokich i niskich, różnych ras i narodowości. Szczerze mówiąc, trzeci rząd wygląda jak forum ONZ-etu. Nigdy bym nie przypuściła, że tłum ukochanych Artiego może mi sprawić przyjemność. A tak właśnie jest. Cieszę się, że tutaj są i że każda z nich wnosi swoją cząstkę miłości i uzasadnionych pretensji czy wręcz niechęci (na to również Artie sobie zasłużył).

I, oczywiście, są ukochane Artiego, które zostały również moimi ukochanymi: Elspa w luźnej, płóciennej sukience, która nie zakrywa tatuaży, dystyngowana Eleanor z oczyma pełnymi łez oraz wybrany przez Artiego syn, John Bessom, który odnalazł ojca i teraz cierpi, ale tym dobrym cierpieniem, które dotyka nas wtedy, kiedy tracimy kogoś, kogo szczerze kochaliśmy. Siedzi tuż obok mnie. Czasem trącamy się łokciami. Był spokojny i cierpliwy i, jak każdy z nas, pochłonięty ostatnimi wydarzeniami. Wszyscy moi ukochani siedzą obok mamy i mnie w pierwszym rzędzie. Wiem, że John czeka na jakąś moją odpowiedź, informację o werdykcie mojego serca. Ja też czekam.

No i jest Rose w lakierkach – siedzi na kolanach Elspy, plastikowym grzebykiem Barbie czesząc grzbiet wypchanej sztruksowej żaby. Ubóstwiam jej pulchne rączki z dołeczkami, delikatność, z jaką trzyma żabę, i to, że przeprasza ją szeptem, kiedy grzebyk szarpnie za mocno.

Lindsay też jest wśród nas. Spóźniła się i siedzi z tyłu, ale nawet stamtąd przykuwa mój wzrok. Kostium leży na niej idealnie, jakby wreszcie był szyty na miarę. Lindsay wygląda dojrzalej, wydaje się wyższa. Jestem oczarowana jej widokiem – jak gdybym widziała cząstkę siebie, z którą nie chcę się rozstać.

Pogrzeb – czarne ubrania, kwiaty, urna. Wszystko idzie dobrze, dopóki mistrz ceremonii nie zaczyna wygłaszać standardowej mowy pożegnalnej. Jego nawoskowane włosy, na czubku głowy zaczesane do tyłu, tworzą spiralnie zwiniętą wypukłość podobną do cynamonowej bułeczki. Mówi o tym, że należy „czerpać z życia pełnymi garściami". Mówi o Artiem, którego nie znał, a którego podziwia za „schedę miłości, jaką pozostawił po sobie".

To wszystko, rzecz jasna, pic na wodę. Patrzę przez ramię na salę pełną ukochanych – przetykanych gdzieniegdzie kolegami z branży – i widzę, że nikt tego nie łyka. Zezują na mistrza ceremonii i rozmawiają szeptem. Widzę na twarzach niechęć. Artie był Artiem. Zasługuje na szczerość i prawdę.

Mama klepie mnie po kolanie i uśmiecha się smutno, jakby mówiła: „Powinnaś też się smutno uśmiechać, kochanie. Zachowuj się jak ja". To nie jej wina. Próbuje najlepiej, jak potrafi, uczyć mnie życia. Ale próbuje uczyć mnie życia ze s w o j e j perspektywy. A jej perspektywa jest mi obca.

I właśnie wtedy John nachyla się do mnie i szturcha mnie ramieniem.

– Co byś powiedziała na irlandzki pub?

Racja. Czemu o tym nie pomyślałam? To wszystko tutaj nie ma z Artiem nic wspólnego. Nic a nic.

Kiedy mistrz ceremonii kończy monotonną orację, trącam Johna łokciem w bok.

– Zaproś wszystkich do pubu – mówię.

– Teraz?

Kiwam głową.

Rzecz w tym, że nie wiem, jak zaczyna się stypę. Nie mam kartek z wydrukowanym porządkiem obrad, nie mam wykresów, grafików, prezentacji w PowerPoint. Na miejscu pełno ukochanych. Teraz, kiedy nie onieśmiela ich już ciężka atmosfera sali ceremonialnej, mówią głośno, zamawiają drinki, rozmawiają ze sobą, z barmanem i z mężczyznami, którzy wieczorami przychodzą oglądać mecz koszykówki na podwieszonym telewizorze.

Eleanor, moja matka, John i ja siedzimy przy stole z Rose. Rose rysuje kredkami wysępionymi przez Johna od kelnerki. Elspy nie ma.

– Muszę na chwilę wrócić do domu. Możecie popilnować Rose? – spytała, kiedy wylądowaliśmy w pubie.

– Wszystko w porządku? – zaniepokoiła się Eleanor.

– Tak, tak. Po prostu zapomniałam czegoś ważnego. Nie wiedziałam, że tak się to wszystko potoczy.

Prosiliśmy, żeby się nie spieszyła, bo Rose będzie z nami dobrze. Ruszyła, jakby się paliło. Przez okno pubu widziałam, jak pędzi ulicą do samochodu. Nie miałam pojęcia, czego zapomniała, ale najwyraźniej czegoś ważnego.

– Tu wreszcie jest, jak trzeba – mówi John.

Zdjął marynarkę, rozluźnił krawat. Jest zmęczony – te miesiące były dla nas wszystkich niełatwe – wymiętoszony, trochę jak wtedy, kiedy zobaczyłam go pierwszy raz śpiącego w jednym z łóżek wystawionych na sprzedaż w Studiu Stylowych Sypialni. Przyłapuję się na tym, że podkradam Rose kredki i gryzmolę na jednej z jej kartek. Mam napięte nerwy. „Tu wreszcie jest, jak trzeba". Nie byłam tu od dnia, kiedy poznałam Artiego. Lokal jest dokładnie taki, jak zapamiętałam: tchnie pubem i Irlandią. Wspominam, jak się czułam tamtego wieczoru przed laty, kiedy Artie opowiadał o pościgu za królikiem przez podmiejskie ogródki. Wspominam też aurę, jaką roztaczał wokół siebie. Tryskał energią.

John przynosi nam drinki. Rose dostaje Shirley Temple z podskakującą wisienką. Upija łyk.

– Mam w nosie bąbelki! – mówi, pocierając policzki. Nie wiem dlaczego, ale wszystko ma teraz jakieś głębsze znaczenie. Rose z bąbelkami w nosie wydaje się uosobieniem istoty życia: optymistyczna, wzruszająca, zwyczajna.

– Jak się zaczyna stypę? – pytam Johna.

– Nie wiem – mówi. – Ktoś chyba powinien zacząć coś mówić.

Patrzę na moją matkę.

– O co chodzi? – pyta.

– Zawsze wiesz, co powiedzieć – mówię. – Może ty zacznij.

– Mówić o Artiem? Coś m i ł e g o?

– Coś p r a w d z i w e g o – prostuje Eleanor.

– Cokolwiek – proszę. – Na rozruch.

Moja matka wstaje, podchodzi do baru, po czym gwiżdże przez zęby, jak ulicznik. Unosi dłoń i wszystkie głowy obracają się w jej stronę.

– To jest stypa. Chciałam powiedzieć, że jestem z zasady przeciwna ekshibicjonizmowi uczuciowemu. Osobiście wolę klasyczne pogrzeby. Jednak zostałam poproszona o rozpoczęcie stypy paroma słowami o Artiem. – Uśmiecha się do mnie, jakby chciała powiedzieć: „Przyznasz, że nieźle mi idzie!". – Nie mam nic przeciwko feministkom, dopóki nie żądają, żebym zrzuciła stanik. Zadam wam kilka pytań. Za co kochaliśmy go wszyscy? Czy jego gatunek przetrwa? Czy był raczej egzemplarzem czarującego, słabowitego gatunku skazanego na wymarcie? Czy następne pokolenie będzie chciało zawracać sobie głowę czymś równie bezsensownym jak rodzaj męski?

Milknie, jakby naprawdę czekała na odpowiedź. Od kogo? Od Rose? Czy Rose jest następnym pokoleniem?

– Nie wiem, czy to ma znaczenie – podejmuje po krótkiej przerwie. – Kochamy tych, których kochamy, nawet jeśli ich nie znosimy. Serce nie sługa, nie zna, co to pany, nie da się przemocą zakuć w kajdany. Każdy z nas kochał Artiego po swojemu.

Uważam, że Artiemu ta mowa bardzo przypadłaby do gustu. Jest pełna sentencji, którymi moja matka nie ozdobiła żadnej poduszki. Perła goni perłę.

W życiu się tak nie popłakałam.

John unosi kieliszek.

– Za Artiego! – woła.

Wszyscy wznoszą kieliszki oraz szklanki i tak się zaczyna. Ukochane opowiadają anegdotki o Artiem: jak na przyjęciu urodzinowym dla pieska siedział w spiczastej czapce oklejonej futerkiem (na pewno skręcało go na tej imprezie) albo jak w nocy pływał na golasa w basenie apartamentowca. Eleanor opowiada, jak zabrał ją po raz pierwszy w życiu na dancing. Trochę dziwne, że wybrała właśnie tę historię, ale domyślam się, że opowieść jest ważniejsza dla niej niż dla słuchaczy. Może tak właśnie bywa na stypach? Każdy przychodzi z własnym bagażem wspomnień, który rozpakowuje na oczach wszystkich.

– Artie Shoreman został moim ojcem na łożu śmierci – mówi John. – Trudno o bardziej żywego człowieka, nawet w chwili śmierci. – John jest piękny, mówi przez ściśnięte gardło, ale uśmiecha się. W oczach ma łzy, choć nie płacze. – Kochałem go całym sercem.

Elspa wraca, kiedy jedna z ukochanych opowiada, jak Artie bębnił na pianinie, twierdząc, że gra atonalnie i jest fanem młodego kompozytora nazwiskiem Bleckstein. Wręcza mi wysokie kartonowe pudełko oklejone pocztowymi nalepkami.

– Co to? – pytam szeptem. Mam rumieńce, policzki bolą mnie trochę od śmiechu. Jestem lekko wstawiona.

– Otwórz – mówi.

Zawartość jest owinięta w gazetę. Grzebię w środku i wyciągam dziwny, niebieski przedmiot. To rzeźba – krągława u podstawy, przechodzi w cylinder skręcony na czubku. Dopiero po chwili dociera do mnie, co to jest.

– To Artie – mówi Elspa. – Jego część. Mówiłaś, że chciałabyś ją zobaczyć. Musiałam obdzwonić parę osób, żeby ją zlokalizować. W końcu przyszła w paczce.

Zaczynam się śmiać. Mityczny fallus Artiego!

– Rzeczywiście jest abstrakcyjna – mówię. – Myślę jednak, że udało ci się uchwycić esencję istoty Artiego. – Słowo „esencja" rozbawia mnie jeszcze bardziej niż rzeźba.

Elspa też zaczyna się śmiać.

– Dokładnie, esencję.

Eleanor, mama i John zerkają na nas.

– O co chodzi?

Podnoszę rzeźbę niczym statuetkę Oscara.

– Artie – mówię. – To jest abstrakcyjny Artie. To chyba jego najbardziej pochlebny wizerunek.

Chwytam Elspę i daję jej całusa. Przeszłyśmy wiele. Posążek jest dowodem na to, jak daleko dotarłyśmy.

– Popatrz! Popatrz! – Rose wymachuje rysunkiem.

Elspa bierze do ręki obrazek.

– On też jest abstrakcyjny?

Patrzę na mój rysunek. Jest na nim uproszczona podobizna Elspy, Rose, mamy i Eleanor. Narysowałam też Artiego w garniturze boya hotelowego – tak jak przedstawił go John na papierowym obrusie w restauracji – z epoletami i walizką. Narysowałam też Johna i siebie.

John słucha jakiejś kobiety, która nawija na środku pubu. Ona też jest trochę wstawiona – w tej chwili chyba wszyscy mają już lekko w czubie. Mówi o Artiem i o tym, że stypy są w gruncie rzeczy dla żywych. Składam rysunek na pół i jeszcze raz na pół i chowam go do kieszeni.

Patrzę na Johna. Wyczuwa mój wzrok i odwraca się do mnie. Przysuwam się do niego z krzesłem.

– Hej – mówię i bez dalszych ceregieli wsuwam rękę w jego ciepłą i miękką dłoń.

On z uśmiechem ściska moją.

– Hej – mówi.

Wygląda to bardziej na początek niż koniec. Wiem, że kiedyś pokażę mu mój rysunek – nową wersję potencjalnej przyszłości. Patrzę na siedzących przy stole – na Johna, mamę, Eleanor, Elspę i Rose. Czuję, że są moją rodziną – i to bliską. Zastanawiam się, co powiem, kiedy nadejdzie moja kolej. Mam w zanadrzu wiele historii. Chyba nie ma większego znaczenia, na którą się w końcu zdecyduję. Każdy tu mówi, co chce, przed nami długi wieczór pośród śmiechu i łez. Sama już nie wiem, po czym poznać prawdziwą żałobę.

PODZIĘKOWANIA

Pragnę podziękować wielu osobom, które pomogły mi przebrnąć przez chwile zwątpienia, jakie ogarniały mnie w trakcie pisania.

Justinowi Manaskowi za to, że podłączył rozrusznik, kiedy z książki zaczęło uchodzić życie.

Frankowi Giampietro, który od niepamiętnych czasów mnie inspirował. Frank, uwielbiam twoją dogłębną znajomość kobiecej psyche. Jestem ci nieskończenie wdzięczna.

Genialnemu Natowi Sobelowi za doping i cenne, jak zawsze, rady. Swannie za wierne kibicowanie mojej pracy. Caitlin Alexander za wnikliwą krytykę i dbałość o tekst. Podziękowania dla Uniwersytetu Stanowego Florydy. Niech jego drużyna święci triumfy na każdym boisku!

Jak zawsze dziękuję też mamie, tacie i mojej uroczej, mądrej dzieciarni. I, oczywiście, mojej drugiej połowie – Dave'owi. Z całego serca dziękuję Mu za serce, którym mnie obdarza.

Wydawnictwo Otwarte sp. z o.o.,
ul. Kościuszki 37, 30-105 Kraków. Wydanie I, 2009.
Druk: Colonel, ul. Dąbrowskiego 16, Kraków.